La Bête
du Vaccarès

Joseph d'Arbaud

La Bête du Vaccarès

Préface de l'édition originale
par Charles Maurras

Préface de Louis Bayle
Avec une note sur la langue de d'Arbaud

Bernard Grasset
PARIS

Joseph d'Arbaud / La Bête du Vaccarès

Joseph d'Arbaud est né le 4 octobre 1874 à La Petite Bastide, la propriété de sa famille à Meyrargues. Son milieu d'origine est celui de l'aristocratie terrienne, férue de traditions et de belles-lettres, qui soutient l'action des poètes du félibrige groupés autour de Mistral dans le mouvement de la renaissance provençale. Sa mère, Marie d'Arbaud, fille de l'érudit philosophe et archéologue J. Valère-Martin, composa un recueil de poèmes en provençal, Li Amouro de Ribas (les Mûres des talus), et c'est la langue de Mireille qu'elle enseigna d'abord à son fils.

A dix ans, Joseph d'Arbaud est envoyé au collège des jésuites d'Avignon où il fait toutes ses études secondaires. Se destinant au barreau, il s'inscrit ensuite à la faculté de droit d'Aix-en-Provence. Aix, en ces dernières années du siècle, se pare des prestiges d'une petite capitale à la fois mondaine et culturelle. Le jeune d'Arbaud est reçu dans les salons aussi bien que dans les cénacles littéraires où il fréquente Joachim Gasquet, Émile Sicart, Xavier de Magallon, Louis Bertrand, Louis Le Cardonnel. Mais très vite, il fuit les succès mondains et la compagnie des poètes qui le pressent d'écrire en français. Sourd aux objurgations de ses amis et de sa famille elle-même, c'est l'exemple d'un autre poète, Folco de Baroncelli-Javon qui vit retiré dans un mas du delta du Rhône, que d'Arbaud décide de suivre.

Il se réfugie en Camargue, dans ce qu'il y a de plus strictement, de plus parfaitement provençal, entre toutes les terres de la patrie, dira Maurras. Pendant plusieurs années, aux Clos du radeau, près de Fos, il habite une cahute couverte de roseaux et mène la rude existence des gardians, parmi les chevaux et les taureaux sauvages. C'est là qu'il écrira ses premiers livres de poèmes, les Lauriers d'Arles, *préfacé par Frédéric Mistral et les* Chants palustres *qui demeureront inédits de son vivant.*

La maladie arrache d'Arbaud à sa retraite et le contraint de séjourner à Hauteville puis à Montana d'où il rapportera les poèmes de la Vision du Nord. *Sa santé rétablie, il s'installe à Aix où il collabore à la revue* le Feu *dont il prendra la direction après la mort de son ami Émile Sicart. C'est dans le* Feu *qu'il publie « les Rameaux d'airain » (poèmes), « Noël gardian » et « la Caraque » (nouvelles). Son chef-d'œuvre en prose,* la Bête du Vaccarès, *paraît en 1926 chez Bernard Grasset dans une édition bilingue dont d'Arbaud a composé lui-même la version française. Le roman remporte un grand succès, il est traduit en anglais, en allemand et en polonais.*

Lorsqu'il meurt, le 2 mars 1950, Joseph d'Arbaud laisse de nombreux inédits parmi lesquels des poèmes, Éclosion de l'automne, *et un long roman d'aventures,* l'Antife **.*

Au printemps de l'an de grâce 1417, Jacques Roubaud, gardian de la manade de Malagroy – mais plus instruit qu'on ne l'est d'ordinaire dans son état parce qu'il fut longtemps destiné à la prêtrise – entreprend de consigner pour la postérité les faits extraordinaires dont il a été témoin. Au hasard de ses randonnées à cheval, Roubaud a rencontré une bête étrange; elle avait le corps d'une chèvre et le visage d'un vieil homme. Et elle parlait. Elle assurait l'ancien escholier qu'elle n'était pas une créature du diable mais un demi-dieu déchu, chassé de tous lieux et condamné à finir sa vie dans la solitude des marais. Après la première stupeur et le premier effroi naît la compassion puis, dans le cœur du pieux gardian, un sentiment qu'il reconnaît avec étonnement pour de l'amitié.

A travers ces deux pitoyables protagonistes, ce sont deux civilisations, le Moyen Age chrétien et l'Antiquité païenne, qui se rencontrent et communient un instant dans la reconnaissance des valeurs immuables de la Nature. La Bête du Vaccarès *est aussi un conte sauvage et tendre sur le vieillissement et sur la mort des grands mythes.*

---

* Poèmes et roman ont été publiés depuis.

Les gens du Midi passent pour insensibles et durs envers les animaux. Cependant, exception faite pour la Champenoise Colette, reine et maîtresse incomparable, et pour Henry de Montherlant qui est d'ailleurs une sorte de Méridional adoptif, tous les bons animaliers qui honorent aujourd'hui les Lettres françaises sont nés au sud de la Loire. Rachilde nous vient de Gascogne. Joseph de Pesquidoux porte haut dans le ciel les couleurs d'Armagnac. Charles Derennes, si savant, pénétrant et divinateur, vient aussi de Gascogne. L'admirable auteur de *Sangar taureau*, Jean Samat, est de Provence, comme le fut, par son tombeau, Joseph Fabre, né Rouergat. Ou tous ces écrivains font figure de prodiges et de monstres dans leur propre pays, ou leur œuvre établit que nos provinces du Midi n'ont pas rompu la communion avec le monde des frères inférieurs. S'il fallait à tout prix allonger cette liste, je dirais

I

que le beau livre pour lequel j'ai l'honneur d'écrire une préface y portera le nom d'un autre Provençal : Joseph d'Arbaud. Mais Joseph d'Arbaud est-il à ranger dans la même série que Pesquidoux ou que Samat ? Coupons court au demi-contresens. On lirait mal cette *Bête du Vaccarès*, on la comprendrait de travers si l'heureux et brillant prétexte que l'auteur a tiré du Bestiaire provençal en faisait oublier le caractère fabuleux. Son héros est un animal de poésie et de légende, il est sorti du même tome d'Histoire naturelle que la Tarasque et son frère le Drac, sans parler du Faune, du Satyre et de l'Ægipan.

S'il ne me fait songer au sublime taureau qui enleva Europe, c'est que je pense tout d'abord à mon vénérable et non moins mythique voisin le Taureau ou le Bœuf de Notre-Dame de Caderot. Une nuit d'hiver, il y a des siècles, cet animal quitta brusquement les rives de Marignane ou, selon d'autres, de Martigues, traversa notre Etang à la nage et, abordant non loin de Berre, se mit à fouiller de toutes les forces de son pied fourchu les racines d'un de ces petits genévriers que l'on appelle en provençal *cade* et *caderot*. Les gens du pays l'aperçurent, ils accoururent, on fit cercle et qu'est-ce que l'on vit ? A force de peiner du mufle et de la corne, l'animal déterra une cassette de

II

jolie forme et de bon poids, qui, ouverte avec soin, commença par exhaler des parfums délicieux et finit par livrer de précieuses reliques de la Vierge Marie ; quelques boucles de ses cheveux et quelques gouttes de son lait, placées sous verre et enfouies, assure-t-on, durant la persécution de Dioclétien. Je ne me porte pas garant de tous les détails de l'histoire. D'autant plus qu'on en donne plusieurs versions. Celle qu'on m'a dite à Berre prétend que le Taureau ou le Bœuf ne mit point au jour des reliques, mais une statue de la Vierge, celle-là même qui est placée dans la niche au-dessus de la porte de la chapelle. Niche, statue, chapelle existent, je les ai vues à l'ombre de vastes cyprès séculaires. On ne m'a pas montré le Bœuf, mais les anciens lui ont vu fendre les flots de l'Etang.

Plus avancé que moi, Joseph d'Arbaud a certainement rencontré, au moins en songe, sa Grande Bête, et s'il lui a laissé quelque sombre auréole empruntée à la nuit des temps, c'est, je crois, pour produire en nous le plus bel effet de recul, car j'ai rarement lu un poème où l'imaginaire et le réel, le sens de la nature et le rêve de Pan, aient donné lieu à de si curieux entrelacs. Vous allez le voir en tournant la page. Le livre est là, écrit deux fois, en français et en provençal, beau, franc, plein de

III

mystère et aussi de lumière. Inutile d'en disserter.
Voulez-vous connaître un peu son poète ?

Pour classer dignement un écrivain de la stature
de Joseph d'Arbaud il faudrait avoir mesuré toutes
les grandeurs comparables de nos deux littératures françaises, ce qui supposerait déjà bien
connue l'histoire de la renaissance provençale au
XIXᵉ siècle.
On écrit cette histoire, elle n'est pas tout à fait au
point. Ceux qui l'écrivent ont souvent le grave
tort de présenter le mouvement provençal comme
terminé ou suspendu. Je le crois encore à sa fleur.
Certes le grand maître d'amour Aubanel est mort
en 1886 ; Roumanille, le bon conteur, le doux
poète, le journaliste inégalable, l'a suivi de près
en 1891 ; et la vieillesse étincelante de Mistral,
prolongée dans une espèce de solitude, s'arrêta au
printemps de cette sanglante année 1914, seuil réel
du siècle nouveau. Mais Mistral ne s'est pas éteint
sans transmettre la flamme. Derrière lui, duraient
et, comme il aimait à dire, *tenaient* un Marius
André, un Folco de Baroncelli, un Joseph d'Arbaud,
celui-ci le dernier par l'âge, non par le génie. En
laissant flotter sur leurs fronts le regard de l'adieu,
le Maître a désiré, certainement, pour eux plus que

IV

le talent, plus que l'art, il a voulu leur léguer une parcelle de sa volonté de héros. Sa tâche surhumaine comporta un effort immense. Celle des successeurs ne sera pas moins rude.

Favorisée, comme la sienne, par les tendances du pays et les vieilles pentes du sang, elle est combattue et un peu trahie par les conditions politiques et mentales d'une société centralisée jusqu'à la folie : ce n'est qu'à bras tendu, à grand-peine et effort, que nos poètes porteront la langue et l'esprit de Provence aussi longtemps qu'un ensemble d'institutions religieuses, politiques, scolaires et mondaines ne sera pas venu soutenir du dehors le génie et l'art des chanteurs.

Un beau et brave peuple continue à parler gaiement une belle langue sonore et, d'année en année, émergent de son sein les petits groupes d'hommes unis par le lien flottant des fraternités du félibrige. Ces hommes, ces poètes sont un peu clairsemés. Mais leurs fêtes périodiques sont suivies, leurs bulletins sont lus et commentés comme cet Almanach provençal, toujours florissant, qui reste une force. Pourtant, sauf en des points privilégiés, on ne saurait nier que ce cercle de société provençale soit assez limité : l'apport des classes différentes n'y est pas encore très égal. L'élément cultivé est surtout représenté par des instituteurs et des prêtres ; si l'enseignement secondaire et supérieur y adhère, c'est lentement. La bourgeoisie fut longtemps revêche, elle s'apprivoise peu à peu, elle cesse d'interdire à ses enfants la langue du pays comme triviale ou grossière : le temps n'est plus où Aubanel apprenait le provençal quasiment en cachette, ainsi que je l'appris pour ma part. Cette bourgeoisie qui s'améliore, suit, en cela, certains éléments traditionnels et fidèles de l'ancienne aristocratie. Mais celle-ci n'est pas unanime. Ni du vivant de Mistral, ni de nos jours, on ne peut encore observer qu'en Provence, ni en Languedoc, ni en Gascogne, ni en Limousin, un véritable monde, un monde complet se rallie à la culture littéraire, à l'usage courant et constant du provençal. Cela se fait ou se fera, mais est loin d'être fait, et l'on peut considérer comme rare et merveilleux le cas d'un jeune homme de la classe aisée et lettrée qui ait trouvé dans son berceau la langue de Mireille et la connaisse, et la manie comme une langue maternelle.

Tel est le cas de Joseph d'Arbaud. C'est d'une mistralienne, la « félibresse du Cauloun », qu'en 1874, à Meyrargues, avec le souffle de la vie, avec le sentiment de la poésie éternelle, il reçut le sens et le goût de ces vieux mots qui marquent, sous

VI

l'accent du pays, les choses du pays. A ce rare bonheur s'associaient les dons naturels de premier ordre que la discipline de Mistral fortifia et qu'en-richit bientôt l'étude approfondie des littératures connexes. Ses classes finies, Joseph d'Arbaud vint à Aix, fit son droit comme tout le monde et fré-quenta les cénacles déjà florissants que Joachim Gasquet, Emile Sicard, Xavier de Magallon, Louis Le Cardonnel, Louis Bertrand y avaient fondés. Là, bien des tentations ne manquèrent pas d'assaillir sa foi provençale. *Ecris en français!* *Ecris en français!* De belles muses tentatrices le harcelèrent. Ceux qui ont vu Joseph d'Arbaud savent ce qu'il y a d'un peu rude et sévère, de tenace et d'obstiné sur ce front, dans ces yeux, par tout ce visage tendu. On disait sous l'ancien régime : têtu comme un Provençal. Le terme n'est pas juste. L'entêtement, c'est la faiblesse. Mais l'opiniâtreté d'une force fidèle à elle-même appa-raît sur beaucoup de points du caractère de la race. Combinez-la au goût raisonné d'une certaine forme de l'aventureux et de l'extrême, et vous comprendrez comment, un beau jour, ce jeune homme quitta brusquement les fontaines de Sex-tius, les platanes du Cours, les conférences pla-toniciennes du Tholonet, pour aller se terrer au fond de la Camargue et mener, entre les étangs,

le ciel et la mer, la vie des gardiens de taureaux.
Pourquoi ? Comment ? Je ne crois pas fausser, en
esprit, ce cœur de poète si je réponds que, Provençal avant tout, il aura voulu respirer bien à
son aise ce qu'il y a de plus strictement, de plus
parfaitement provençal, entre toutes les terres de
la patrie. Que la Camargue ne soit pas toute la
Provence, on l'accorde aux critiques, et il le faut
bien ! Mais, peut-on ajouter, l'âpre vie camarguaise
a ceci de particulier qu'il n'y a rien en elle qui ne
tienne à l'essence du goût provençal. Ni au temps
de la Reine Jeanne, ni sous les Raymond Bérenger,
il n'était nécessaire d'aller se retremper dans cette
vaste source de nos traditions, car l'esprit du pays
était alors à peu près également actif du Rhône
aux Alpes et à la Mer. De nos jours, cette retraite
rigoureuse fut peut-être indispensable à Joseph
d'Arbaud. Que n'en a-t-il pas rapporté ! Je crois
bien que, pour comble, il s'y est retrouvé et comme
recréé lui-même. Les choses et les hommes qu'il
y a rencontrés étaient tous d'une espèce qui allait
au-devant de son langage intérieur. Ils lui chan-
taient, d'eux-mêmes, sa secrète chanson.
De très beaux vers, encore à peu près cachés, car
il a dédaigné de les rassembler en volume, mani-
festèrent l'harmonie de lieux et de l'âme longuement et voluptueusement savourée. Les années de

VIII

Camargue commandent et, je crois bien, commanderont toute la vie du directeur du *Feu* aixois ; ses *Chants palustres* l'exprimeront peut-être en entier... Oh ! je connais de lui de belles et puissantes élégies de passion moderne, de hautes strophes d'une mélancolie personnelle sombre et sûre, dont la psychologie, l'inquiétude généreuse, la vibrante espérance seront éternellement dignes d'émouvoir une âme sensible à la poésie, qu'elle soit de France ou d'ailleurs : lorsque Joseph d'Arbaud entre dans ce domaine de l'Universel senti et rêvé, il y est maître, et tous les maîtres du beau chœur lui doivent l'accueil souriant. Il n'y a pas un seul de nos poètes de langue d'oil qui puisse équitablement refuser l'hommage du respect et de l'admiration aux poèmes de son Pèlerinage d'amour. Mais ce n'est pas l'errant pèlerin qui nous intéresse, et c'est le Provençal fixé : puisqu'il s'agit de le définir et de le qualifier pour un public à demi étranger à sa langue, rien ne le fera mieux connaître qu'un aperçu de quelques-uns des poèmes qu'il a rapportés des bords des Etangs camarguais, quand « libre, passionné par la mer et les astres — amoureux de la garde et maître des plaines salées — guidant ses troupeaux le bâton à la main », il laissait écouler une pensée pleine d'histoire, un cœur vibrant de mille vies, sur la plane étendue

solitaire, inerte et fourmillante comme « le tourbillon des eaux et des étoiles ». Les génies de la vie
et de la mort, leur signification profonde, il les a
vus là : il ne les a vus nulle part aussi bien que là.

Ainsi ces vers sont de grand prix. Mais on confes-
sera qu'ils sont assez souvent taillés dans une
matière assez dure. Le poète tient à la claire défi-
nition de son chant. N'y tiendrait-il pas, les objets
qu'il a devant lui, s'ils l'émeuvent et s'ils l'en-
chantent, sont de ceux qui se dessinent dans la
lumière. Ce qu'ils évoquent tend à une forme pure
ou fait corps avec elle. Il ne l'en séparera point.
C'est pourquoi il ne craindra point de les aborder
par la méthode descriptive, il s'y complaira même
au point de nous détailler, en trente vers minu-
tieux, qui s'élargissent par degrés, cette Barque
des Saintes Maries, aperçue dans quelque cabane
de pêcheur ou de pâtre :

La petite barque de plâtre que tu vois là-haut —
près des lampes brillantes, au-dessus du foyer, —
voilà notre trésor. Elle est un peu brunie — par la
poussière qui tombe et l'épaisse fumée, — les mouches,
tout l'été, y bourdonnent autour. — En venant de
là-bas, mon aïeul l'apporta un jour — où l'eau du

X

saint puits l'avait guéri ; — elle a touché les charrues,
le pétrin, les futailles, — les auges, dans l'étable et le
berceau des enfants. — Nous l'honorons sans cesse
et, pour Noël, chaque année, — en bénissant la
fouace et les escargots, — la barque de l'aïeul, je la
mets sur la table. — Nul que moi ne la touche. S'il
lui arrivait malheur, — peut-être la maladie entre-
rait-elle dans la maison. — Le pauvre ancien
disait : « Les Saintes glorieuses — protègent le
maître, le bétail, la maisonnée, — préservent de la
fièvre comme du mauvais temps. » — Voilà pour-
quoi tu peux voir ici toujours — les Saintes, comme
là-bas, dans leur chapelle antique — dressées au
beau milieu de notre cheminée ; — voilà pourquoi,
devant leur petite barque, selon — le travail des
journées et le sens des saisons, — éclosent sans cesse
dans une jolie tasse — des bouquets de « saladelles »
et des fleurs de tamaris ; — et vois : nos fillettes au
beau jour des Rameaux — y ont cloué au-dessus,
pour préserver la maison — de la foudre, des grandes
eaux et de la sécheresse, — la branche d'olivier
rapportée de la messe.

Voilà le profil de l'objet. En voilà l'ambiance. Et
en voilà le contenu spirituel et moral. L'admirable
magie de l'art y fait tenir la prière d'un peuple.
Mais ne croyons pas que le poète qui aime tant à se

XI

perdre dans son peuple s'y puisse jamais oublier, ou lisons cet appel du « Gardien » philosophe à quelque « Gardienne » idéale :

Viens dans ma maison, vierge provençale, — qui as rêvé l'amour et ne le connais pas. — De mon seuil toujours ouvert comme un nid — tu verras passer les oiseaux des pays lointains, à grands coups d'ailes.

Viens, la maison est blanche comme un lys de mer ; — tout t'appartiendra : voici les clefs de la panetière, — la table de noyer, le pétrin, les chaises, — la grande armoire a le parfum du romarin.

Si la maison est petite, je suis roi d'un grand royaume : — (fais-moi un baiser d'amour, donne-moi ton anneau) — je veux te conquérir des royaumes si beaux — qu'on ne parle plus des rois d'Arles ou de Don Jaime.

Je suis roi. J'ai des juments là-bas vers le golfe, — je suis maître d'un troupeau de taureaux avec ses bœufs conducteurs, — et j'ai des brebis ; les pâtres nourrisseurs — me gardent mille agneaux au milieu de la Crau.

XII

Les vagues de la mer, qui baignent mes rivages, —
chantent comme une voix de l'aube au crépuscule ; —
le grand soleil de mon pays fait éclore, — en l'air,
de bleus étangs et des sources de mirage ;

Viens, je te donnerai mon plus beau cheval, — il est
blanc comme la neige, doux comme une enfant, — tu
le pousseras, tu verras au choc de ses sabots — l'eau
des marais rejaillir comme une flamme.

La nuit, en écoutant l'écho des clarines, — la voix
des gardeurs et le cri de mes taureaux, — nous irons
au clair de lune vers la maison — et je t'apprendrai
le nom des bêtes et des étoiles.

Hors des lois et des villes, Dieu m'a fait roi ; — si je
suis agenouillé aux pieds d'une fillette, — c'est que
sa volonté pour te plaire me donne — la beauté des
jeunes gens et la sagesse des vieillards.

Le dernier mot, « sagesse », ne traduit pas très
bien le beau terme d'*idoio*, trouvé par le génie du
poète à qui le génie de la langue le désignait. Mot
à mot : « la beauté des jeunes gens et l'*idée* des
vieillards. »
Il n'est pas nécessaire de connaître à fond le
mécanisme des langues latines pour se sentir

ému de la splendeur et de la mélodie des vers
originaux :

Lis erso de le mar que bagnon mi parage
Canton comme uno voues de l'aubo à jour fali.

La beauté physique du son des dernières syllabes
ressemble à quelque rime éloignée du *né ora kali*
dont s'émerveillait Gérard de Nerval en Grèce. On
imagine bien que ce sculpteur, ce graveur, ce
peintre est aussi, est peut-être surtout un musicien :
sa pierre, disons mieux, son disque de phosphore
igné excelle à prolonger et à perpétuer une réponse
mélodique au chant mystérieux de la lumière que
l'on voit et de celle que l'on ne voit pas. C'est dans ce
sentiment qu'il faut lire la page que le poète intitule
fort simplement : les Eaux. Je la citerai tout entière :

Marche des peuples, génie vivant, beauté des femmes,
— esprit musical qui donnes le chant, — quand sur
mer je m'en allai, au premier coup de rames, —
autour du bateau je vous vis monter.

De l'éternelle pensée qui tient le cœur des races, —
de ta mélancolie, tu m'as empli le cœur, — en me
menant loin du soleil, dans tes brumes, — mère de
l'aube, des étoiles et de la mort.

XIV

Je t'ai vue reflétant la mêlée des étoiles — au milieu
des marais salants et des étangs ; — sur ton Rhône
impétueux, les rayons de midi — m'ont fait tourner
la tête et baisser les paupières,

Eau qui abreuves l'homme et engendres le sel,
— toi qui as porté les vieux dieux sur tes vagues
latines, — toi qui, baignant les pieds du Christ de
Palestine, — chantais son beau nom aux golfes
provençaux.

Voilà pourquoi, si parfois j'ai entendu dans l'es-
pace — le chant attristé des vierges d'Hellas, — je
prie le Dieu chrétien et suis, homme de mas, *— le*
frère pensif des pêcheurs et des pâtres.

De ton élan puissant, de ta sérénité, — je garderai
le reflet dans mon âme pieuse ; — eau du Rhône
vivant, mer d'été, onde heureuse — prête à mes chants
ta force et ton jaillissement.

Cette poésie sainte est pleine de l'âme des choses,
mais de choses qu'il faut savoir. En beaucoup
d'autres lieux du monde, l'onde fertilisante est
plus ou moins la mère de la ville et de la campagne.
Ici, partout, le Rhône a tout fait. Il est le père
Rhône. Il a fait la Camargue et, tous les cent ans,

il l'allonge d'un quart de lieue environ. La vieille tour Saint-Louis baignait son pied dans la Méditerranée, il y a six siècles, lorsque le saint roi s'embarqua. L'embouchure de la croisade reste à six kilomètres de l'embouchure d'aujourd'hui. Pour augmenter ainsi le royaume, il peut suffire au fleuve Rhône d'une barque échouée, d'une perche ou d'une corbeille enfoncée dans la vase : le dépôt ou, comme dit le Grec de Provence, le *thès* crée rapidement un îlot qui, au bout de quelques années, se recouvre de graves salicornes rampantes et de tamaris frémissants... Comment le premier cri humain de la terre nouvelle n'irait-il pas au génie des eaux bienfaisantes ? Son émotion est riche d'allusions au réel. C'est ce qui en apparente la poésie à l'essence des vers religieux de Mistral. Insigne honneur commun à beaucoup de poèmes de Joseph d'Arbaud ! Lui-même en avertit. Le grand Maillanais ayant ciselé sa coupe pour y boire et chanter, le jeune Meyrarguais, qui cisela la sienne pour boire et pour chanter aussi, se retourne avec une grâce pleine de charme vers son maître et lui dit : « *Je l'ai façonnée à mon idée — selon l'art que tu m'as donné.* » L'art impersonnel se transmet, comme les trésors de l'esprit humain ; l'idée est personnelle comme le génie.

XVI

Voudra-t-on chercher maintenant quels sentiments, quelles pensées enflamment la matière de
cet art et la courbent selon le plaisir du chanteur ?
Tout comme dans Mistral, il faut compter l'en-
thousiasme du pays, la foi à la langue des pères,
la piété militante qui transforme la moindre
pièce du costume local en une sorte de « saint
signal ». Cela est indiqué dans la belle apostrophe
qui termine et couronne certaine chanson des
Tridents :

Si un mélange abominable — et le désordre universel
— n'emportaient pas notre Race — avec les races
d'ailleurs ; — si la barbarie qui à la porte — heurte,
voilà plus de sept cents ans, — passait enfin au
large — et respectait nos enfants,

A la fête de notre foi, — nous te conduirions, fer à
taureaux, — toi que maniaient nos ancêtres — de la
Provence au pays cévenol ; — toi qui, en Arles, aux
jours de fêtes, — fais retourner toutes les têtes — et
palpiter les rubans, — signal de la bagarre — et des
battements de mains.

Trident, arme de Provence, — arme des chefs et des
vachers, — je te hausse au nom des croyances — sur
ta hampe de châtaignier. — Plus fier dans ma selle

XVII

« gardiane » — qu'un jouteur sur le palier de la barque, — que souffle sur les salicornes — libyen, vent du large ou des monts, — je t'abreuverai du sang des taureaux.

Quel fier poète ! Et quel amoureux de sa race ! Il faudrait ici raconter son action pour les libertés de Provence, tauromachiques ou autres. Il faudrait dire, si le temps ou l'espace le permettait, ce que le pays d'Aix en particulier doit à sa revue. Je ne fais pas de politique, je ne veux pas en faire, dit-il à ses amis. Jugez un peu s'il en faisait ! Ce serait, j'imagine, une politique de prince menée avec un goût d'artiste, d'un accent de héros. Il semble que cela ait été compris en Provence. Bien que ses poèmes, tirés à très petit nombre d'exemplaires, aient peu circulé et qu'il n'ait guère été lu que dans les périodiques, ses admirateurs sont nombreux, ils font un petit peuple qui a pris de lui l'idée qui convenait. A propos de je ne sais quel triomphe littéraire et civique, les plus ardents et les plus sages voulurent lui offrir un signe de la haute confiance qu'ils avaient mise dans sa pensée et, quand ils furent réunis pour lui choisir le joyau symbolique et commémoratif, couronne d'or, livre d'or ou cigale d'or : — *Non*, dit quelqu'un, *offrons à Joseph d'Arbaud un cheval ! Un beau cheval blanc*

XVIII

de Camargue, avec la selle et les éperons de gardien.
Ce qui fut adopté par acclamation. Que d'autres,
cher poète Joseph d'Arbaud, assemblent la rime
et le rythme sous les oliviers de Pallas ! On salue
en vous le souffle emporté de quelque génie équestre.
On veut vous acclamer sur le quadrupède écumant
que, jumeau de l'arbre sacré, fit jaillir, d'un sillon
d'Attique ou de Camargue, le trident du dieu de la
Mer.

CHARLES MAURRAS

XIX

La Renaissance provençale[1] *est, à l'origine, essentiellement poétique. A l'exception de Roumanille, qui passera à la postérité comme prosateur*[2]*, les écrivains groupés autour de Mistral, et Mistral lui-même, furent avant tout des poètes.*

[1] Les principaux promoteurs de cette renaissance furent Mistral, Aubanel, et Roumanille. Ils réunirent en 1854, en une sorte d'académie qu'ils appelèrent *Félibrige*, la plupart des écrivains provençaux restés fidèles à l'usage de leur langue, et la tâche qu'ils s'imposèrent, et menèrent à bien, n'est pas sans analogie avec celle que se donnèrent jadis Ronsard et ses amis de la Pléiade française. Ici, comme là, il s'agissait de défendre, et d'illustrer, une langue.

Depuis cent ans, toute une littérature s'est constituée en Provence, et le lecteur non averti de ces choses ne manquera peut-être pas d'être surpris en apprenant que de nombreux écrivains de langue française apportèrent, et apportent encore, leur tribut à la littérature d'oc : Paul Arène, Jules Boissière, Marius André, l'entomologiste Fabre, Charles Maurras parmi les disparus ; et, parmi les vivants, André Chamson, Henri Bosco, Marie Mauron, etc.

[2] Ses premières œuvres publiées sont cependant des recueils poétiques *(Li Margarideto, Li Sounjarello,* etc.*)*.

7

*Cela n'est pas pour étonner. La plupart des littéra-
tures commencent par la poésie, langage du sentiment, et ne parviennent à la prose, langage de la
raison, qu'à leur maturité. La littérature provençale
renaissante pouvait d'autant moins échapper à la
règle qu'une longue et glorieuse tradition poétique
— celle des troubadours — exerçait sur elle ses
prestiges.*

*Aujourd'hui, cent ans après la publication de
Mireille, le courant n'est pas inversé. Les poètes
restent sans comparaison plus nombreux que les
prosateurs, et ils leur sont en général supérieurs.
Est-ce parce que la pente naturelle de l'esprit provençal est celle du chant ? Est-ce parce que la langue,
peu faite pour l'abstraction, est, par quelque néces-
sité interne, surtout apte à l'expression poétique ?*

*Quoi qu'il en soit, cette prédominance de la poésie
confère incontestablement au mouvement de renaissance un caractère d'insuffisance, ou d'inachevé, qui
ne manque pas de frapper tout observateur. La
poésie est un domaine fermé. Si haut que soit un
poème, si pleinement qu'il traduise l'esprit d'un
peuple ou d'une race, sa portée et son influence
restent limitées aux élites capables de l'entendre.
La prose, en revanche, qui offre aux activités de
l'esprit les innombrables champs que la poésie ne
peut parcourir, s'adresse à la fois aux élites et*

aux masses. Elle est plus directement accessible, et c'est par elle seule que, les élites atteignant les masses, une renaissance est pleinement une Renaissance.

C'est pourquoi une œuvre comme La Bête du Vaccarès *apparaît d'un très grand prix. Ce court chef-d'œuvre, qui d'emblée a pris sa place dans la littérature universelle [1], ouvre la voie [2] aux prosateurs provençaux, en leur offrant, sinon un modèle,*

---

[1] Il en existe, à notre connaissance, au moins trois traductions, en anglais, en allemand, en polonais, outre la traduction française, due à d'Arbaud lui-même, qu'on trouvera dans la présente édition, en regard du texte provençal.

[2] A vrai dire, la voie est ouverte depuis les origines du Félibrige, mais elle a été rarement empruntée. Nous avons déjà signalé le talent — un peu court — de Roumanille. Qu'on nous permette d'évoquer ici quelques noms d'œuvres et d'auteurs : *La Chèvre de Monsieur Seguin* et *La Mule du Pape* parurent respectivement en 1869 et 1870 dans *L'Armana prouvençau* avant d'être traduites en français. Leur auteur avait en telle estime le talent de *Batisto Bonnet* qu'il ne dédaigna pas de se faire le traducteur de sa *Vie d'Enfant*. *Félix Gras* laissa des contes agréables et un roman historique, *Les Rouges du Midi*. *Xavier de Fourvières*, prédicateur de l'Ordre des prémontrés, écrivit, dans la langue la plus parfaite qui soit, toute une suite d'œuvres d'édification chrétienne dont l'intérêt, malheureusement, est limité. *Valère Bernard* introduisit avec *Les Bohémiens* et *Bagatouni* le réalisme dans la jeune littérature. On connaît les *Mémoires* de Mistral. Plus près de nous, s'inscrivent comme prosateurs *Jh Bourrilly*, *Antoinette Boyer*, *F. de Baroncelli*, *Ch. Galtier*. Quelques autres noms pourraient s'ajouter à cette liste : ils ne feraient pas qu'elle soit importante.

du moins un exemple à suivre. Car, la langue serait-elle, ainsi que je le suggérais tout à l'heure, impropre aux sévérités, aux froideurs, aux roideurs — apparentes — de la prose, La Bête du Vaccarès apporterait la preuve qu'on peut cependant l'y plier, l'y soumettre avec bonheur.

Il est vrai, toutefois, et plus d'un lecteur en fera la remarque, que cette admirable nouvelle reste peut-être, avant tout, un poème; qu'elle est une incantation, l'élégie et l'épopée panique d'un monde à son dernier sursaut, et, par-delà ce monde, le chant des eaux infinies, des terres sans limites, des saisons indifférentes, de la vie et de la mort.

Dans ces conditions, la langue provençale, qui sert de support à ce chant, là encore obéirait peut-être à son génie profond, à sa destinée poétique.

Joseph d'Arbaud est né à Meyrargues, le 4 octobre 1874, dans la propriété de sa famille, que l'on appelait habituellement La Petite Bastide. *Le provençal fut vraiment sa langue maternelle. Sa mère, en effet, Marie d'Arbaud, non seulement parlait cette langue, mais l'écrivait avec distinction. Elle laissa un recueil de poèmes,* Lis Amouro de Ribas *(Les Mûres des Talus), délicats et sensibles, mais d'un ton passé de mode aujourd'hui. Elle-même était la fille d'un érudit, numismate, philologue, archéologue, J. Valère-Martin, qui avait l'habitude et le goût du provençal.*

Ce milieu familial, noble, cultivé, attaché à la terre, qui voyait dans le Félibrige, par-delà ses apparences d'académie régionale, ce qu'il est réellement: une prise de conscience de l'homme menacé par les courants uniformisateurs du monde moderne, un essai d'organisation des forces traditionnelles en présence des forces de déracinement, ce milieu eut sur l'enfant une influence décisive. Envoyé, vers sa dixième année, au collège des jésuites d'Avignon, il y fit, dans d'excellentes conditions, toutes ses études secondaires; puis il s'inscrivit à la Faculté de droit d'Aix. Au charme à demi italien, aux sourires de la ville des papes vont succéder les grâces désuètes des salons chuchotants, au large déroulement du Rhône les jets d'eau aristocratiques des fontaines aixoises. Et là vont porter leurs fruits les années de la petite enfance, jouer les forces héritées de la mère. Malgré l'attrait que ne pouvait manquer d'exercer sur une âme raffinée la vieille capitale de Provence, malgré les joies intellectuelles que le commerce d'un Louis Le Cardonnel, d'un Xavier de Magallon, d'un Joachim Gasquet faisait naître chaque jour, Joseph d'Arbaud en effet abandonne Aix et les plaisirs délicats de la vie mondaine,

*pour aller mener en Camargue la dure existence de
gardien de taureaux.*

*On connaît mal les conditions dans lesquelles se fit
cette retraite. D'Arbaud était avare de confidences,
infiniment discret et secret, comme le sont beaucoup
de Provençaux, en dépit de ce que laisse croire une
littérature tendancieuse. Ce que l'on sait de ce départ,
c'est qu'il contraria sa famille. Ce que l'on suppose,
c'est que le jeune homme obéit à un double appel:
celui de sa nature intime, et celui de cet autre Provençal, également secret, qui avait abandonné lui
aussi depuis longtemps, non pas Aix, mais Avignon
et le palais princier qu'il y possédait, pour s'établir
dans un mas solitaire du delta du Rhône, près du
village marin des Saintes-Maries: Folco de Baroncelli-Javon.*

*On ne peut, sans émotion, évoquer la figure de ces
deux hommes, de ces témoins d'une Provence
héroïque, qui, poètes l'un et l'autre, voulurent
accorder leur vie à l'idéal qu'ils s'étaient formé, et,
choisissant, dans un besoin d'absolu, la terre la plus
dépouillée et la plus primitive, par ce renoncement,
par cette ascèse, par ce retour aux sources, épanouirent
leur génie et, du même coup, obtinrent ce qu'ils
cherchaient en premier lieu: le contact amoureux
avec la patrie encore intouchée, gardée pure loin
des foules et de leurs compromissions.*

PRÉFACE

*Car voilà la raison profonde de ce que certains ont
cru une fuite ; il s'agissait de retrouver, sur un sol
vierge, l'âme antique du pays, et de la préserver ;
et peut-être, partant de là, d'aller à la reconquête de
ce que l'évolution de la société contemporaine avait
déjà atteint, ébranlé ou détruit. Sur la façade de
son mas, Baroncelli inscrivait ce vers emprunté à*
La Chanson de la Croisade des Albigeois :

Que Diu rende la terra als seus fizels amants.
(Que Dieu rende la terre à ses fidèles amants.)

D'Arbaud devait écrire dans Le Laurier d'Arles :

E sounjave de tu, ma Raço.
(Et je songeais à toi, ma Race.)

*La terre, la race : mythes peut-être ; mais aux yeux
de l'un et de l'autre, indiscutables réalités auxquelles
ils soumirent leurs vies.
L'un et l'autre sont morts maintenant. Mais peut-on
dire que leurs vies aient abouti à un échec, même si
la Camargue aujourd'hui, entre les mains d'allogènes
de plus en plus nombreux, se couvre de rizières et si
l'église-forteresse des Saintes-Maries-de-la-Mer n'est
plus qu'un sanctuaire profané par l'indifférente
curiosité des touristes ? Les poèmes baroncelliens*

13

du Blé de Lune, *ceux des* Chants palustres *de d'Arbaud, les pages de prose de* La Bête du Vaccarès *sont nés du silence des étangs, des longues méditations solitaires devant les landes salées : ils sont la haute émanation de ces étendues sévères, de ces eaux innombrables, de ce ciel démesuré, l'expression la plus authentique de ce monde, ou plutôt de cette fin de monde embrassée par un grand fleuve aux limites de la mer et de la terre. Perdrait-elle un à un tous ses caractères, la Provence serait sauvée par ces poèmes et cette prose.*

Pour en revenir à d'Arbaud, après des années de vie camarguaise, cependant, touché par la maladie, il devra quitter les Clos du Radeau[1], *non loin de Fos, ses deux cabanes couvertes de roseaux, ses chevaux, ses taureaux sauvages et l'air enfiévré des marais, pour Hauteville d'abord, Montana ensuite. Plusieurs de ses poèmes feront allusion à ce long séjour qu'il fit dans les Alpes, le pays du Nord (l'*Uba*). Puis il reviendra à Aix, s'y fixera définitivement après la mort de sa mère, s'y mariera, y mourra le 2 mars 1950, ayant donné à sa vie la forme, le rythme, l'intensité d'un beau poème, rêve et joies passagères du rêve réalisé, douleur, amour, apaisement.*

---

[1] On donne le nom de « radeaux » (radèu) aux îlots plats qui parsèment les étangs de Camargue.

Son œuvre [1] *est d'une exceptionnelle qualité. Elle se place, dans les lettres provençales, au premier rang. Elle est puissamment originale et, commençant à se développer au moment où Mistral achevait sa vie et où s'épuisait, dans le rabâchage des thèmes hérités des premiers félibres, l'intérêt qu'avait jusqu'alors suscité la renaissance, elle exerça, sur la génération des nouveaux écrivains, une très grande influence. Car elle est pleine de résonances inhabituelles, et sa marque première est la gravité.*

[1] Cette œuvre comprend : publiés de son vivant, *Lou Lausié d'Arle* (Le Laurier d'Arles, poèmes) ; *La Vesioun de l'Uba* (La Vision du Nord, poème) ; *Li Rampau d'Aram* (Les Rameaux d'Airain, poèmes) ; *Nouvè Gardian* (Le Noël du Garde-Bêtes, conte) ; *La Caraco* (La Caraque, contes) ; *La Bèstio dóu Vacarés* (La Bête du Vaccarès, nouvelle) ; *La Sóuvagino* (La Sauvagine, contes) ; *La Coumbo* (La Combe, poème). Egalement une étude, en français, sur *La Provence, Types et Coutumes*.
Après sa mort : *Li Cant palustre* (Les Chants palustres, poèmes) ; *Espelisoun de l'Autounado* (Eclosion de l'Automne, poème).
Il laisse de très nombreux inédits, en particulier des contes camarguais pour enfants, une nouvelle fantastique, *Lou Matagot*, un long roman d'aventures à travers mers et terres, l'*Antifo*, etc...
Ajoutons que pendant de nombreuses années, et dès qu'il se fut définitivement fixé à Aix, il se consacra à la revue *Le Feu*, de laquelle, avec Emile Sicard qui la dirigeait à l'époque et qui fut l'un de ses plus fidèles amis, il sut faire la grande revue littéraire de la Provence. Il en devint directeur-rédacteur en chef à son tour, après la mort d'E. Sicard.

Ce n'est point que la gravité fût absente des œuvres de ses prédécesseurs, à commencer par celles de Mistral. Mais en d'Arbaud cette gravité ne naît point des circonstances, elle est un trait fondamental de sa nature, elle accompagne constamment le sentiment, éprouvé jusqu'à la souffrance, de l'inexorable écoulement des choses :

Vese un flume que deslamo
(Je vois un fleuve en débâcle)

elle ne se sépare pas de la joie voluptueuse de vivre, et d'une ferveur toujours contenue, d'un désir quasiment charnel de communion universelle :

...Èstre la branco
De l'aubre, l'erbo dóu relarg,
Èstre la lus mouvènto e blanco,
     Èstre la mar

*(...Etre la branche
de l'arbre, l'herbe de la plaine,
être la clarté mobile et blanche,
être la mer)*

et, l'inclinant à accepter, sans vaine et futile révolte, les lois de la vie et de la mort, elle confère à tout ce

*qu'il écrit un charme de mélancolie essentielle auquel
on cède, entraîné :*

T'ai touto dins moun cor barra,
Espelisoun de l'autounado,
Flourido d'or, fiò di gara
    E di ramado.

. . . .

Aubo, vesprado, oumbrun que dor,
Fremin di fueio à la calamo,
Sesoun, t'ai touto dins moun cors
    E dins moun amo.

*(Je t'ai toute en mon cœur fermé,
éclosion de l'automne,
floraison d'or, feu des guérets
et des ramures.*

. . . .

*Aurores, soirs, ombre endormie,
frisson des feuilles dans le silence,
saison, je t'ai toute dans mon corps
et dans mon âme.)*

*Cette haute poésie suscita de nombreux disciples. La
Camargue devint à la mode, et sous vingt plumes*

différentes les étangs et leurs roseaux, les sansouires [1]
et leurs enganes [2] *remplacèrent les plaines du
Comtat, les ondulations des Alpilles, qui depuis
soixante ans constituaient l'horizon habituel des
poètes.
Mais la Camargue n'est pas une terre facile.
Baroncelli et d'Arbaud s'étaient trouvés en elle;
tous les autres s'y perdirent. On jugera, en lisant ce
livre, qui en est, à ce jour, l'expression la plus parfaite, qu'on ne peut en effet la pénétrer que si l'on
est à sa mesure.*

*A cet égard, rien ne nous préparera mieux à la courte
analyse que je vais faire de* La Bête du Vaccarès
que ce fragment d'un poème des Chants palustres,
*où je prie le lecteur de ne pas voir seulement la
description d'un paysage tendu, brûlé, sans indulgence, mais où je lui demande, prenant les mots dans
le double sens qu'ils ont toujours, apparent et direct,
symbolique et caché, de voir « fleurir le sel » de la
terre :*

---

[1] *Sansouires* (sansouiro) : étendues stériles que des efflorescences
salines semblent recouvrir, par plaques, de neige.

[2] *Enganes* (engano) : genre de chénopodiacées, appelées *salicornes*, ou *salicors*. Par combustion, on peut en extraire de la
soude.

18

Quand blanquejon li sansouiro
Au dardai di souleiado,
Quand sus la vastour esterlo
S'espandis la calourasso,

A l'ouro que la bouvino
Pèr païs s'acampo e chaumo,
Iéu m'envau, tau que m'agrado,
Sus lou camin de mi sounge.

Dins li clavo entre-secado,
Vese flouri la salino,
De-long la plajo sablouso
Moun chivau tanco sa bato ;

Lou soulèu e lou cèu linde
E la terro miraclouso
E l'estang brèsson moun amo
Au balans de ma mounturo ;

En patusclant pèr la gaso,
Dins li belu que regisclon,
Sènte pica sus mi bouco
Lou respousc de l'aigo amaro,

E vese, alin, coume uno isclo
Que pounchejo e que s'estiro,
Negreja sus lis engano
Li mourven de Radeliero...

19

(Quand blanchissent les sansouires
sous l'ardent rayonnement,
quand sur l'étendue sauvage
s'étale la lourde chaleur,

à l'heure où les taureaux
à travers les pâturages se rassemblent au repos,
je m'en vais comme il me plaît,
sur le chemin de mes songes.

Dans les traces desséchées,
je vois fleurir le sel,
le long des plages de sable
mon cheval plante son sabot ;

le soleil et le ciel limpide
et la terre du miracle
et l'étang bercent mon âme
au rythme de ma monture ;

en pataugeant dans le gué,
aux scintillements qui rejaillissent
je sens jusque sur mes lèvres
éclabousser l'eau amère,

et je vois, au loin, comme une île
qui, là-bas, pointe et s'allonge
noire au-dessus des enganes,
les fourrés de Radelière...)

*Tout est dans ces vers, non seulement le monde
extérieur, directement sensible (l'étendue sauvage,
la chaleur accablante, les troupeaux au repos, leurs
traces desséchées dans l'argile, les scintillements de
l'eau, et, pour authentifier ce paysage, le nom du
lieu-dit Radelière), mais aussi le monde intérieur,
un paysage d'âme accordé à l'autre, peut-être suscité
par l'autre, tout aussi, et même plus réel que l'autre
(une vaste aridité — c'est la traduction exacte de*
vastour esterlo — *traversée par les chemins du
songe, favorable à l'épanouissement des forces
pures — le sel —, disposée au miracle d'on ne sait
quelle surrection ou résurrection puisque, là-bas,
au-delà des contradictions de la vie — les boues du
gué et les étincellements de l'eau saumâtre — il y a
le salut, l'île espérée, non point mirage mais réalité
de la terre en qui est toute vérité — les fourrés de
Radelière).*

*Ce double paysage, c'est exactement celui où évolue
la* Bête. *Ame ou reflet d'âme, fantôme des solitudes,
la Bête naît et meurt, ou plus exactement apparaît et
disparaît dans le désert, sans qu'on sache jamais au
juste comment elle est venue, vers où elle est repartie.
Celui qui raconte l'histoire — un gardien de taureaux
et de chevaux sauvages — a peur d'elle, et pourtant
l'aime ; tantôt il la croit réelle, tantôt il ne voit en
elle que le fruit de son imagination. Mais nous,*

nous croyons bien savoir ce qu'elle est : elle est le tourment de d'Arbaud, son angoisse et son amour, le symbole de la beauté du monde, de la caducité des choses de ce monde, des pertes inévitables, des défaites, des renoncements, des anéantissements. Nous trompons-nous ? Ne rejoint-elle pas ce

...flume que deslamo
E que lando vers la mort.

*...fleuve en débâcle
et qui roule vers la mort ?*

L'action se passe au début du XVe siècle et se situe dans la basse Camargue. Et ce recul dans le temps, ce choix des lieux les plus sauvages et désolés du delta, jusqu'à la personnalité du conteur, tout concourt à créer, d'emblée, une atmosphère propice au mystère. L'intrigue est mince. L'homme découvre un jour des empreintes qu'il prend d'abord pour celles d'un sanglier, mais qu'il reconnaît vite pour n'appartenir à aucune des espèces d'animaux qui hantent habituellement ces parages. Intrigué, il les suit. Elles le mènent à un être étrange, démoniaque, mi-homme mi-bouc, doué de parole, qui implore sa pitié. Je n'entre dans aucun détail, j'arrive à la conclusion du livre : après des mois passés à craindre pour le salut de son âme, au cours desquels cependant sa compassion pour la Bête, souvent rencontrée, et la répulsion qu'elle lui inspire l'agitent sans cesse de sentiments contraires, le garde-bêtes, qui l'a vainement cherchée pendant des jours, découvre enfin ses empreintes perdues sur les marges d'un étang boueux. La Bête s'y est-elle engloutie ? A-t-elle fui ailleurs ? Jamais il ne la reverra.

Nous ne nous sommes pas trompés. Ecrivant Le Poème du Rhône, *Mistral fait symboliquement triompher le présent du passé en imaginant le naufrage d'un train traditionnel de barques éventrées par le premier bateau à vapeur circulant sur le fleuve. Joseph d'Arbaud a donné à son roman le même sens symbolique : la Bête, qui vient mourir dans les étangs de Camargue, c'est le dernier Faune de l'antiquité, chassé des monts et des bois d'Italie par l'inexorable évolution du monde, que son instinct a conduit sur une terre restée primitive, et qui succombera pourtant, en dépit de ses efforts pour vivre et de ceux qu'on peut faire pour l'aider à vivre, parce que c'est la loi universelle, qu'il faut que tout passe et se transforme, et qu'hier cède la place à demain.*

Miejour usclo la calanco
E regarde, pensatiéu,
Lou roucas que s'espalanco...

(Midi brûle le golfe
et je regarde, pensif,
le grand rocher qui s'effrite...)

Si tel est bien le sens de cette œuvre, il faut cependant
ajouter qu'un autre personnage — la Camargue — y
tient une place au moins aussi grande que la Bête
elle-même, peut-être parce que, dans une certaine
mesure, avant d'être le vaste symbole que j'ai dit, la
Bête, plus étroitement, n'est que la personnification de
cette terre étrange, son âme incarnée, l'une inséparable
de l'autre, la mort de la première reprenant sa valeur
symbolique pour annoncer la transformation fatale de
la seconde, à laquelle nous assistons de nos jours.
Et ce n'est pas le moindre charme de ce livre, que les
évocations que nous y trouvons des paysages camarguais et de la vie camarguaise, à travers les quatre
saisons de l'année, sous les soleils desséchants ou les
pluies qui gonflent les marais. Horizons sans limites,
cercle parfait comme celui de la mer ; plates étendues
étincelantes de sel, que les touffes de salicornes
couvrent comme autant de pustules ; eaux moirées
des étangs, qui reçoivent toute la lumière du jour et
semblent la conserver encore longtemps dans la
tombée du soir ; chemins à peine tracés, mélancoli-
quement incertains entre les écrans de roseaux et
les tamaris étiques, tordus par les vents contraires,

le mistral qui souffle du nord, la largade qui monte de la mer ; et l'innombrable vie des bêtes, échassiers, rongeurs, chevaux, taureaux sauvages. Nous entrons dans la cabane du garde-bêtes, le gardian. *Elle est petite, semblable à une barque renversée, protégée des dangers par la croix fichée au sommet de son toit, à l'arrière, comme un gouvernail pour l'âme. Elle ne contient rien que ce qui est indispensable à la vie, quelques étoffes, quelques poteries, des ustensiles de cuisine, une table, une couche, des cordes et des lassos que l'homme a tressés avec les crins de sa monture — une bête blanche, courte, à la tête épaisse, dont le squelette révèle une queue bifide, ce qui l'apparente à la race préhistorique de Solutré. Nous suivons cet homme dans tous les actes de son existence solitaire, à la poursuite d'une bête égarée, dans les efforts qu'il fait pour dompter un jeune cheval. Il nous conduit sur un sol d'argile grise qui se craquèle au soleil, et, du seuil de sa porte entrouverte, nous regardons avec lui tomber interminablement sur la terre noyée les pluies de novembre.*

Ainsi, toute la Camargue est dans ce livre, la Camargue du silence, celle des hommes, des bêtes, et des dieux. Le Centaure de Guérin *n'est pas plus beau, intrinsèquement, que ce récit imprégné du mystère de la vie panique, et certaines pages, qu'on aborde avec un effroi sacré, sont, dans leur dépouillement,*

*incomparablement plus chargées d'incantation que
tout ce qu'a écrit l'auteur de* La Bacchante.

*Mais ce n'est pas seulement par le thème, l'art de la
mise en scène et la beauté du décor où l'action se
déroule que ce récit s'impose à notre admiration.
C'est par la langue, la maîtrise de la langue dont il
témoigne. Je parle, évidemment, de l'original provençal, auquel est consacrée une note qu'on trouvera
plus loin. Je n'ai pas cru devoir, en effet, alourdir
cette introduction de considérations qui ne peuvent
intéresser qu'une partie des lecteurs de* La Bête.
*Du moins ici puis-je dire qu'il est peu d'exemples,
dans la littérature d'oc, d'une connaissance de la
langue aussi parfaite, parce que aussi intuitive, que
celle de d'Arbaud. Par la force des choses en effet,
après l'école où l'instruction est obligatoirement
donnée en français, la culture dispensée par nos
livres et nos universités est une culture française.
C'est dans un moule français que se coule, dès
l'enfance, la pensée des Provençaux, même de ceux
qui restent fidèles à leur langue, et les écrivains
chez qui la formation intellectuelle qu'ils ont reçue
ne laisse aucune trace sont l'exception. D'Arbaud est
l'exception. Nul n'a eu plus que lui le sens de la
langue, n'en a mieux respecté l'esprit. Si un puriste
peut, sur quelques aspects du vocabulaire, faire des
réserves, ces réserves ne concerneront que des bavures*

superficielles, peut-être voulues, d'ailleurs, dans un souci d'esthétique particulière[1]; jamais elles ne s'adresseront au fond. Car, avec une sûreté géniale, d'Arbaud, comme y était parvenu d'instinct avant lui dans ses Cant dóu Terraire *(Chants du Terroir) le poète paysan Charloun Rieu, a su retrouver le rythme fondamental et l'esprit du vieil idiome. En outre, sa propre nature d'artiste s'est superposée au fonds populaire respecté, et, dans la mesure où l'on peut se permettre de telles comparaisons, nous pourrions dire que d'Arbaud allie, sans que l'on sente jamais l'artifice ou l'effort, la souplesse grecque du provençal aux recherches savantes d'un Tacite, pour se créer un style à lui, le plus simple et le plus élaboré qui soit, inimitable.*

Il est regrettable que rien, ou presque rien, de ce travail de création artistique si hardi et si respectueux à la fois du génie de la langue n'ait pu passer dans la version française. Mais cette version cependant est belle, harmonieuse, digne de l'original. Elle suffirait à faire un renom d'écrivain.

La présente édition s'accompagne du Regret de Pierre Guilhem, *extrait du recueil de* La Caraque.

[1] Voir ci-après la *Note sur la langue de d'Arbaud.*

27

C'est un conte cruel, dont l'action se déroule tout
entière dans les arènes d'Arles, un jour de courses de
taureaux. Un moment de faiblesse, un désir qui se
réveille pour une femme facile, et c'en est assez pour
que Pierre Guilhem laisse échapper la chance de
sauver de la mort le vieux cheval qui avait été son
compagnon d'autrefois, dans les solitudes de
Camargue. Nous n'assistons pas à la corrida. Nous
sommes dans les dessous des arènes, près du toril,
au fond des écuries où attendent leur tour tous les
misérables chevaux promis à la mort. Mais par
quelque arcade ensoleillée nous arrivent les cris des
spectateurs, l'éclat du clairon annonçant la sortie
du taureau, toute la rumeur de la course. Et c'est
sur ce fond tragique de soleil et de clameurs barbares
que dans les salles basses et le long de couloirs
sombres se débat Pierre Guilhem entre ses deux
passions.

Faut-il voir dans ce conte une condamnation des
courses espagnoles ? On sait que les Provençaux,
du moins ceux du pays d'Arles, aiment les jeux de
taureaux. Mais la course dite précisément provençale
n'est qu'une lutte loyale, sans armes, entre la bête et
l'homme. La course espagnole exige les piques, les
banderilles, l'épée. De vieux chevaux, qu'on s'efforce
de protéger par le caparaçon, y sont sacrifiés.
Est-ce ce meurtre des bêtes contre lequel a voulu

28

s'élever d'Arbaud, homme de taureaux, homme de chevaux ? En dépit d'une note dont il accompagne son récit, et que nous avons conservée, il nous plaît de croire qu'il ne pouvait, dans les moments mêmes où il croyait défendre une tradition provençale — qui n'en est pas une — ne pas se sentir ému par la détresse muette d'une pauvre rosse livrée aux coups de corne, et par la douloureuse agonie d'un taureau arraché à ses pâturages, enfermé dans l'ombre d'un toril, lâché brusquement dans le plein soleil de l'arène, effrayé par les clameurs, étourdi par le tourbillon des capes, déchiré de piques, brûlé de banderilles, percé de coups d'épée pour le plaisir d'une foule.

Quoi qu'il en soit de la pensée secrète de d'Arbaud, ce conte, sobrement écrit, ramassé en quelques pages, qui évoque avec une intensité dramatique inégalée dans la littérature taurine l'atmosphère d'une course et de ses coulisses sordides, ce conte achève notre initiation au monde particulier des gardians camarguais. Il oppose, à la splendeur des paysages palustres où nous avait fait pénétrer La Bête, l'ombre des souterrains deux fois millénaires que nos temps modernes ont rendus à leur destination primitive, refaisant d'eux le vestibule de la mort donnée en spectacle.

Ce diptyque, mieux que les peintures conventionnelles que prétend offrir comme véridiques certaine *littérature d'expression française, marseillaise ou manosquine, nous révèle les plus authentiques aspects de l'âme provençale, dont le goût du silence et de la solitude, avec le sens du mystère et la nostalgie de Pan, ne sont pas les moindres traits.*

LOUIS BAYLE.

D'Arbaud est le poète d'Arles. Mistral eut toujours pour cette ville une dilection particulière, mais son regard embrassait la Provence entière. D'Arbaud se limite à elle. Aix, où il vécut dans sa jeunesse et où il acheva sa vie, ne tient aucune place dans son œuvre. Mais Arles est dans le titre de son premier recueil de poèmes, elle est évoquée dès la première ligne de *La Bête du Vaccarès*, c'est dans ses arènes que Pierre Guilhem retrouve et perd son vieux cheval, son nom est sans cesse répandu dans tout ce qu'il a écrit. Cet attachement à l'antique cité explique le premier des caractères de sa langue.

On sait que la décadence du provençal[1], consécutive aux efforts centralisateurs des différents régimes qui se sont succédé en France, se marque particulièrement par la dispersion en dialectes et en sous-dialectes d'un idiome dont, à vrai dire, l'unité n'avait jamais été réalisée. La renaissance mistralienne voulut atténuer les différences qui, en Provence proprement dite, séparaient la vallée du Rhône du littoral méditerranéen, de la région aixoise, de la Haute-Provence, etc. Elle y réussit en principe, la plupart des écrivains s'étant ralliés au dialecte rhodanien, qui est celui de Mistral. En fait, ces différences se sont maintenues dans le peuple, qui persévère dans ses errements. Il ne faudrait point, d'ailleurs, en exagérer

---

[1] La langue d'oc, parlée avec des différences sensibles dans tout le Midi de la France, était, au moyen âge, communément désignée sous le nom de langue limousine ou provençale.

31

l'importance. Le provençal offre sensiblement l'analogue du grec d'avant la *koinê*, le marseillais est, à peu près, au rhodanien, ce que le dorien était à l'attique. C'est tout.

Toutefois, à l'oreille attentive, même à l'intérieur d'un sous-dialecte, des nuances sont sensibles. Sans doute la syntaxe n'est jamais, pour ainsi dire, mise en cause ; assez rarement le lexique : on dit *mas* à Arles, de préférence *granjo* dans le Comtat ; en revanche, la prononciation d'un même mot change souvent d'une ville à l'autre, sans d'ailleurs qu'en soit altérée ce qu'on pourrait appeler la tonalité de la langue. Les autochtones seuls perçoivent ces nuances. Par volonté d'unification, la généralité des écrivains, bien que d'origines diverses, ont évité de les noter dans l'écriture, et se sont mis d'accord pour adopter telle ou telle forme à l'exclusion de toute autre. D'Arbaud à peu près seul, dans sa dévotion au pays d'Arles, a voulu fixer dans son œuvre les traits particuliers du langage arlésien.

C'est ainsi qu'il écrit *bèstio* au lieu de *bèsti*, *countùnio* au lieu de *countùni*, *quauco-rèn* pour *quaucarèn*. De même il adopte *pluejo, feni, arriva, cuvert* (pour *plueio, fini, arriba, cubert*), etc. Je ne multiplierai pas les exemples de ce genre.

Ce qui est plus particulier à *La Bèstio*, tout en se rencontrant, à un moindre degré, ailleurs, c'est un goût marqué pour les formes populaires, habituellement rejetées par l'ensemble des écrivains comme étant soit moins bonnes que d'autres qu'on leur préfère, soit franchement incorrectes. Voici quelques exemples pris au hasard : *tarnassa* (au lieu de *trinassa*), *perequita* (au lieu de *periclita*), *carcula (calcula)*, *proumena (permena)*, *entarra (enterra)*, *porjo* (pour *porge*, du verbe *pourgi*), etc. ; et même *de suito*, incontestable gallicisme calqué, qui plus est, sur une expression incorrecte en français même (c'est *tout de suite* qui convient en l'occurrence), dont on comprend d'autant moins la présence sous une plume aussi avertie que celle de d'Arbaud qu'il existe en provençal plusieurs locutions différentes pour exprimer l'idée d'immédiate succession dans le temps.

32

Pour expliquer cependant l'emploi de ces formes qui toutes appartiennent au langage parlé, on peut avancer peut-être que, dans *La Bête* du moins, le récit étant fait par un gardian à demi illettré, il s'agissait de conserver à la langue qu'il emploie un net cachet populaire. Mais je ne suis pas très sûr que cette explication soit bonne, puisque les mêmes faits peuvent être constatés ailleurs où les mêmes raisons ne jouent pas.

C'est toutefois par sa syntaxe que la langue de d'Arbaud offre les plus remarquables particularités. En soi, le provençal est une langue extrêmement souple. Peut-être doit-il sa souplesse aux longs siècles de pleine liberté qu'il a vécus. L'effort habituel des écrivains provençaux contemporains, convaincus, par l'habitude qu'ils ont d'autres langues et plus spécialement du français, qu'il faut soumettre la pensée à des règles fixes et la maintenir sur des voies bien tracées, s'efforcent, depuis Mistral, de le discipliner. D'Arbaud, au contraire, l'accepte comme il est ; bien mieux, il ajoute à son indiscipline ; il accentue à plaisir le côté capricieux de la langue, brise la phrase, la hache, la désarticule, l'étire, la suspend, use de l'ellipse, de l'anacoluthe, de tous les procédés dont on dispose, et parvient ainsi, par la plus savante des techniques, à donner au moindre dessin des reliefs de ronde-bosse. Chez lui le réseau des mots enserre la pensée à la manière d'un filet où s'est prise une bête qui, quoique prisonnière, s'agite, se débat, interrompt et reprend ses mouvements :

Sousprés pèr aquésti maniero, pousquère pas, mai fourcèsse, auboura aquelo testasso endemouniado que tiravo e me pesavo mai d'un quintau i bras e, de pau à pau, espóussa qu'ère pèr li boumb, cop sus cop, d'aquéu bestiàri que s'amoulounavo e pièi s'aloungavo en venènt que mai vióulènt, me fuguè pas poussible de mai teni dins la sello e, escampa dóu chivau, me sentiguère bandi rede contro lou pèd d'un mourven e d'aqui, barrulère sus la sablo ounte restère ensuca à pau près en plen.

D'aro-en-la, vole cerca e cerca de-longo, sènso maucor ni lassige ; mau-grat que remene trop, veici quauque tèms, d'aquelo souco d'aubre, qu'emé sa racino doublo, l'endevenguère à l'errour, plantado pèr mita dins lou Grand-Abime e que, l'endeman, lou Grand-Abime l'aguè touto engoulido dins lou courrènt de la niue.

Une pareille ellipse serait inacceptable en français : « Cette souche d'arbre, qu'avec sa racine double j'aperçus au crépuscule, enfoncée à demi dans le Grand-Abîme *et que, le lendemain, le Grand-Abîme avait toute engloutie dans le courant de la nuit.* » D'autre part, ajoutant à ces procédés pour accentuer encore l'impression de rupture de la phrase et lui faire épouser sans cesse les hésitations, les arrêts, toutes les fluctuations de la pensée, d'Arbaud use, et peut-être abuse, d'une ponctuation dont on cherche parfois en vain la justification. Il est cependant incontestable que ce procédé, qui lui est propre — je n'en ai jamais trouvé d'autre exemple, érigé en système, que chez lui, même pas dans la poésie d'une veine si franchement populaire de Charloun Rieu — rend parfaitement dans *La Bèstio* les maladresses de pensée du gardian auteur du récit. Aussi, même quand nous avons le sentiment qu'en certains cas cette ponctuation est abusive, nous l'avons scrupuleusement respectée :

E remarquère, proun estouna, que, quauco-rèn encaro iè soubravo.
Lou chivau, deja, s'enanavo e, de proun, mai ferme e sentièu, tambèn, qu'emé la bouco, respoundié miés au quicha dóu mors.

En revanche, s'opposant à ces allures à demi anarchiques qu'il donne à la langue, il lui impose parfois des règles dont on peut discuter la légitimité, mais qui sont, tout autant que le reste, sa marque à lui, son sceau particulier. C'est ainsi que, dans l'expression qui traduit le français *une espèce de*, il fait régulièrement accorder l'article, non avec *espèce*, qui, en provençal *(espèci)* est féminin comme en français, mais avec le complément : *uno espèci de bèstio*, mais *un espèci de fiò*. De même, il fait accorder, lorsqu'il multiplie le nombre *cent*,

34

l'adjectif numéral *deux* (qui, en provençal, a les deux genres), non avec le mot *cent* (masculin en provençal) mais avec le nom de l'objet dénombré. Ainsi écrit-il : *dous cènt biòu*, mais *dos cènt bèstio*.

En outre, fidèle à sa doctrine, qui lui fait accepter, nous l'avons vu, les mots du langage parlé, il donne droit de cité, dans la langue écrite, à des tours populaires fort hardis :

Lou mandè tant liuen pousquè (pour *tant liuen coume*...)

Se viravo dóu chin Rasclet (pour *dóu coustat dóu*...).

Aquelo idèio que m'avié lusi (pour *aquelo idèio qu'avié lusi dins ma tèsto*).

Il y aurait bien d'autres remarques à faire sur les particularités de la langue arbaldienne. L'essentiel ici est d'avoir attiré l'attention sur les plus manifestes d'entre elles.

Un critique provençal, S.-A. Peyre, se plaît à dire que la prose provençale commence avec *La Bèstio*, « qui est à la prose, écrit-il, ce que *Mirèio* est à la poésie ».

Ce n'est pas diminuer d'Arbaud que de ne pas souscrire à ce jugement. D'abord, parce que la prose provençale ne commence pas avec *La Bèstio*. Nous l'avons dit dans une note de notre préface. Ensuite parce que *Mirèio* a fondé effectivement la langue poétique, impersonnelle, qui servit de modèle à tous les poètes ultérieurs. La langue de *La Bèstio*, elle, est éminemment particulière, profondément marquée par le génie de d'Arbaud, donc très personnelle, donc, répétons-le, inimitable. Comme elle est, par ailleurs, très *arlésienne* et entachée, nous l'avons montré, par des concessions au langage parlé, elle est moins classique qu'il ne convient pour être véritablement aux prosateurs ce que *Mirèio* fut aux poètes.

Mais si elle ne peut, pour toutes ces raisons, servir de modèle, en revanche elle doit servir d'exemple. Par elle la preuve est faite que le provençal peut, en prose, comme il l'a fait dans la poésie, atteindre des sommets.

L. B.

LA PREGUIERO DÓU GARDO-BÈSTIO

Ai garda tout lou jour en aparant li souco,
Siéu las. La negro niue davalo sus la mar.
En siblant moun bestiau, taste lou goust amar
Dóu vènt-larg qu'a canta tout lou jour sus mi bouco.

Talamen m'a ribla lou soulèu ensucant,
Qu'à miejour, espandi, dourmiéu long d'uno engano;
Que tèms que mande Diéu, siéu pas, dins la grand plano,
Qu'uno mato de car e poumpe lou salanc.

D'abord qu'un jour de mai a passa sus ma tèsto,
Vau embarra mi biòu. Gardo-me, pèr deman,
La santa de moun cors, o moun Diéu, e lou pan
E lou vin pur que fai canta lou cor en fèsto.

Paro lou capitau dóu giscle e de la nèu,
Baio-nous d'erbo pèr mantène la curaio,
D'aigo pèr abéura li rosso e la vacaio
E que lou travaia jamai me fugue grèu.

Pièi, moun Diéu, mando-me la fe de la bouvino
Que mantèn lou gardaire à l'entour dóu cabau;
Aparo-me toustèms de la fèbre e dóu mau
Que buto li masié vers li vilo gourrino.

Vese la luno que banejo entre li pin;
Li biòu assadoula s'alongon dins la draio,
E iéu, entre soupa, dourmirai dins la paio,
Que l'aubo, d'aquest tèms, blanquejo proun matin.

36

LA PRIÈRE DU GARDEUR DE BÊTES [1]

J'ai gardé tout le jour en préservant les vignes,
je suis las. La noire nuit descend sur la mer.
En sifflant mon bétail, je sens le goût amer
du vent d'ouest qui a chanté tout le jour sur mes lèvres.

Tellement m'a terrassé le lourd soleil,
qu'à midi, étendu, je dormais près d'une salicorne ;
quelque temps qu'envoie Dieu, je ne suis, dans la grande plaine,
qu'une plante de chair qui boit le sel.

Puisqu'un jour de plus a passé sur ma tête,
je vais parquer mes taureaux. Garde-moi, pour demain,
la santé de mon corps, ô mon Dieu, et le pain
et le vin pur qui fait chanter le cœur en fête.

Préserve le bétail de l'averse froide et de la neige,
donne-nous de l'herbe pour soutenir les bêtes faibles,
de l'eau pour abreuver les juments et les vaches,
et que le travail jamais ne me soit lourd.

Puis, mon Dieu, envoie-moi la passion du bétail
qui attache le gardeur de bêtes à son troupeau ;
préserve-moi toujours de la fièvre et du mal
qui pousse les gens des mas vers les villes mauvaises.

Je vois les cornes de la lune entre les pins ;
les taureaux rassasiés s'échelonnent le long de la sente,
et moi, dès souper, je dormirai dans la paille,
car l'aube, en cette saison, blanchit de bon matin.

[1] Les *Chants palustres (Li Cant palustre)*. (Ed. Horizons de France).

LA BÊTE DU VACCARÈS
LA BÈSTIO DÓU VACARÉS

Di planuro d'Arle au païs de Nimes, entre-mitan Aupiho e Ceveno, li que la passioun nostro lis afrairo, lis ome de biòu, sabon tóuti qu'apereiça vers 1904, aviéu pèr baile-gardian, en tèsto de ma manado, sus lou terraire de Caban, eilalin long dóu Grand-Rose, Pèire Antòni Recoulin, di lou Long-Tòni.

Èro un cadabras garru e souple emé soun carage rabina, rascla de pertout à la roumano, si tempe e sour coutet proucounsulàri, qu'espés, i'encapelavo lou péu gris, e si subre-ciho estirado, que dous pichots iue lura e fèr, en dedins, ié varaiavon.

Uno bono traco de cavalié de Camargo, em' acò pas mai, mau-grat qu'emé soun biais faguèsse proun desbarʒa de « Grand-Chèfe » e de « Legiounàri » li quàuquis arlèri qu'un cop o l'autre — lou plus pau que poudiéu — me venien vèire.

Assena, mai sènso estrucioun, coume proun gardian de soun epoco (qu'au tèms que parle, lou Long-Tòni

De la plaine d'Arles au pays nîmois, entre les Alpilles et les Cévennes, ceux qu'unit la passion héréditaire, les « gens de taureaux », savent tous que, vers 1904, j'avais pour « baile », c'est-à-dire pour chef des hommes de ma « manade *[1] » sur le territoire de Caban, au bord du Grand-Rhône [2], Jacques Antoine Recoulin, dit le Long-Tòni.

C'était un grand corps osseux et souple, surmonté d'un visage recuit tout rasé à la romaine, avec des cheveux gris coiffant dru les tempes et la nuque proconsulaire, de larges arcades sourcilières sous lesquelles dansaient de petits yeux avisés et durs. Un bon type de cavalier carmarguais [3], certes, et nulle autre chose, mais dont l'allure faisait fort bien divaguer de « Grand Chef » et de « Légionnaire » les quelques visiteurs prétentieux qu'une fois ou l'autre — le moins possible — je recevais.

* Voir les notes à la fin du volume.

41

s'encapavo deja proun dins l'age) éu se ressentié davans li libre uno cregnènço, aurias di, e un respèt, uno cresènço incounsènto quàsi, que me la fasié counèisse toujour à pau près dóu meme biais.

Encaro lou vese. Éu, à l'acoustumado, mai mut que lis escarpo de la roubino, se levavo round la pipo di bouco, uiejavo vers la pichoto biblioutèco qu'aviéu mounta dins ma cabano sus li post d'un vièi estanié, emboucavo mai sa pipo e pièi, en avalant, decida, soun escupagno, se viravo de moun coustat. Sabiéu just, aqui, o de gaire se mancavo, ço que me falié mai entèndre.

— Pamens, li libre! E dire que tout ço que s'espandis sus lou papié, vous, vous lou poudès bouta dins la tèsto. Es uno causo acò, iéu, que la coumprene pas bèn. Es bèu, l'estrucioun, vous dise pas, mai n'es pas dins la naturo. Pèr encamba un chivau nòu, lou gibla, i'ensigna, i biòu, li cop de routino, es-ti mestié de saupre legi? Legi? Dise pas que noun fugue uno bello causo, mai, à la perfin, vous dèu faire peta la tèsto.

Un vèspre d'ivèr, que rintravian de l'espèro e que, davans uno regalido de tamarisso, chourlavian un degout de verdalo fresco en esperant lou catigot

Intelligent et illettré comme la plupart des gardians de son époque (car au moment dont je parle,
le Long-Tòni était fort âgé déjà), il éprouvait
devant les livres un sentiment de défiance et de
respect, une superstition confuse qu'il traduisait à
peu près toujours de la même façon.

Je le vois encore. Lui, à son habitude, plus muet
que les carpes de la roubine [4], retirait brusquement sa pipe, roulait des yeux vers la petite biblio-
thèque installée dans ma cabane sur les étagères
d'un vieil *estanié* [5], reprenait sa pipe encore et,
après avoir courageusement avalé sa salive, se
tournait vers moi. Je savais alors, ou à peu près,
ce qu'il me restait à entendre.

— Les livres, pourtant ! Et dire que, tout ce qu'il
y a sur le papier, vous, vous pouvez le faire passer
dans votre tête. Voilà une chose, pour moi, qui est
difficile à comprendre. C'est beau, l'instruction, je
ne dis pas, mais ce n'est pas naturel. Pour monter
un cheval sauvage, le dresser, lui apprendre, au
taureau, les coups difficiles, est-il nécessaire de
savoir lire ? Lire ? Je ne dis pas que ce ne soit pas
une belle chose, mais, à la fin, ça doit faire partir
la tête.

Un soir d'hiver, comme nous rentrions de l'affût et
que, devant la flambée de tamaris [6], nous sirotions
une fraîche gorgée de « verte » en attendant le

d'anguielo que mandavo soun boui sus lou fiò, *dins* la pignato, lou Long-Tòni, tout-d'uno, diguè:

— Entre qu'aurai soupa, m'anarai garça à la paio. La casso di canard, acò vau pas rèn pèr li doulour. Embouta qu'embouta, a faugu, à-niue, que me bagne, pèr sourti de l'estang un d'aquéli sacre enfant de puto. Mai vous, de-segur qu'anas legi. Es uno passioun, lou legi, coume la bouvino. N'ai un, iéu, de libre, en Arle, que vous farié, belèu, tira de plan. Un jour, fau que vous l'adugue. De bout en bout, es escri tout à la man e quau poudrié dire mounte acò remounto? Me vèn dóu rèire-ouncle de ma maire, lou Galastre, qu'èro, antan, un gardian de la grand-saco. Aquéu libre d'aqui, ma femo lou saup, l'ai jamai vougu vèndre en res: uno idèio! Sara pèr vous. Bono niue en tóuti. S'es que vous ié retrouvés, de-segur, sias un bon ome.

Es en 1912, se saup, que lou Long-Tòni es mort. Sa véuso a vougu coumpli sa proumesso. Gramaci à-n-elo emai is eiretié de moun baile, s'ai pouscu coupia eici aquésti pajo. Ié vole, davans tóuti, rèndre gràci. Lou manuscri proumié es un cartabèu espés, doubla de cuer e de pergamin, rousiga sus lou dessus, à rode, pèr lis argno e lou ratun. L'escrituro es jaunasso, de bescaire e, pèr la legi, proun embouiouso.

44

catigot [7] d'anguilles qui gargotait sur le feu dans la marmite, le Long-Tòni dit tout à coup :

— Dès que j'aurai soupé, j'irai me mettre à la paille. La chasse au canard, ça ne vaut rien pour les douleurs. Il a fallu, malgré mes bottes, que je me mouille, ce soir, pour aller chercher, jusqu'au milieu de l'étang, un de ces sacrés fils de putain. Mais vous, j'en suis sûr, vous allez lire. C'est comme les taureaux [8], la lecture, c'est une passion. J'ai un livre moi, en Arles, qui vous ferait peut-être chiffrer. Il faudra, un jour, que je vous l'apporte. D'un bout à l'autre il est tout écrit à la main et qui pourrait dire à quand ça remonte ? Il me vient du grand-oncle de ma mère, le Galastre, qui était, autrefois, un fameux gardian. Ce livre, ma femme est témoin, je n'ai jamais voulu le vendre à personne : une idée ! Il sera pour vous. Bonsoir à tous. Si vous vous y reconnaissez, c'est qu'alors vous êtes un homme !

C'est en 1912, comme on sait, que le Long-Tòni est mort. Sa femme a tenu à exécuter sa promesse. A elle et aux héritiers de mon baile je dois d'avoir pu transcrire ces pages. Qu'ils en soient publiquement remerciés. Le manuscrit original est un épais registre blindé de cuir et de parchemin, extérieurement taraudé, en plus d'une place, par les mites et les rats. L'écriture en est jaune, informe,

45

De pajo que i'a, embugado antan o tengudo, belèu, de tèms, à l'umide e atacado dóu mousi, se soun, en li manejant, espóussado coume un cèndre.

Aquéu tèste, l'ai remounta, tant just coume l'ai pouscu. M'a faugu proun souvènt l'adouba, lou revira quàsi, pèr rèndre clar un mesclun espetaclous de franchimand, de prouvençau e de pauro latinaio.

L'autour que, pèr segui sis entre-signe, vivié sus lou mitan dóu siècle XV^en, devié èstre l'enfant d'un gardian, gardian tambèn, un pau mai aprés que li coumpagnoun de soun epoco, un espèci de mié-clergue, en fin de comte, paure escrivan, creserèu e bravamen repepiaire. Acò se couneira de-rèsto, au fiéu di pajo d'aquel escri.

N'ai segui, pèr lou miés, l'èime proumié, l'adraiado, sèns cerca rèn mai que d'engimbra, lis un emé lis autre, li moussèu d'un tèste proun descourdura. Lou manuscri, tant matrassa, a fa la batudo escabissouso.

La libraio, fau que se sache, n'a pres eici ges de part.

Ai just assaja de metre au clar un raconte embouia, clafi de redi emai d'entramble, que soun biais drechurié, pamens, e l'especiau de soun mistèri soun pas sènso ié douna un goust de mai.

46

presque illisible. Certaines pages autrefois mouillées ou exposées, sans doute à une trop longue
humidité et attaquées par la moisissure, se sont,
en les feuilletant, délitées comme une cendre.

J'ai rétabli ce texte aussi fidèlement que je l'ai pu.
J'ai dû bien souvent l'adapter, presque le traduire,
pour rendre intelligible le plus incroyable mélange
de français, de provençal et de pauvre latin de
sacristie.

L'auteur qui, d'après ses propres indications,
vivait vers le milieu du XVe siècle, semble avoir
été un fils de gardian, gardian lui-même, un peu
plus instruit que les compagnons de son temps,
une sorte de demi-clerc, au demeurant pauvre
écrivain, prétentieux et rabâcheur inlassable. On
ne s'en apercevra que trop en suivant les pages
de ce récit.

J'en ai respecté de mon mieux le ton primitif et la
tournure, sans tenter autre chose que de lier
entre eux, chaque fois que je l'ai pu, les fragments
d'un texte fort incohérent. Le mauvais état du
manuscrit a rendu cette tâche assez ingrate.

La littérature, qu'on le sache, n'a ici aucune part.

Je me suis contenté de mettre au point une relation
confuse, pleine d'obscurités et de redites, mais à
laquelle sa sincérité évidente et son spécial mystère
ne laissent pas d'ajouter quelque intérêt.

47

Se sarié, proubable, perdu de-founs, sènso aquéu legat que me n'en vouguè, pèr bonur, faire lou Long-Tòni.

Davans proun legèire, ai de m'escusa. I'aurié agrada, belèu, de trouva eici quauco-rèn mai qu'aquest revirage, afastigous, pèr forço, emai descourant. Quau recounèis pas, vuei, lis atiramen de la broucanto? Quau saup pas lou goust que proun cabesso, emai di reglado, se podon prendre en de ravacioun embouiouso e dessenado?

Lou counfèsse, pèr quant à iéu; ai vira tout moun esfors à teni l'endrechiero de moun tèste en rebutant, d'un autre coustat, pèr rigour, touto croio de sabentiso, touto entènto de vieiun e de reviéudage, tant dins l'ournamen e l'acioun, coume dins l'engençamen e la parladuro.

Li gènt d'idèio me voudran proun bèn, lou crese, de me pas èstre aganta en tant paure enjouliamen.

48

Elle eût été probablement à jamais perdue, sans le legs que voulut m'en faire le Long-Tòni, fort providentiellement.

A certains lecteurs, je dois des excuses. Peut-être eussent-ils aimé trouver ici autre chose qu'une transcription forcément monotone et terne. Qui ne reconnaît aujourd'hui la puissance du bric-à-brac ? Qui ne sait le plaisir que beaucoup d'assez bons esprits peuvent prendre aux imaginations saugrenues et compliquées ?

J'avoue, quant à moi, avoir réservé mes efforts à me maintenir dans l'exactitude de mon texte, m'interdisant, par ailleurs, étroitement, toute coquetterie érudite, tout souci d'archaïsme et de reconstitution, aussi bien dans le décor et l'action que dans la syntaxe et dans le vocabulaire.

Les gens de goût me sauront gré, j'imagine, de ne point m'être attaché à d'aussi faciles agréments.

*Au Noum dóu Paire e dóu Fiéu e dóu Sant
Esperit. Au Noum de Nosto-Damo-de-la-Mar
e de nòsti Santo. Vuei, lou vounge dóu mes d'Abriéu
e Sant Dimenche de Pasco, en l'an 1417, iéu, Jaume
Roubaud, pèr moun faus-noum lou Grela, baile-
gardian de la manado de biòu sóuvage batènt li rode
di Malagroi, lis Emperiau e lou Riege, ai coumença
d'escriéure aquest cartabèu.*

*En ço fasènt, ai vougu marca proumieramen, à la
coumençanço d'aquesto pajo, lou Sant Signe de la
Crous, simbèu de ma Redemcioun, qu'ansin entènde
afourti pèr tau biais soulenne, sus ma part de paradis
e moun sauvamen eterne, la claro e pleno verita de
tout ço qu'eici-dintre iéu recate e de tout ço que, pièi,
me ié faudra, belèu, recata.*

*Ço qu'ai vist, à l'ouro d'aro, emai aussi, estènt pèr iéu
l'encauso de reboulimen emai de pensamen fèbre-
countùnio e me vesènt que trop dins l'impoussible*

Au nom du Père, du Fils et du Saint-Esprit, au nom de Notre-Dame-de-la-Mer [9] et de nos saintes Maries. Aujourd'hui, onzième du mois d'avril et saint dimanche de Pâques, en l'année 1417, moi Jacques Roubaud, de mon surnom « le Grêlé », baile-gardian de la manade de taureaux sauvages battant les lieux dits Malagroy, les Impériaux et le Riège [10], ai commencé à écrire ce cahier.

En ce faisant, j'ai voulu tracer d'abord, en tête de cette première page, le signe de la croix, symbole de ma rédemption, entendant attester ainsi solennellement, sur ma part de paradis et mon salut éternel, l'entière et complète véracité de tout ce que ci-dessus je consigne et de tout ce que, par la suite, j'y serai peut-être amené à consigner. Ce que j'ai vu, à ce jour, et entendu, étant pour moi une cause de grand tourment et de continuelle méditation, et voyant trop l'impossibilité de trouver moi-même à ces faits une explication naturelle,

*d'esclargi pèr biais naturau tàlis endevenènço, vole
marca moun escri pèr un sagèu d'entre-signe indubitable, segur en estènt que, pièi, un jour, quaucun de
mai capable saupra faire proufié d'escasènço tant
espantouso.*

*Aquéu o aquéli que, davans sis iue, la Prouvidènci
i'espandira lou secrèt dóu libre, fau pas que s'estou-
non de me vèire un pau mai aprés que lou mestié lou
coumando e qu'acò 's la modo is àutri gardian de
biòu sóuvage, baile o coumpagnoun.*

*Se noun siéu, pèr lou tout, un ignourènt, es que,
vira d'enfanço is ounour de capelaniho, juguère
jourça de renouncia mis estùdi emai l'espèr qu'aviéu
d'avera un jour li digneta de la Santo Glèiso, pèr
encauso, e pas mai, dóu malastre que m'aclapè.
Gramacia, pamens, fugue Diéu, qu'un pau mai
qu'is autre m'alarguè lou saupre que, s'ère sènso,
me veiriéu au tout incapable de mena au rode lou
pres-fa qu'entamene vuei.*

*Moun paire, Andriéu Roubaud, gardian de roussatino,
valènt-à-dire, de chivau camargue qu'éu menavo pèr
Séuvo au comte di mounge de Saumòdi, aviè un einat,
Ounourat Roubaud, qu'enanti pèr la bèn-voulènci dóu
Paire Abat e pièi sacra prèire, aviè trachi canounge
au Venerable Capite de la Majour d'Arle.*

je veux donner à ces pages un caractère indubitable, certain qu'un jour de plus savants sauront faire leur profit d'événements aussi curieux.

Celui ou ceux aux yeux desquels la Providence livrera le secret de ce livre, ne devront point s'étonner de trouver chez moi une instruction bien supérieure à mon état et qu'il n'est point commun de rencontrer chez les autres gardians de bétail sauvage, mes compagnons. Si je ne suis point tout à fait un ignorant, c'est que, destiné de bonne heure aux honneurs de la prêtrise, j'ai dû abandonner mes études et mon espoir d'accéder un jour aux dignités de la sainte Eglise, par suite, uniquement, du grand malheur qui m'advint. Je n'en remercie pas moins le ciel de m'avoir dispensé, un peu plus qu'aux autres, de ce savoir, faute duquel il me serait impossible de mener à bien la tâche que j'ai aujourd'hui entreprise.

Mon père, André Roubaud, gardian de rossatine [11], c'est-à-dire de chevaux camarguais qu'il paissait à travers la Sylve [12] pour le compte des moines de Psalmodi [13], avait un frère aîné, Honoré Roubaud, qui, instruit par la protection du père abbé et, plus tard, ordonné prêtre, était devenu chanoine au Vénérable Chapitre de la Major d'Arles.

Ce chanoine Roubaud, mon oncle, m'avait pris en profonde et paternelle affection. Je puis dire que,

Aquest canoùnge Roubaud, moun ouncle, de cor, tau coume un paire, s'èro afeciouna pèr iéu. Jouveinet, lou pode dire, m'avié fa veni em' éu, m'avié abari à soun entour en m'aleiçounant éu-meme dins lis Escrituro e li libre vièi, tant latin coume gregau; à la glèiso, bon matin, ié fasiéu responso pèr la Santo Messo, ié teniéu coumpagno dins si passejado, aviéu ma cadiereto à sa taulo, coume, se de-bon, fuguèsse esta soun enfant. E, verai que l'ère, pèr l'amo e pèr l'amistanço. Aviéu moun lié, bèn mouflet, dins l'oustaloun blanc que toucavo lis Areno, landave à moun caprice long di carreiroun dóu jardin que, vèngue l'autouno amaduravo tant bèu fruchau.

Ai las! La pouisoun de fèbre qu'arrouinavo lou païs, empourtè moun benfatour que, tout-bèu-just, intrave dins mi quinge an e lou mau, pièi, emai iéu, en m'atacant, me quitè anequeli e descara quàsi.

Fuguère fourça, fauto d'aparaire, de tourna à la manado, de mai aganta la sello e lou ficheiroun. Es pas que me plagne. Tout mestié a soun bon e si revirado. Aquest l'ame, que m'alargo uno vido siavo e libro e fuguè toustèms lou nostre, de paire en fiéu, dins l'oustau.

de bonne heure, appelé près de lui, j'ai été élevé
par ses propres soins, instruit dans les Ecritures,
les lettres latines et grecques, lui fournissant, le
matin, à l'autel, les réponses de la sainte messe,
l'accompagnant dans ses promenades, ayant à sa
table ma place comme si j'eusse été son propre
fils. Et certes, je l'étais par l'âme et par l'affection.
J'avais mon lit bien douillet dans la blanche maison voisine des arènes, je courais comme je voulais
à travers les allées du petit jardin qui donnait à
l'automne de si beaux fruits.

Hélas ! la pestilence de fièvre qui ravageait le pays
emporta mon bienfaiteur, comme j'atteignais à
peine ma quinzième année, et, m'ayant attaqué
moi-même, me laissa débile et presque défi-
guré.

Je dus, faute de protecteur, revenir à la manade,
reprendre la selle et le ficheron [14]. Je ne m'en plains
pas. Chaque état a ses grâces et ses épreuves.
J'aime celui-ci qui donne une vie sereine et libre
et fut dès longtemps, de père en fils, l'état traditionnel de tous les miens.

Tel était l'avis, je m'en souviens bien, de mon
oncle le chanoine.

— Vois-tu, petit — me disait-il, quand parfois,
au crépuscule, nous nous étions attardés sur
quelque « draille [15] » de Camargue et que nous

55

*Èro bèn lou vejaire, acò, m'ensouvène proun, de
moun ouncle lou canounge :*

*— Veses, pichot — me venié, quouro, de-fes, à
l'errour, long de quauco draio de Camargo, regarda-
vian, tardié, descrèisse, eilalin, e demeni uno manado
couchado à la baisso pèr si gardian — veses, pichot,
mounte, un jour, que la Prouvidènci t'enausse,
mespresèsses au mens jamai lou travai de toun
segne-paire. Lou gardianage es un bèu mestié, lou
parié d'aquéu di Patriarcho. Es-ti pas, pièi, à
l'inmensitudo, qu'uno amo cando coumpren lou miés
l'ande dóu mounde e la presènci de Diéu ?*

*Paure ouncle venerable ! Basto eici fuguèsse. Sariéu
pas fourça, vuei, de mascara lou papié pèr coucha un
pau ço que me secuto. Car auje pas, verai, counfisa.
Emé res, nàni. Quant de cop, is ourasso de la niue,
en pas poudènt, soulamen, plega parpello, o en traucant soulet, à chivau, dins li fango de Malagroi,
ai-ti pas vougu me resóudre, à la perfin, de tout
counfessa, de tout dire ? Que li Santo pietadouso me
perdounon. Sènte proun que poudriéu pas. Un jour
aviéu tira moun plan. Me boutère dins la sello. Mai
aguère pas lou vanc de m'agandi fin-qu'à Nosto-
Damo-de-la-Mar. Sènte que me saupriéu pas esplica
emé lou Paire Abat qu'es tant prudènt, nimai emé*

56

regardions à l'horizon décroître la masse mouvante
d'une manade poussée à travers le marais par ses
gardians — vois-tu, petit, il ne faudra jamais, à
quelque sommet que la Providence te hausse,
mépriser la condition de ton père. Le métier de
gardian est un beau métier et tout semblable à
celui des patriarches. N'est-ce pas, de plus, dans
la solitude, qu'une âme pure éprouve le mieux
l'ordre du monde et la présence de Dieu?
Pauvre oncle vénéré. Que n'est-il là? Je ne serais
pas contraint, aujourd'hui, de noircir ces pages
pour me délivrer un peu de tout ce qui me poursuit.
Car je n'ose véritablement me confier. Non, à
personne. Que de fois, pendant les heures de
l'insomnie, ou en chevauchant tout seul à travers
les vases de Malagroy, n'ai-je pas pris la résolution,
à la fin, de tout avouer, de tout dire? Que les
saintes me gardent en pitié et me pardonnent.
Je sais que je ne pourrais pas. Un jour, j'étais
résolu. Je me suis mis en selle. Mais je n'ai pas eu
le courage d'atteindre jusqu'à Notre-Dame-de-la-
Mer. Je sens que je ne saurais parler ni au père
abbé si prudent, ni à notre curé si vénérable. Non,
pas même et sous le sceau de la confession. Une
appréhension plus forte que tout clôt mes lèvres.
Si je racontais librement ce qui me hante, on me
prendrait, je crois, pour un fou. Nous vivons en

noste curat qu'es tant venerable. Nàni, emai fuguèsse au secrèt de la counfessioun. Uno retenènço, mai forto que tout, me barro li bouco. Se countave libramen ço que me trèvo, me prendrien, crese, pèr ascla. Se viéu, pièi, dins de tèms, fau dire, que li juge de l'Óuficiau soun pas gaire souple e que touto causo espetaclouso sènt l'uscle, proun eisadamen. De mascarié, mai de demounige, n'i'a ges dins tal afaire, me n'en porte fort. Mai autant, quasimen, n'ai de cregnènço.

Es pèr me descarga, lou tourne à dire, qu'escrive aquésti pajo, vuei. Sauprai prendre mis amiro pèr li garda d'acatado, d'aqui que me poscon plus pourta tort e que, de ma vido, me fagon pas vèndre.

Davans que de counta, pèr lou principau, ço que m'avenguè, fau que marque eici un destourbe que, gaire vaudrié la peno de ié faire cas, s'èro pas esta lou signau proumié dis emboui mounte aro me perde e me despoutènte.

Un cop, sus lou vèspre, m'enveniéu à la cabano dóu Riege; aquesto, justamen, que, courba sus lou cartabèu, ié siéu en trin d'escrièure, d'aquest moumen.

Li Camarguen sabon proun, tóuti, de qu'es lou Riege. Mai tant se pòu qu'aquel incouneigu qu'aura, quauque

des temps, du reste, où les juges de l'Official ne sont point portés à l'indulgence et où toute chose merveilleuse sent facilement le fagot. Il n'y a ni sorcellerie ni diablerie en pareille affaire, j'en suis bien assuré et bien certain. Mais ma crainte est presque aussi grande.

C'est pour m'en délivrer, je le répète, que j'écris ces pages aujourd'hui. Je saurai prendre des précautions pour qu'elles restent cachées jusqu'à ce que je n'en aie rien à redouter et que, moi vivant, elles ne me trahissent point.

Avant de raconter l'essentiel de ce qui m'advint, je dois noter un incident qui se produisit quelque temps auparavant et qui ne mériterait pas d'être rappelé, s'il n'avait été le premier signal des événements dont je ne cesse de subir la présence tyrannique, la continuelle obsession.

Je rentrais un soir, à ma cabane du Riège ; celle même où, courbé sur ce cahier, je suis en train d'écrire présentement.

Les Camarguais connaissent tous le Riège. Mais il est fort possible que l'inconnu qui doit me lire un jour, l'ignore ou — ce qui me paraît cependant bien peu probable — que le pays vienne à être modifié par la main des hommes ou l'œuvre

jour, de me legi, n'ague, de ges de biais, couneissènço,
o tambèn, — emai me sèmble gaire de crèire — que
lou païs, d'aro-en-la, s'encape bourroula de-founs pèr
la man dis ome o l'obro de la naturo ; es dounc counve-
nènt que, pèr precaucioun, boute eici, au regard d'eiçò,
quàuquis entre-signe.

Lou Riege que s'estiro à levant, uno idèio en virant
pèr-d'aut de la famouso glèiso de Nosto-Damo, entre-
mitan la costo e lou Vacarés, es un bos estrangla
proun, mai alounga, peraqui, sus dos o tres lègo,
fourma pèr d'iloun que subroundon lis estang ounte
avenon lis escoulage e que coumunicon sèns ges de
restanco emé la mar ; sus aquélis iloun, que ié disèn,
nautre, de radèu, ivèr-estiéu, ié fouguejo un fourni
de restencle, d'óulivastre e d'aubret oulourous, d'aquéli
mourven, qu'entre si broundo, à rode, se i'envertouion
lis entravadis di tiragasso. Pèr bos, li couniéu fan
nèblo emai li reinard ; li cat-fèr o cat sóuvage, ié soun
pas causo bèn raro ; e, tambèn, iéu, de-fes, i'ai agu
couta de loup e quàuqui feróugi cervié. A l'entour di
radèu, sus lis estang que, l'estiéu, s'agouton, e,
qu'alor, à l'escandihado dóu salanc, la Vièio ié
danso, l'ivèr arrambo un fube de sóuvagino, d'auco,
de canard e de sarcello — coungreiado, acò se saup,
pèr la grumo de la mar — sèns coumta touto la

de la nature ; il est donc bon que je consigne à ce sujet, par prudence, quelques brèves indications.

Le Riège, qui s'étend au levant et un peu au nord de la fameuse église de Notre-Dame, entre le Vaccarès et la côte, est un bois assez étroit, mais long de deux ou trois lieues, formé d'îlots qui émergent des étangs alimentés par l'écoulement des eaux supérieures et communiquant sans obstacles avec la mer ; ces îlots, que nous appelons *radeaux*, sont couverts en tout temps d'un fourré de lentisques [16], d'olivastres [17] et de ces arbustes aromatiques appelés *mourven* [18], où s'enchevêtrent parfois en entraves les liens épineux des tiragasses [19] Dans le bois, les lapins pullulent et aussi les renards ; les *cat-fèr* ou chats sauvages n'y sont pas rares ; j'y ai parfois abattu moi-même des loups et quelques redoutables cerviers. Autour des radeaux, dans les étangs que l'été dessèche et où, alors, sur l'étendue éblouissante de sel dansent des mirages [20], l'hiver amène une abondance incroyable de sauvagine, oies, canards et sarcelles — engendrés, comme on sait, par l'écume de la mer — sans compter toute la *primaille* [21], vanneaux, pluviers, jambes-rouges, charlottines et charlots, sans compter les flamants, dont les grands vols roses se reflètent l'été sur les eaux désertes du Vaccarès.

*primaio, vanèlo, pluvié, cambo-roujo, charloutino
emai charlot, sèns coumta li becarut, que sis alado
rousenco, fantaumejon, l'estiéu, sus lis aigo vasto
dóu Vacarés.*

*Dóu tèms di caumasso, lou Riege, desprouvesi d'aigo
douço e rabina de la secaresso, s'encapo, de mai,
empouisouna de manjanço e de mousco verinouso
que secuton lou bestiau, mai, dins la sesoun marrido,
estènt que la terro ié sablejo, l'erbo se ié mantèn fresco
e quand règnon li gros tèms, lou fourni de mourven
ié fai bon abri pèr lou capitau d'uno manado.*

*Aquéu vèspre d'aqui, tau coume ai di, m'entournave
dounc, mounta sus moun chivau Clar-de-Luno, de la
baisso dis Emperiau que ié veniéu de cala de las
pèr la sóuvagino. Èro alor tout lou mai sièis ouro,
mai en agantant li pichot jour e la luno en virant
nouvello, la niue, entre toumba, soumbrejavo.*

*Fau dire que, pèr abourda sus li radèu es de-bon
de s'avisa e d'engouli just lou pas di gaso, qu'autramen, riscarias de vous emplaja e de peri, miserable,
dins li fangasso que formon quàsi tout lou travès
d'aquélis estang. Acò, li gardian lou sabon.*

*Veniéu dounc de passa sènso auvàri la gaso, — qu'es
soun noum —, de la Damisello e Clar-de-Luno, sus
lou ferme dóu radèu, en tirant sus la cabano, boulegavo*

Pendant les chaleurs, le Riège privé d'eau douce
et brûlé de sécheresse se trouve, par surcroît, infesté
de bestioles parasites et de mouches charbon-
neuses qui désolent le bétail, mais, pendant la rude
saison, comme la terre y est sablonneuse, l'herbe
s'y conserve fraîche et quand viennent les gros
temps, les fourrés de mourven sont un bon abri
pour les animaux de la manade.

Je revenais donc, ce soir-là, monté sur mon
cheval *Clair-de-Lune*, de la baisse [22] des Impériaux
où j'étais allé disposer des lacets pour les canards.
Il était tout au plus six heures, mais nous trouvant
alors aux jours les plus courts de décembre et la
lune ayant renouvelé, la nuit déjà tombée était
noire.

Il faut dire que, pour accéder aux radeaux, il est
nécessaire d'aborder soigneusement les passages
sûrs appelés *gases* [23], faute de quoi on ne manque-
rait pas de s'enliser et de périr, misérable, dans
les boues mouvantes dont est formé presque tout
le travers de ces étangs. Les gardians savent cela.

Je venais donc de franchir sans encombre la gase
dite de la Demoiselle et *Clair-de-Lune*, à pied sec
sur le radeau et gouvernant droit vers la cabane,
jouait des oreilles en forçant le pas et faisait
entendre ces brefs soufflements par quoi nos
camarguais nous avisent qu'ils se reconnaissent et

63

sis *auriho* e *aloungavo* lou pas en *narrejant*, qu'acò
es lou biais de nòsti camargue pèr nous dire que se
recounèisson e que se sènton gai de se vèire au bon
camin, quouro, tout-d'uno, me devinère entre-
auboura dins la sello pèr un cop d'escart e, en repre-
nènt lou chivau, veguère tabousca e s'avali dins li
mato un quicon de viéu, qu'à la sournuro, lou destrière pas bèn. Quauque bracounié, sai-que, me
pensère, de la Vilo-de-la-Mar. D'ùni venien, de-fes,
casseja, lou sabiéu, sus lou Riege, mai en li couneissènt quàsi tóuti, ié pourtave pas gaire esfrai. Aplantère lou chivau, chaurihère e, dous o tres cop, uchère
à l'escuresino. Pas ges de voues me respoundeguè e,
mai m'atenciounèsse, de-founs, ié destrière plus rèn.
Me pensère dounc d'avé destourna quauque cassaire
o, causo proun raro dins nòsti parage, quauque
bat-l'antifo à la barrulo, presounié escapa di chourmo
d'Arle o di gabiolo de Tarascoun e que se dounavo
d'èr pèr claus e sansouiro. Me troumpave, aqui,
emai de forço, tau qu'en seguido, pièi, acò se desta-
para. Faguère gaire cas, sus lou moumen, n'en
counvène, à tal escaufèstre, mai Clar-de-Luno,
tout revechina e courpouirant dins si cenglo, quitè
pas de faire peta la narro, enaura, fin-que sus lou
lindau de la cabano.

sont contents de retrouver leur chemin, lorsque, tout à coup, je me sentis enlevé en selle d'un brusque écart et, mon cheval ramené, je vis détaler et disparaître entre les touffes un être que, dans l'obscurité, je ne distinguai pas très bien. Peut-être quelque braconnier, pensais-je, de la Ville-de-la-Mer ? Certains d'entre eux venaient de temps en temps, je le savais, giboyer sur le Riège, mais comme je les connaissais à peu près tous, ma présence, je dois le dire, ne les épouvantait pas. J'arrêtai mon cheval, tendis l'oreille et, à deux ou trois reprises, hélai dans l'ombre. Nulle voix ne me répondit, et, malgré mon attention, je ne discernai plus rien. J'imaginai donc avoir dérangé quelque chasseur, ou, chose assez rare en ces parages, quelque rôdeur plus suspect, prisonnier échappé des chiourmes d'Arles ou des geôles de Tarascon, et fuyant à travers ces espaces désertiques [24]. Mon erreur, à cet égard, était grande, comme la suite bientôt le révélera. Je n'accordai moi-même, sur le moment, je l'avoue, que fort peu d'importance à cette alerte, mais *Clair-de-Lune,* hérissé et pointant presque à chaque pas, ne cessa de faire ronfler ses naseaux avec terreur jusqu'au seuil de la cabane.

Ce fut quelques jours plus tard, à peine, qu'à la pointe septentrionale la plus extrême du Radeau

Fuguè quàuqui jour pièi, à tout lou mai, qu'à la pouncho la plus auto dóu Radèu de l'Aubo, encapère de pesado, de clavo, coume disèn, nautre, dins noste parla gardian e, qu'entre li vèire, me boutèron proun en chancello. Qu'un iue gaire afa lis aguèsse presso pèr quauque trafé de bouvino, dins l'emboui e l'entre-mesclun dóu pas de mi bèstio à-n-aquéu rode d'aqui, tant se poudié. Mai pèr la visto d'un gardian acous-tuma de-longo à cuba, rèn que sus lou biais di clavo, lou tèms, aperaqui, d'un biòu e tambèn sa traco, lou vanc de soun ande e sa butèio, sarié pas esta perdounable, de-segur. Emai fuguèsse fourca parié, acò n'èro pas lou pèd d'uno bèstio de bouvino. La clavo èro linjo forço mai, e, tambèn mai estirado, subre-tout sus li pouncho de la fourcheto, cavavo pas tant founs dins terro e li pas èron desparié.

Curious, enreguère aquéu trafé, miejo-lègo, aperaqui, en tirant à soulèu leva; mai lou perdeguère au passage dis estang sèns poudé mai l'endeveni sus lou ferme e, coume bouscave, aquéu jour d'aqui, un biòu malandrous que batié sus la raro de Badoun e que me lou falié recounèisse, fuguère fourça, pèr lou moumen, de leissa aqui moun percas.

Aguère pas de lou remanda bèn liuen, que lou suren-deman, just e just, desvistère mai de clavo, di memo,

66

de l'Aube, je relevai des empreintes, des *claves*, comme nous disons en nos termes de gardians et dont l'examen me jeta dans la plus grande perplexité. Qu'un œil peu exercé eût pu les confondre avec les pistes de mes taureaux, fort nombreuses et enchevêtrées en cet endroit, c'était admissible. Mais, pour un regard de gardian habitué à évaluer au seul aspect d'une clave le poids et l'âge presque certain d'une bête, la force et la rapidité de sa foulée, l'erreur eût été inexcusable. Tout fourchu qu'il fût pareillement, ce n'était point là le pied d'une bête de bouvine, je ne pouvais un seul instant m'y tromper. L'empreinte était plus mince et plus longue, surtout sur les pointes de la fourchette, elle marquait beaucoup moins en terre, et les pas, souvent, semblaient inégaux.

Ma curiosité me fit suivre cette piste, environ une demi-lieue, dans la direction du soleil levant, mais je la perdis à la traversée des étangs sans pouvoir la retrouver en terre ferme, et comme je cherchais, ce jour-là, un taureau malade, errant sur la lisière de Badon et qu'il me fallait visiter, je dus, momentanément, renoncer à cette poursuite.

Je ne fus pas contraint de la différer bien longtemps. Car le surlendemain, exactement, je retrouvai des claves pareilles sur les limites de l'Etang-Redon.

à l'orle de l'Estang-Redoun. Coustejavon la palun, noun-pariero, mai bèn triado, marcado clar sus lou fres de la sansouiro, s'arrestavon, reprenien, s'arrestavon mai e fenissien pèr trauca dins la sagnasso. En me vesènt de tèms davans, aquest cop, teniéu la vìo. E mai-que-mai moun afecioun se creissié, qu'aviéu moun idèio. L'animau, sènso doute, poudié qu'èstre un d'aquéli feróugi porc-senglié que baton la Séuvo e que s'asardon gaire à la baisso ount lou ras di sansouiro ié desagrado. Segur, rèn que de vèire l'espandido e lou tai di bato, aquest d'eici devié èstre un frapas de bèstio. Mai en partènt, m'ère precauciouna de moun ferre emé l'idèio dins iéu, n'en counvène, qu'auriéu, belèu, de m'aligna emé quauco ferunasso.

Aro, vesiéu plus li clavo, mai m'atenciounave à camina dre dins lou carreiroun que lou verre avié tira, se coumprenié, dins l'espés de la sagnasso, touto entre-secado, d'aquesto sesoun. Pèr bèn dire, emai l'andano me semblèsse ressarrado e menudo à respèt d'un animalas tant dins terro coume aquest e tant retapa, fasiéu moun proun pèr pas m'escarta dóu rode e me teni d'avisa, quouro Clar-de-Luno, qu'es aurouge, faguè un escart sènso rimo ni resoun, tout lou mens à moun vejaire, e piquè de quiéu dins

68

Elles côtoyaient le marais, inégales mais fort distinctes, nettement marquées sur le sol vaseux, s'arrêtaient, repartaient, s'arrêtaient encore et finissaient par s'enfoncer dans la roselière. Comme j'avais le temps, cette fois, je les suivais, et mon ardeur se trouvait accrue, car ma conviction était faite. L'animal, à n'en pas douter, devait être un de ces sauvages porcs-sangliers qui hantent la Sylve et se hasardent assez rarement sur nos terres basses dont ils n'aiment guère les espaces découverts. Certes, à en juger par la force et la longueur de ses pinces, celui-ci devait être d'une taille monstrueuse. Mais en partant, j'avais pris soin de me munir de mon ficheron, avec cette pensée, je l'avoue, d'avoir, peut-être, à me mesurer avec quelque bête redoutable.

Je ne voyais plus les claves, maintenant, mais je m'attachais à cheminer constamment dans le passage que le solitaire avait dû s'ouvrir dans la masse des roseaux toute desséchée en cette saison. A vrai dire, bien que la trouée me parût étroite et menue pour un animal aussi près de terre sur ses jambes et aussi pesant, je mettais tous mes soins à ne m'en point écarter et à me tenir sur mes gardes, lorsque *Clair-de-Lune*, qui est poltron, ayant fait un écart sans raison, du moins apparente, tomba de l'arrière-train dans un trou de vase, dont il eut

uno gargato que n'aguè de peno pèr se póutira.
Quand s'encaperian, éu emé iéu, tóuti dous sus lou
ferme, en terro sauvo, aguère mai perdu li clavo e,
estènt qu'à bono ouro la niue venié, prenguère mis
amiro, remarquère l'endrechiero, en me decidant de
repassa, s'èro necite, tout l'Estang-Redoun e de
reprendre au pulèu aquesto coucho.
Lou jour d'après se passè pas sènso que me fuguèsse
bouta dins la sello. M'encarave à bousca la bèstio e à
l'acassa, pièi, s'èro poussible. Mai en voulènt,
proumié, recounèisse si pesado e soun jas sènso
l'enaura, — qu'ère pas en doute, rèn qu'au noumbre
de si clavo qu'aguèsse pres tengudo dins l'enviroun —
vouguère pas mena moun chin Rasclet e l'embarrère,
avans que de parti, dins la cabano dóu Riege. Aviéu,
pèr mai me douna lesi, dejuna d'ouro e garni ma
biasso em' uno pougnado de nose e de figo seco,
arresta qu'ère dins l'entènto, se lou falié, de furna
tout-de-long, fin-qu'à la niue e de recoumença pièi,
d'aqui que me veguèsse quauco resulto.
Aquéu jour d'aqui, nòu de Janvié, lou tèms se
mantenié siau em' un cèu blous e uno pouncho de
tremountano. Aviéu aganta l'orle dis estang e virave
en bas uno idèio, en tirant à soulèu leva. Clar-de-Luno
s'enanavo au pas e iéu, sènso auboura de-founs mis

toutes les peines du monde à nous tirer saufs. Lorsque nous fûmes, lui et moi, en terre plus ferme, toute trace était perdue, et comme, de bonne heure, la nuit tombait, je m'orientai, relevai la direction, me promettant de battre, s'il le fallait, tout l'Etang-Redon et de reprendre au plus tôt cette poursuite.

Le jour suivant ne se passa pas sans que je me remisse en selle. J'étais déterminé à trouver la bête et à la prendre, par la suite, si je le pouvais. Mais désirant d'abord relever ses passages et sa bauge sans l'effaroucher — car je ne doutais point, à la fréquence de ses foulées, qu'elle n'eût élu séjour dans les environs — je n'emmenai point avec moi mon chien *Rasclet* [25] que j'enfermai dans la cabane du Riège avant de partir. J'avais, pour me ménager plus de temps, déjeuné d'assez bon matin et garni mon bissac d'une poignée de noix et de figues sèches, avec l'intention bien ferme, s'il le fallait, de prolonger ma recherche jusqu'au soir et de la reprendre ensuite, tant que je n'en obtiendrais aucun résultat.

Ce jour-là, le neuvième de janvier, le temps était beau avec un ciel clair et une pointe de tramontane. J'avais pris le bord des étangs et tirais un peu vers le sud du côté du soleil levant. *Clair-de-Lune* marchait au pas et moi, sans quitter aucunement

iue d'en terro, repassave la sansouiro tout à l'entour, tant liuen que poudiéu manda ma visto. Memamen que m'aplantère dous o tres cop e davalère dóu chivau pèr estudia bèn de proche quàuqui clavo entre-lardado dins lou trafé di biòu e que, tant semblavon, sus lou moumen, signala l'acarraire de la bèstio. Mai de tout lou matin, fau dire, encapère rèn de bèn segur.

Fuguè soulamen après dina, vers uno ouro dóu tantost, que, de-bon, endevenguère de pesado fresco. Sourtien de la gaso di Fournelet e remountavon en tirant sus l'Estang-Redoun. Lou cor, rèn que de li segui, me bacelavo e, 'mé la cambo e lou taloun, acoursave Clar-de-Luno e lou fourçave d'alounga lou pas, qu'aquest cop, li clavo èron dins soun fres e fasié pas mai de quàuquis ouro qu'aqui de-long, segur, la bèstio avié trafega. En agantant la palun, dins lou fourni dóu rousèu mounte, tant-lèu, s'emboursavon, me fuguè pas poussible de segui li clavo long-tèms; coume lou jour d'avans, m'atenciounave tant soulamen à teni lou carreiroun, qu'en traucant, la bèstio avié fourma, mai entre avé camina uno passado, tourna-mai, m'estravière. Pamens, en me vesènt de tèms davans à ma counvenènço, que lou soulèu se devinavo aut encaro pèr la sesoun, me

des yeux la terre, scrutais le sol tout à l'entour aussi loin que pouvait atteindre mon regard. Même, je m'arrêtai deux ou trois fois et descendis de cheval pour examiner de plus près certaines claves qui, mêlées aux pistes de mes taureaux, semblaient, au premier abord, signaler le passage de la bête. Mais pendant tout le matin, je dois le dire, je ne trouvai rien de bien assuré.

Ce fut seulement l'après-midi, vers une heure du tantôt, que je découvris véritablement une trace fraîche. Elle sortait de la gase des Fournelets pour remonter du côté de l'Etang-Redon. Le cœur me battait un peu à la suivre et, de la jambe et du talon, je poussais *Clair-de-Lune* en l'obligeant à forcer le pas, car les claves étaient, cette fois, toutes récentes, et à n'en pas douter, depuis quelques heures à peine, la bête devait avoir trafiqué par là. En arrivant au marais, dans le fourré de roseau où elles pénétraient tout aussitôt, il me devint impossible de suivre longtemps les empreintes ; comme la veille, je m'appliquai seulement à suivre le couloir étroit ouvert au passage de l'animal, mais je n'eus pas cheminé un long moment que, de nouveau, je le perdis. Toutefois, ayant du temps devant moi en suffisance et le soleil se trouvant encore haut pour la saison, j'entrepris de battre régulièrement la roselière, allant

73

groupère à repassa la palun de sagno, en tirant à-de-
règn de levant à couchant e de couchant à levant,
tout en m'avisant di rode marrit e di gargato, qu'emé
lou. chivau aurian risca de s'aprefoundi.

La tremountano, uno idèio, avié ranfourça e lou
tèms dre, pèr la niue, marcavo un cop de plouvino.
En caminant souto vènt, veniéu, sènso desvira mis
iue, de m'auboura moun vièsti sus lou coui e de me
planta sus lis auriho lou capeiroun que, pèr l'ivèr,
me siéu retaia dins la pèu d'un vibre, quouro Clar-de-
Luno, en fourviant, s'aquiéulè tout-d'uno e restè
braca sus si quatre cambo en rouncant. Au meme
moumen, que lou sagnas èro forço fourni à-n-aquéu
rode, veguère fusa davans iéu, à paquet, sèns lou bèn
poudé destria, quauco-rèn que saurejavo. Ataquère
lou chivau que se bandiguè, partiguè à la galoupado,
mai, tant-lèu, en s'arrestant round, coumencè de
susa de pertout en tremoulejant e en boufant di narro
coume un coulobre. Enmalicia de me leissa passa
davans, que vesiéu oundeja dins lou rousèu un
espèci d'andaioun à-n-un centenau de pas, tout-à-
peno, clavère mis esperoun dins lou vèntre de ma
mounturo emé, talamen, lou sacrebiéu, que cop sus
cop, se boutè à faire de boumb, emé la tèsto souto e à
fourça sus lou mors en se bidoursant pèr m'escampa

74

alternativement du levant au couchant et du couchant au levant, évitant seulement les endroits
vaseux et mouvants que je connaissais et où mon
cheval et moi eussions risqué de nous abîmer.
La tramontane avait quelque peu fraîchi et la gelée,
pour la nuit, s'annonçait vive. Comme je marchais
dans le vent, je venais, sans détourner aucunement
mon regard, de relever le col de mon vêtement et
d'enfoncer sur mes oreilles le chaperon d'hiver que
je me suis taillé dans une fourrure de vibre [26],
lorsque *Clair-de-Lune*, ayant fait un bond de côté,
se jeta d'un coup en arrière et demeura braqué
sur ses quatre pattes en ronflant. En même temps,
les roseaux se trouvant fort épais en cet endroit-là,
je vis filer devant moi, sans rien pouvoir en distinguer, une sorte de masse obscure. J'attaquai
le cheval qui se détendit, partit au galop, mais
s'arrêtant net aussitôt, se mit à suer de tout son
corps en tremblant et soufflant des naseaux
comme une couleuvre. Irrité de me laisser ainsi
distancer, car je voyais onduler dans les roseaux
une espèce de sillage à cent pas à peine, je plantai
mes éperons dans le ventre de ma monture avec
une telle fureur, qu'elle fit coup sur coup plusieurs
bonds, la tête basse et le mors tendu en donnant
du rein pour me faire quitter l'arçon et, n'y pouvant
parvenir d'aucune manière, partit enfin toute

e, en vesènt que ié poudié pas arriva de ges de modo, partiguè, à la fin, en s'espóussant dins mi cambo, en tirant sus la man e en cercant de manca la vìo ounte m'encarave à la manteni. A-n-aquéu moumen, en vesènt plus rèn boulega, pèr cregnènço, un cop de mai, de perdre ço que coursejave, à cop d'esperoun, carnassié, talounejère, d'aqui que lou chivau alounguèsse. Clar-de-Luno, à la perfin, óubeïssié, mai sa soumessioun fuguè pas di longo. Se levè dóu cop, faguè un escart, e d'un pau mai, barrulavo en voulènt manca uno espèci de bèstio escuro amagado au mai espés dóu rousèu.

Aplanta, dóu cop, en aubourant l'aste, jincave à destria la meno de casso que i'aviéu à faire. Coumençave, n'en counvène, de me senti trevira e la temour dóu chivau, que quitavo pas de me ferni entre cambo, s'enfusavo dins ma courado.

Es pas que l'animau, de-bon, aguèsse l'èr tant de cregne coume, dins iéu, aviéu vougu me l'imagina. Dins l'entre-mesclun dóu rousèu, destriave emé proun peno un ràbi que bourrejavo, emé soun péu secarous, rufe e rouginas, dous pèd, que si bato fourcudo, eisa, li poudiéu counèisse; mai ço que lou mai m'estraviavo, èro d'entre-vèire un espèci de pedas de sarpeiero empega sus lis esquino e li ren.

76

secouée sous moi, gagnant la main et tâchant d'éviter la direction où je faisais effort pour la maintenir. A ce moment-là, ne voyant plus rien remuer et craignant de perdre une nouvelle fois l'objet de cette poursuite, je talonnai plus cruellement de l'éperon et accélérai l'allure. *Clair-de-Lune*, à la fin, m'obéissait, mais cette soumission ne fut pas de longue durée. Il se déroba, fit un écart et manqua de culbuter dans un trou de fange, en voulant éviter une sorte de bête brune gitée à l'endroit le plus fourré des roseaux.

Arrêté, cette fois, croisant la hampe du ficheron, je tâchais de discerner à quelle sorte de gibier j'avais affaire. Je commençais, je l'avoue, à me sentir troublé, et la terreur du cheval que je ne cessais de sentir grelotter entre mes jambes se communiquait à moi.

Ce n'est pas que l'animal parut aussi redoutable que je m'étais plu à l'imaginer. Entre les roseaux emmêlés, difficilement je distinguais un arrière-train couvert de poil bourru, grisâtre et fauve, deux pieds à la corne fendue que, bien aisément, j'identifiais ; mais, ce qui me surprenait au-dessus de toute expression, c'était d'apercevoir une espèce de sayon, d'étoffe grossière, plaqué contre l'échine et les reins. Accroupie, immobile sur ses jarrets, la bête ne laissait voir ni son avant-train ni sa

77

Amoulounado, sèns branda sus si jarret, la Bèstio me fasié vèire ni soun davans ni sa tèsto. De la pòu de l'esglaria, s'assajave mai de me n'avança e sentènt pièi Clar-de-Luno rede, souto iéu, de l'esfrai e lèst, se l'atacave, à se desmancha, m'entrevère de souna aquel èstre estrange pèr que se virèsse à me regarda. Sènso fourça mai que ço que fau, acampère moun alen e bandiguère aquéu cop de gorjo que, nous autre, gardian, n'avèn l'us pèr chama nòsti bèstio de bouvino quand li voulèn aplanta, o, tambèn, de-fes, li faire veni à l'ome :

— Hè ! hèhè ! Hè-hèhè !

Mai, tant-lèu, en segoundo, acabave de crida, que sentiguère moun péu s'aubouva dins moun capeiroun, uno susour de gèu regoulè dins moun esquino e fuguère fourça d'aganta à plen de man uno pougnado de creniero, talamen me veguère à-mand d'estavani. Car la tèsto, en se revirant, fasié vèire un carage d'ome.

Tant desvaria que me sentiguèsse, alucave pèr lou menu l'entre-carage garru, recava pèr la misèri emai lou vieiounge e lis iue feroun ount cremavo uno flamour morno que, tout-à-peno, davans ma visto, s'arrivave à l'afrounta. Me repasse, aro, lou detai, mai siéu segur qu'alor, tout au cop, l'entre-veguère e moun ànci faguè que se n'en crèisse.

78

tête. Redoutant de l'effaroucher si je tentais de
nouveau de m'approcher d'elle et sentant d'ailleurs *Clair-de-Lune* tout tendu de peur sous moi,
disposé, si je l'attaquais, à se défendre, je résolus
d'attirer l'attention de cet être étrange pour le
contraindre à me regarder. Sans y mettre trop de
véhémence, je rassemblai mon souffle et lançai cet
appel de gorge par lequel nous, gardians, avons
coutume de nous adresser à nos bêtes de bouvine
lorsque nous voulons les arrêter dans leur marche
ou, à d'autres moments, les provoquer :
— Hè ! hèhè ! Hè-hèhè !
Mais à peine, pour la seconde fois, avais-je fini de
crier, que je sentis mes cheveux se dresser sous mon
chaperon, une sueur de glace ruisseler dans mon
échine, et je dus saisir à pleine main une poignée de
crinière, tant je me vis en train de défaillir. Car la
tête qui se tournait avait une face humaine.
Malgré mon bouleversement, je détaillais fort bien
des traits vigoureux, ravinés de misère et de
vieillesse et les yeux farouches où brûlait une
flamme triste que mon regard arrivait à peine à
supporter. Je me rappelle ces détails que j'aperçus
certainement alors d'un seul coup et dont mon
angoisse se trouva accrue.
Je n'avais, jusqu'à ce jour, rien éprouvé de semblable dans ma vie, j'en suis bien certain.

79

De ma vido, aviéu, fin-qu'au jour d'aqui, rèn couneigu
de tau, n'en siéu proun segur.

Mai eiçò, pamens, n'èro pas gaire. Sentiguère, tout
à-n-un cop, un boufe d'abouminacioun alena sus
moun carage e me devinère, auboura sus mis estriéu,
em' un grand ressaut d'abourrimen e d'esfrai, car
veniéu de recounèisse, quihado de chasque coustat
dóu frountas, douminant la caro terrouso, dos bano, o,
dos bano, uno de coupado, mesquino, sus soun mitan
e l'autro revirado dins un revòu, rufo, tóuti dos e
counchado de la fango e li pariero d'aquéu boucas
que bat la sournuro e qu'à soun ounour, dison, se
celèbron d'òrri messo dins lou sabat. Sènso balança,
tout d'un vanc, pèr sauvamen, aviéu auboura moun
bras e larga dins l'èr un signe de crous. Entanto,
redisiéu li paraulo escounjurarello, tau coume
l'aviéu ausi faire à moun ouncle lou canounge, un
jour que sus lou cors d'une femo endemouniado,
esvartavo li malesperit au lindau de la glèiso de la
Majour :

— Recede... immundissime. Imperat tibi Deus
Pater... et Filius... et Spiritus Sanctus !...

M'afourtissiéu, lou counfèsse, en redisènt li paraulo
liturgico qu'escoulan, antan, lis aviéu apresso e que,
dins la mau-parado, me revenien e, de-bon, m'esperave

80

Mais ceci était encore peu de chose. Je sentis tout
à coup comme un souffle d'abomination haleiner
sur ma figure et je me trouvai droit sur mes
étriers dans un grand sursaut de détestation et
d'horreur, car je venais d'apercevoir, plantées de
chaque côté du large front, dominant la face
terreuse, deux cornes, oui, deux cornes, l'une
rompue misérablement en son milieu, et l'autre
enroulée à demi dans une volute, toutes deux
rugueuses et souillées de fange et pareilles, sans
doute, à celles du bouc nocturne en l'honneur de
qui, dit-on, se célèbrent les messes immondes
dans le sabbat. Sans réfléchir, en un élan de salut,
j'avais levé le bras et tracé dans l'air un large signe
de croix. En même temps, je prononçais les paroles
de l'exorcisme, tout comme je l'avais entendu
faire à mon oncle le chanoine, un jour que sur le
corps d'une femme possédée il conjurait les mauvais esprits au seuil de l'église de la Major.
— *Recede... immundissime. Imperat tibi Deus
Pater... et Filius... et Spiritus Sanctus!...*
Je m'affermissais, je l'avoue, en redisant la formule
liturgique que, disciple, autrefois j'avais apprise et
qui, dans ce péril extrême, me revenait, et, à vrai
dire, je m'attendais à voir se dissiper devant moi
comme une brume cette apparence de Bélial,
lorsqu'à mon grand étonnement, la Bête (comment

de vèire s'avali davans iéu coume uno nèblo aquelo
semblanço de Beliau, quouro, à moun espan-
tamen, la Bèstio (quint noum autre ié dounariéu?)
penousamen s'aubourè sus si cambo redo e, sus soun
carage apasima, sus sa fàci d'ome, veguère varaia
un rebat dous e l'entre-lus d'un sourrire malan-
còni:

— Ome, vai, te trevires pas. Siéu pas lou demòni
qu'abourrisses. Siés crestian, lou vese proun. Siés
crestian. Mai iéu noun siéu pas un demòni...
La Bèstio parlavo. Sa voues asclado e grèvo, ressou-
navo, d'aise, emé quicon, dins elo, de melicous.
Espanta, iéu l'escoutave e sentiéu, entre l'ausi,
s'esvali d'à-cha-pau tout moun esfrai, s'enfusa dins
iéu un soulas incoumprensible, quand veguère mai,
tout-d'uno, si bouco s'estira sus si gengivo quàsi
desdentado e faguè, en grimassejant, uno bèbo, au
tout, diaboulico. Au meme cop, un rire feroun estre-
mentiguè l'èr e me veguère fourça de beissa parpello
davans d'uias de braso e de flamejado.

— Siéu pas un demòni! Siéu pas un demòni!
Autant lèu, lis iue de la Bèstio, semblè que s'entre-
neblavon dins un fum e veguère, tourna-mai, s'espandi
sus aquel espantous carage, un èr las emai dous,
qu'es pas de dire.

82

la nommerais-je autrement ?) se dressa péniblement sur ses jambes raides et, à travers ses traits
détendus, sur sa face d'homme, je vis errer comme
un reflet de douceur et le rayon d'un sourire
mélancolique.

— Homme, ne te trouble pas. Je ne suis pas le
démon que tu redoutes. Tu es chrétien, je le vois.
Tu es chrétien. Mais je ne suis pas un démon...

La Bête parlait. Sa voix sonnait grave et cassée
avec une grande lenteur et une sorte de suavité.
Stupéfait, j'écoutais et je sentais, à l'entendre,
se dissiper peu à peu mon épouvante, couler dans
mes veines un inexplicable apaisement, lorsque je
vis, tout à coup, se fendre la bouche sur des gen-
cives presque édentées et la face toute ridée se
contracter soudain dans une grimace véritablement diabolique. En même temps, un rire furieux
déchira l'air et je fus contraint de baisser les yeux
sous un regard de braise et de flamme.

— Je ne suis pas un démon, je ne suis pas un
démon !

Aussitôt les prunelles de la Bête semblèrent se
noyer dans une brume et je vis resplendir de nouveau sur la bizarre figure une expression de lassitude et d'inexprimable douceur.

— Je ne suis pas un démon et tu me redoutes,
ô homme, et tu fais sur mon front et sur mes

— *Noun siéu pas un demòni e pamens, ome, te porte esfrai e tu me fas sus lou front e sus li bano l'escounjuracioun di crestian. Alor, de-que me coursejes, de-que m'acasses, mounta sus toun cavalot e brandussant ta ligousso di tres pouncho? Digo, de-que me coursejes e iéu, de-qu'es que t'ai fa? Aquest terraire isto lou darrié que i'ague trouva un pau de pas e aquelo vastour sacrado ounte me coungoustave, antan, d'estrena moun vanc nouvelàri, quand segnourejave, baile dóu silènci emai dis ouro, baile d'aquéu canta que, sèns comte, vers lis estello, dóu bestioulun de la plano, mounto, respond e s'esperlongo dins li gourg de l'inmenseta. Eici, au mitan di fangasso salancouso recoupado de sablas emai d'estang, en escoutant brama ti biòu e quila ti grignoun sóuvage, en regardant, de-jour, d'acatoun, sus lou caud de la sansouiro, oundeja lou vèu dóu mirage, en regardant, de-niue, dansa sus l'aigo de la mar la luno esbarluganto e nuso, ai couneigu proun tèms ço que, pèr iéu, se pòu dire lou bonur. O, lou bonur. De-que me regardes ansin emé d'iue coume de paumo e mai blanc que se, rèn que de me vèire, te falié, sus lou cop, mouri? Urous, o, lou siéu esta, tant escranca qu'aro vèngue emai rampous e despoudera, sus aquesto terro esterlo que me porjo*

84

cornes le signe de l'exorcisme chrétien. Alors pourquoi me poursuis-tu, pourquoi me donnes-tu la chasse, monté sur ton cheval et armé de ta triple pique? Dis, pourquoi me poursuis-tu? Que t'ai-je fait? Cette terre est la dernière où j'ai trouvé un peu de paix et cette solitude sacrée à travers laquelle, jadis, je me plaisais à exercer ma jeune force, quand je régnais, maître du silence et de l'heure, maître du chant innombrable qui, aux étoiles, des insectes de la plaine, monte, s'échange et se diffuse dans les gouffres de l'immensité. Ici, à travers ces vases salées, coupées d'étangs et de plages sablonneuses, en écoutant les beuglements des taureaux et le cri de tes étalons sauvages, en regardant, tapi, le jour, à l'horizon, trembler les voiles du mirage sur la terre chaude, en regardant, la nuit, danser sur les eaux de la mer la lune étincelante et nue, j'ai connu quelque temps ce qui, pour moi, peut ressembler au bonheur. Oui, au bonheur. Pourquoi me regardes-tu de tes yeux arrondis, avec cette bouche ouverte, et plus pâle que si, de ma vue, tu devais aussitôt mourir? J'ai été heureux, tout cassé que je sois et tout perclus et vaincu, sur cette terre désolée qui me fournit à peine de quoi entretenir mon vieux corps, mais qui me dispense son souffle sauvage sans lequel je ne pourrais vivre et pour lequel j'ai

*tout-bèu-just lou necite pèr manteni mi carnasso, mai
que m'alargo soun soufle fèr, que sènso, poudriéu
pas viéure e que, pèr lou béure, ai quita li pradarié
douço e li jardin de flour e li plajo acalourido ounte
niuech e jour, la mar souspiro e regounflo coume un
pitrau de jouvènto que s'aubouro e que s'endor.
Paure ome. E veici que, fai de jour, barbelant, tu me
couches e me coursejes, tu t'armejes pèr me bousca e,
abrama, me secutes coume se fuguèsse uno bèstio fèro
que, pèr caturo, mesquino, la voudriés sagata. Anen,
moun repaus e moun paure bonur an-ti pres fin,
sufis qu'un ome, à-niue, me regarde fàci à fàci?
Digo, anen. De-que me vos, tu?*

*Mai iéu, restave, à chivau, palafica. Mi dènt craci-
navon. Mi labro, pèr forço, s'entre-sarravon e, dins
ma bouco, ma lengo morto semblavo raspouso e rufo
coume un tros de bos.*

*L'errour venié. Lou larg se fasié rouginas e si flame-
jado, coume se fuguèsson empurado pèr lou boufe dóu
mistrau, se rebatavon sus lou levant. La biso, en
ranfourçant que mai, pougnènto e fino, fasié, 'mé la
tressusour d'angòni qu'avié pas quita de me regoula
sus la pèu, uno capo de glas que m'aclapavo.*

*Poudiéu pas leva ma visto de la tèsto misteriouso que
l'esplendour dóu vèspre l'enrousissié. Un trelus*

86

fui les prairies douces et les vergers en fleurs et les chaudes plages où, nuit et jour, la mer soupire et se gonfle comme une jeune poitrine qui se soulève et s'endort. Pauvre homme. Et voilà que tu me suis, impatient, depuis plusieurs jours, à la piste, que tu t'armes pour me traquer et que tu me pourchasses cruellement tout comme une brute féroce dont tu voudrais conquérir la misérable dépouille. Ma paix et mon triste bonheur sont-ils finis, parce qu'un homme, ce soir, me contemple face à face? Allons, réponds donc. Que me veux-tu?

Mais moi je demeurais, sur mon cheval, immobile. Mes dents claquaient. Mes lèvres, malgré moi, se contractaient et, dans ma bouche, ma langue inerte me semblait spongieuse et rêche comme du bois.

Le soir venait. Le couchant rougissait et ses longues flammes, comme attisées par le souffle du mistral, se réverbéraient à l'orient. La bise devenue plus rude et plus fraîche faisait de mes habits trempés par la sueur d'angoisse qui n'avait cessé de ruisseler sur mon corps, une lourde chappe de glace.

Je ne pouvais détourner mes yeux de la face mystérieuse que l'éclat du crépuscule transfigurait. Une lueur couronnait le front, embrasait les yeux,

cenchavo lou su, abrasavo lis iue, aloungavo entre
li rousèu l'oumbrasso abourrido di bano. Sèns poudé
larga un mot, aguère lou vanc de m'enaussa. Prenguère Clar-de-Luno bèn en man, tirère lèu-lèu, un
cop de mai, un grand signe de crous de ma tèsto à
mis espalo pèr escounjura tant afrous fantaume,
virère round e, sènso m'arreira, sènso alenti, landère
tout d'uno estirado enjusqu'à la porto de ma cabano.
Coume pièi faguère pèr davala de chivau, pèr leva la
sello e, après m'èstre abéura tout d'uno alenado,
pèr me desvesti e me bandi sus ma brèsso, acò, vuei,
me revèn coume dins un fum. Mai ço que sabe, es
qu'aguère de ravacioun touto la niuechado e qu'arrestère pas de gença en tremoulejant, coume se
fuguèsse esta, à la subito, ataca pèr un acès d'aquéu
mau de la palun que bouto la fèbre.

D'efèt, restère quàuqui jour, desmemouria e ribla,
tau coume se sourtiéu d'uno malandro. Me levave,
lou matin, emé la tèsto cargado e li cambo flaco e un
bòmi, tambèn, que me bourroulavo l'estouma. Virave
à l'entour de la cabano, desvaria dis esglàri que,
pèr sounge, touto la niue, m'agarrissien e me sentiéu
pas capable de faire la mendro fatigo. N'aviéu ges

88

allongeait entre les roseaux l'ombre épouvantable
des cornes. Sans pouvoir proférer un mot, j'eus
la force de me redresser. Je pris *Clair-de-Lune*
bien en main, traçai rapidement encore de ma
tête à mes épaules un large signe de croix pour
dissiper ces affreux prestiges, fis un demi-tour
brusque et, sans me retourner, sans ralentir, les
éperons au ventre de mon cheval, m'enfuis d'un
seul galop jusqu'à la porte de ma cabane. Comment
je mis pied à terre et dessellai, comment, après
avoir bu avidement, je me déshabillai et me jetai
sur ma couchette, je ne m'en souviens, aujourd'hui,
que confusément. Mais ce que je sais, c'est que
j'eus le délire la nuit entière, ne cessant de gémir
et de grelotter, comme si j'eusse été en proie à un
accès soudain de ce mal des marais qui donne la
fièvre.

Je demeurai, en effet, plusieurs jours, hagard et
rompu comme si je sortais de maladie. Je me levais,
le matin, la tête pesante et les jambes molles, avec
un dégoût qui me soulevait le cœur. J'errais alentour de la cabane, épouvanté encore des visions
nocturnes qui m'assaillaient et incapable du
moindre effort. Je ne me sentais nul appétit pour
la nourriture, tandis que ma gorge et ma bouche

*de goust pèr lou manja, entanto que la gorjo, en
dedins e la bouco, pèr cremesoun, me fourçavon à tout
moumen, d'engouli d'aigo à grand poutarrado.*

*Talamen que, pèr me ramplaça dins moun travai,
aguère idèio, un moumen, de faire souna moun fraire
l'einat, Louvis, di Bon-Pache, que gardo sus lou
Clamadou, de la man d'eila dóu Pichot-Rose;
mai, l'idèio que, de-segur, rèn, alor, riscavo de
perequita dins la manado e, lou mai, uno retenènço
imbrandablo que tout-d'uno me prenguè, la pòu de
faire counèisse en quaucun mai tant afrous mistèri,
m'empachèron, lou counfèsse, de coumpli tau plan.
Me decidère soulamen de lou reprendre se lis endevenènço me ié fourçavon. Siéu pas en doute que la
pòu de ié veni, m'ague, emai de proun, avança pèr
me remetre.*

*Fuguère, proun tèms, secuta pèr un veritable desvàri,
que si vai-e-vèn e soun bataiage me desmesoulavon.
E, mai que d'un cop, auriéu senti la tèsto, à-mand,
tout segur, de me parti, se me fuguèsse pas recou-
manda dins mi preguiero que trop lis desóublide,
lou counfèsse, em' aquéu trin de vido escartado que
se meno à l'entour de nòstis estang. Fasiéu, adounc,
moun signe de crous e, en barrant lis iue, entamenave
ma prègo. Mai, au bèu mitan dóu Pater, enjusquo,*

brûlantes m'obligeaient à avaler à chaque instant
de l'eau, par grandes potées.

Tellement que, pour me remplacer dans mon travail, je songeai, un instant, à faire appel à mon
frère aîné Louvis, dit Bon-Pache [27], qui garde sur
le Clamadou, de l'autre côté du Petit-Rhône ;
mais l'assurance où je me trouvais que rien ne
pouvait venir alors en danger dans la manade et,
surtout, une répugnance insurmontable que je
ressentis tout à coup à laisser découvrir par quelque
autre un si dégoûtant mystère, m'empêchèrent,
je l'avoue, de réaliser ce projet. Je me promis
seulement d'y donner suite si les circonstances le
rendaient indispensable. Nul doute que la crainte
d'en venir là n'ait hâté de beaucoup ma guérison.

Pendant un assez long temps, je fus livré à une
véritable obsession dont les alternatives et les
contradictions m'épuisaient. Et j'aurais, plus d'une
fois, senti ma raison véritablement m'échapper,
si je n'avais eu recours aux prières que je néglige
trop, je le confesse, dans la solitude où je vis au
milieu de ces étangs. Je faisais donc le signe de la
croix et, les yeux fermés, je commençais la prière.
Mais au milieu de mon Pater même, je m'arrêtais
tout à coup, voyant en moi-même apparaître les
cornes et le front tanné et le rire édenté d'une
épouvantable figure.

*tambèn m'arrestave round, en vesènt, dins iéu,
entre-parèisse li bano e lou front rabina em' un rire
d'espetacle. Dire la fernisoun que me sentiéu en me
repassant lou rescontre qu'aviéu agu au mitan de la
palunasso, me sarié pas poussible, de-segur. E,
pamens, — vaqui, de-bon, ço que me destimbour-
lavo —, uno envejo, en dedins, me rousigavo, uno
prusour de saupre, de counèisse que mai, m'atrivavo
vers aquel espravant, miejo-bèstio, quau saup, o
demòni que, davans i'aviéu tabousca en sentènt moun
amo, dins iéu, que trantaiavo.*

*Ansin vai que, jour e niue, d'un biais autambèn
coume de l'autre, me vesiéu de-longo à la poussess-
sioun di mémi trevanço. O, à la poussessioun e
es en fernissènt qu'escrive paraulo tant terriblo ;
quant de cop, pèr d'envoucacioun ai-ti pas
coucha la frapacioun abourrido que m'agarrissié
l'esperit ?*

*Un autre pensamen, pièi, me secutavo e fasié que
crèisse moun trebau. Coume anavo que, dóu proumié
jour, en estudiant li clavo, m'ère pas avisa que se
seguissien, tirado au carré dins lou biais d'un ome,
en plaço de fourma li quatre pesado qu'emé si bato,
segur, lis aurié marcado quauque porc-senglié o
touto autro bèstio courrènto ?*

92

Dire quelle horreur je ressentais en me rappelant
cette rencontre que j'avais eue au milieu de la
roselière, je ne le saurais certainement. Et pourtant — voilà ce qui faisait véritablement mon
supplice — une curiosité me rongeait, un désir de
savoir, de mieux connaître, m'attirait vers cet
être affreux, demi-bête ou démon, que sais-je,
devant lequel j'avais pris la fuite en sentant mon
âme chanceler.

C'est ainsi que, jour et nuit, en l'un comme en
l'autre sens, je ne cessais d'être possédé par la
même image. Oui, possédé, et c'est en frémissant
que j'écris ce mot redoutable ; que de fois n'ai-je
pas écarté par une invocation l'idée odieuse qui
assaillait mon esprit ?

Une autre réflexion me poursuivait et venait augmenter mes inquiétudes. Comment, dès le premier
jour, en examinant les claves, ne m'étais-je pas
aperçu qu'elles se suivaient, marquées par les
deux pieds d'un être cheminant debout à la
manière d'un homme, au lieu de laisser voir les
quatre empreintes que n'eussent point manqué de
faire les sabots d'un porc-sanglier ou de tout autre
animal ordinaire ?

Je m'objectais bien, premièrement, que je n'avais
presque jamais pu observer ces traces que confon-
dues parmi d'autres traces et interrompues ; et,

*Me respoundiéu proun, proumié, que, d'aquésti
clavo, n'aviéu pouscu, quàsi jamai ges encapa que
foundudo dins d'àutri clavo e recoupado ; e pièi, —
manto uno fes n'ai fa la remarco —, qu'i bèstio que
lambrejon, la clavo de darrié vèn souvènt tapa la
de davans ; e que, lou mai, en pas avènt l'idèio
virado en de causo tant descoustumado e qu'èro pas
poussible de li prevèire, m'ère douna, dins iéu, sèns
ié faire cas, li resoun li mai counvenènto. Mai, dins
l'afebrimen mounte ère, talo responso me countentavo
pas gaire e aquel emboui éu-meme me semblavo
sourti de quauque embulamen que se ié ressentié lou
demounige.*

*M'escartave gaire e abandounave li bèstio, en avènt,
que que faguèsse, de-longo davans lis iue aquesto
causo qu'aro m'aurié fa peno de la saupre avalido
en plen e que, pamens, me sentiéu uno tant grosso pòu
de la revèire. Es aquelo cregnènço, fau dire, emai
proun, que douminavo e me semblavo que, se la
Bèstio m'avié sourti davans à la subito, auriéu pas
pouscu n'afrounta la visto sènso estavani. La
Bèstio? Ère proun segur qu'aviéu pas à faire de-
founs en quauque bestiàri de naturo. Mai, coume
l'auriéu presso, pamens, pèr demòni ? Dous cop,
i'aviéu larga dessus lou signe dóu crestian, dins*

94

secondement — pour l'avoir en mainte occasion, remarqué — combien, chez certaines bêtes qui vont l'amble, l'empreinte du pied de derrière aisément recouvre celui de devant ; que, de plus, n'ayant pas mon esprit tourné vers une chose si insolite et impossible à prévoir, je m'étais à moi-même donné, et sans m'y appesantir, l'explication la plus naturelle. Mais dans l'agitation où j'étais, une telle réponse ne me satisfaisait guère et cette difficulté me semblait elle-même procéder de quelque illusion suspecte de sortilège.

Je m'éloignais peu, délaissant tout à fait mes bêtes et, malgré moi, pensant uniquement à cette chose que j'aurais été déçu, maintenant, de savoir entiè-rement disparue et que, cependant, je redoutais de revoir. Ce dernier sentiment restait, certes, le plus puissant et il me semblait que si la Bête s'était tout à coup montrée, je n'aurais pu soutenir sa vue sans défaillir. La Bête ? J'étais bien sûr de n'avoir affaire aucunement à un animal véritable. Mais comment la prendre cependant pour un démon ? Par deux fois, j'avais tracé le signe du chrétien au-dessus d'elle, dans l'espace, j'avais prononcé les paroles saintes auxquelles les esprits mauvais, on le sait, ne résistent guère. Et, par deux fois, ne l'avais-je pas vu, lui, avec ses pieds fourchus et ses deux cornes, sans se troubler des

l'espàci, aviéu prounouncia li paraulo santo que li malesperit, se saup, i'an ges de revenge. E, dous cop tambèn, l'aviéu-ti pas vist, éu, emé si bato fourcudo e si dos bano, sènso se trevira de mi preguiero e dóu signe que fai tant rebouli, dison, li demòni e li dana, l'aviéu-ti pas vist, tau coume un ladre, ista siau, l'aviéu-ti pas vist tambèn sourrire? Alor? De quint biais saupre, lou mai qu'uno pòu encarado me troussavo?

Passa quàuqui jour, pamens, la naturo prenguè lou dessus, l'envejo de manja s'abouleguè e, l'estouma en cargant de forço, la voio, uno idèio, me revenguè.

Fasié dos bòni semanado, que m'èron avengu à l'Estang-Redoun lis evenimen que lis ai marca çai-sus, quouro, en me coumprenènt mai ferme, decidère de reprendre moun travai e de me metre en cerco d'uno de mi vaco, que l'aviéu plus visto d'uno passado e, qu'à moun comte, devié èstre sus lou cop de vedela. Me fauguè, dirai, faire proun vióulènci, pèr arriva, aquéu jour d'aqui, à cougna moun pèd dins l'estriéu e à escala dins la sello. Uno ànci me fasié li cambo redo e me rendié grèu de pertout. Ai di l'encaracioun que, d'un autre coustat, me butavo pèr la doumina.

prières et du signe qui procurent aux démons et aux damnés des souffrances insoutenables, ne l'avais-je pas vu rester immobile, presque indifférent, ne l'avais-je pas vu sourire ? Alors ? Comment savoir, quand surtout une peur invincible me retenait ?

Au bout de quelques jours, pourtant, malgré ces tortures, la nature prit le dessus, le désir de manger se fit sentir, mes forces commencèrent à s'accroître et, avec les forces du corps, un certain courage me revint.

Il y avait un peu plus de deux semaines qu'il m'était advenu à l'Etang-Redon les événements que, précédemment j'ai rapportés, lorsque, me voyant plus assuré, je résolus de reprendre mon travail et de me mettre à la recherche d'une de mes vaches que, depuis quelque temps, je n'avais plus aperçue et qui devait être, à mon compte, sur le point de mettre bas. Ce ne fut pas, je dois le dire, sans un grand effort de volonté, que je pus parvenir, ce jour-là, à chausser mon étrier et à me hisser en selle. Une angoisse raidissait mes jambes et m'alourdissait tout le corps. J'ai dit quelle volonté me poussait, par contre, à la vaincre.

Je me dirigeai donc au petit pas vers les En-Dehors du pays où je pensais rencontrer le troupeau des vaches, mais j'eus soin d'éviter, par un détour,

Tirave dounc à pas menut sus lis Enforo dóu païs que pensave de i'encapa l'escarrado, mai me prenguère siuen de manca, en fasènt lou tour, la pouncho de l'Estang-Redoun. Filave sènso avé lou cor d'espincha à moun entour e, de-fes, quouro en caminant, desvistave pèr sòu de clavo proun fresco, virave la tèsto e m'engardave bèn de m'aplanta. Me fau avé ansin esprouva, iéu, moun flaquige e senti tambèn moun esfrai, pèr coumprendre tau capounige. Mai n'escrive que pèr marca lou verai. Aviéu la tafo.

Vers miejour, devinère enfin ma vaco achaumado à la calo d'uno mato de mourven. Menavo deja un vedeloun mouret e lis dóu pelage, que s'encapavo en trin de prendre tetado e que virè soun mourre lachous e sa tèsto crespelado en ausènt pica dins la sablo lou pas amourti de moun chivau. Mai la vedeliero, en m'espinchant em' un èr ferouge, se braquè à testeja e à tira braso, en fasènt coumprendre d'aquéu biais que ma visto l'enmaliciavo e que, pèr apara soun vedèu, se tenié lèsto à founça. M'enanère dounc, coume n'es mestié dins tau cas, countènt d'avé coumpli ma toco e fa moun travai de gardian. Mai me sentiéu urous, dins moun founs, (emai aujèsse pas, d'escoundoun, n'en counveni), d'avé rèn rescountra pèr camin que, tant de liuen coume de

la pointe de l'Etang-Redon. Je filais sans oser jeter les yeux autour de moi, et lorsque, tout en marchant, j'apercevais sur le sol des traînées de claves assez fraîches, je détournais la tête et me gardais bien de m'y arrêter. Il faut avoir éprouvé ma propre faiblesse et ressenti ma propre terreur, pour juger naturelle cette pusillanimité. Mais je n'écris ceci que pour y rapporter la vérité. J'avais peur.

Vers la méridienne, je découvris enfin ma vache arrêtée à l'abri d'une touffe de mourven. Elle était suivie déjà d'un petit veau noir au poil vif, qui se trouvait en train de prendre tétée et qui tourna son museau tout baveux de lait et sa tête crépue en entendant venir sur le sable le pas assourdi de mon cheval. Mais la mère, me fixant d'un œil farouche, se mit à secouer la tête et à gratter le sol du sabot, signifiant ainsi qu'elle considérait ma présence comme importune et que, pour protéger son petit, elle se tenait prête à charger. Je m'éloignai donc, comme il sied de faire en tel cas, satisfait d'avoir accompli ma tâche et rempli mon devoir de gardian. Mais je n'osais m'avouer mon secret contentement de n'avoir rencontré sur mon chemin rien qui, de loin comme de près, pût me suggérer la présence de la Bête. Le souvenir de cet être, son image qui me hantait, me devenaient, chaque jour,

proche, me pousquèsse signala la presènci de la
Bèstio. Lou remèmbre d'aquel èstre, soun idèio, en
me secutant, me venien, jour pèr jour, que mai en òdi ;
assajère de me prouva, mai sènso lou crèire, qu'uno
espèci d'esbarlugado m'avié pouscu prendre e qu'a-
quelo vesioun, qu'un cop s'èro coungreiado, recou-
mençarié belèu pas. Pèr bèn dire, aviéu la memento
proun treboulado d'uno estrementido tant estranjo e,
dins iéu, barbelave de saupre ço que poudrié sourti
de tout acò e me faire counèisse, pièi, un mistèri que,
pèr lou moumen, me sentiéu pas proun courage pèr
l'afrounta.

D'à-cha-pau, reprenguère ma vidasso e moun trin à
l'acoustumado. Anave e veniéu coume davans.
Cassave. Sus lou vèspre, anave cala i lapin em' i
canard pèr m'aprouvesi de gibié e me teni de biasso.
Mountave à chivau ; e, tóuti li matin, coume peravans,
selave Clar-de-Luno e anave, pèr païs, recounèisse mi
bèstio e li recouta dins li raro.

Despièi l'espetaclous rescontre d'aquéu jour, qu'emai
visquèsse milanto an, me lou levariéu pas de la
memento, mai que me fourçave de ié pensa tant pau
que poudiéu, aviéu aganta, sus la manado, un chivau

plus insupportables ; je feignis de me persuader,
mais sans y croire, que j'avais pu éprouver une
sorte d'hallucination et que la vision qui s'était
une fois produite ne se représenterait peut-être
pas. Pour dire le vrai, j'avais l'esprit fort bouleversé par une commotion aussi étrange et je
désirais, au fond de moi-même, connaître ce qui
pourrait, par la suite, advenir de tous ces faits, et
me révéler, plus tard, le mystère que je ne me
sentais pas, toutefois, encore le courage d'affronter.
Peu à peu je repris ma vie et mes occupations
ordinaires. J'allais et je venais à mon habitude.
Je chassais. Le soir, je tendais aux lapins et aux
canards les lacets qu'il fallait pour m'approvi-
sionner de gibier et assurer ma subsistance. Je montais à cheval ; et, chaque matin, je sellais, comme
auparavant, *Clair-de-Lune* pour aller, à travers le
pays, reconnaître mes bêtes et les rabattre dans
les limites.

Depuis l'extraordinaire rencontre de ce jour que,
dussé-je vivre mille années, je ne pourrai jamais
oublier, mais à laquelle je m'efforçais de songer
le moins possible, j'avais capturé sur la manade
un jeune cheval. On sait comment ces choses-là
se pratiquent. Avec ma corde de crin, mon *seden* [28],

jouine. Aquéli causo d'aqui, se saup proun coume se gaubejon. Emé ma cordo de cren, moun seden, aviéu groupa au passage, dins un nous courrènt, lou quatren que m'agradavo lou mai e, qu'à moun vejaire, se devinavo lou miés renja pèr pourta la sello e faire uno bravo mounturo. Mai nòsti chivau camargue soun proun sóuvage, em' un biais de naturo que li fai tihous pèr li maneja. Aquest d'aqui s'encapè testard, emai, dins soun esfrai, tant aurouge, qu'après que i'aguère leissa faire à soun idèio forço boumb e revirado au bout de sa cordo, fuguère fourça de me tanca tant qu'aviéu de nèr e pièi, de me leissa póutira en m'estirant sus la sablo, carreja, de-fes e rebala e, de-fes planta en m'arrapant emé lis artèu sus la sansouiro, d'aqui qu'à la perfin lou chivau s'afoudrèsse en plegant li cambo, emé lou coui alounga e la gargamello tant sarrado que ié passavo plus un péu d'èr. Es aqui que me rounsère, i'emboursère la tèsto dins un caussanoun e, estrangla qu'èro pèr mai di tres quart, ié lachère lou nous dóu seden pèr que reprenguèsse sis alenado.

Se saup, qu'à l'acoustumado, es la modo i gardian de se cerca dous pèr atrahina li chivau jouine. Mai counvenguère de desbourra aquest d'eici sènso me faire douna la man. Cregnènço incoumprensiblo que

j'avais saisi au passage dans un nœud coulant le poulain [29] qui me plaisait le plus et que je jugeais le plus propre à porter la selle pour faire une bonne monture. Mais nos chevaux camarguais sont fort sauvages et d'un caractère qui les rend difficiles à manier. Celui-ci se trouva dur de caboche et si farouchement épouvanté, qu'après lui avoir laissé faire à sa fantaisie un grand nombre de bonds et de défenses au bout de sa corde, je dus de toutes mes forces m'arc-bouter, puis me laisser aller de tout mon long dans le sable, tantôt traîné moi-même et emporté, tantôt arqué et les orteils plantés dans le sol, jusqu'à ce qu'enfin il s'écroulât, les jambes repliées sous lui, l'encolure allongée et la gorge si serrée dans le nœud qu'il n'y passait plus aucun souffle. C'est alors que je me précipitai, lui pris la tête dans un licol et, déjà étranglé plus qu'aux trois quarts, desserrai le nœud du seden pour lui permettre de reprendre haleine.

On n'ignore pas qu'à l'ordinaire, les gardians ont la précaution de se mettre à deux pour dresser les jeunes chevaux. Mais je me promis de dégrossir celui-ci sans le secours de personne. Inexplicable sentiment qui me possède et que je ne puis arriver à surmonter. Je l'ai déjà dit. J'éprouvais, comme je l'éprouve encore, une appréhension indicible à

me doumino e que n'en pode pas avé lou dessus.
Adeja l'ai di. Sentiéu, coume encaro la sènte, uno
retenènço qu'es pas de dire en me pensant qu'aquel
espetacle que m'avié sourti davans se poudrié faire
counèisse en quaucun mai. Decidère dounc de faire
tout soulet lou Vibre. Acò 's lou noum que, sus lou
cop, ié dounère pèr la qualita de soun péu e que,
pièi, ié vole garda. De suito, lou proumié vèspre,
l'estaquère sus la culato, en ié carrejant, pèr l'arriba,
quàuqui garbo seco de rousèu, d'aquéli que, tóuti lis
an, n'en daie dins lou bon de la sesoun e que lis enca-
melle pèr douna, l'ivèr, à mi chivau de mounturo.
L'endeman, en avènt acourchi sa lonjo, lou cluguère
plan-plan e pièi arrestère uno de si cambo de darrié
en l'aubourant, pèr la cordo, em' un nous esprès que
se ié dis l'ausso-pèd, me groupère, emai rounquèsse,
susèsse, tremoulèsse e menèsse tout lou trin qu'es la
modo i chivau sóuvage, me groupère à planta la sello
sus soun esquino pèr l'acoustuma à pourta la cargo
dóu garnimen. Pièi, lou descluguère e, un cop lou
pèd destaca, entre-prenguère de lou proumena, emai
se tenguèsse, de la pòu, gounfle e tesa dins si cenglo.
Partiguère d'à-pèd e lou faguère, en man, camina à
moun pas en lou mantenènt bèn ferme, mai sènso
brasseja e sènso crida de ges de modo, tant soulamen,

la pensée que la monstruosité qui m'est apparue
pourrait se révéler à un autre homme. Je résolus
donc de dresser tout seul le *Castor*. C'est le nom
qu'aussitôt je lui donnai à cause de sa robe particulière et que, par la suite, j'entends lui garder.
Je l'attachai, dès le premier soir, derrière ma cabane
en lui apportant pour pâture quelques-unes de ces
gerbes de roseau sec que, dans la belle saison,
chaque année, je fauche et que je mets à part en
vue de l'hiver, pour mes chevaux de monture. Le
lendemain, après avoir raccourci son lien, je lui
bandai les yeux avec précaution et, ayant immo-
bilisé une de ses jambes de derrière en la relevant
au moyen d'une corde, par un nœud spécial, qui
se nomme le hausse-pied, je me mis en devoir,
malgré ses ronflements, ses tremblements, ses
sueurs et autres contorsions coutumières aux
poulains sauvages, d'installer sur son dos la selle
pour l'habituer à souffrir le poids du harnachement.
Après quoi, je lui délivrai les yeux et, lui déliant
le pied, j'entrepris de le promener, tout gonflé
qu'il fût et tendu par la peur entre ses sangles.
Je partis à pied et le fis marcher en main à mon pas,
le tenant bien ferme, mais sans gestes brusques
et sans lui crier aucunement, le haranguant seulement d'une voix assourdie et douce en conti-
nuant à tirer devant, me privant, toutefois, de me

en l'arresounant d'uno voues amourtido e leno, en
tirant toujour davans, mai en me prenènt gardo de
me pas vira e, nimai, lou desvista, cregnènço de ié
pourta oumbro.

Passa quàuqui jour d'aquéu manege, sóuvage que
sóuvage, se devinè proun souple pèr que m'enge-
nièsse de lou proumena d'uno autro modo. Me boutère
dounc dins la sello, tau coume aviéu coustumo, sus
Clar-de-Luno e, tóuti li matin, quand recampave mi
biòu, menave lou Vibre en dèstre, en lou tirant d'aise
pèr sa cordo e lou fourçave de me segui au pas, au
trot emai à tout ande. Quand li gardian se meton
dous pèr gibla un chivau nòu, se ié fai pas tant
d'alòngui. Mai me fourçave ansin d'ana plan em'
uno bèstio que la coumpreniéu, à soun biais, sour-
narudo dins soun founs emai tihouso e sabiéu proun
que la mendro revirado me farié perdre lou gaire que
semblavo de gagna. E, lou mai, en m'encapant
soul, me pensave qu'un auvàri riscarié de me bouta
dins quauco pousicioun entrepachouso.

Adounc manquère pas, entre que lou chivau me
semblè proun souple, manquère pas de l'alassa,
davans que de lou soumetre à la cargo emai au
gouvèr dóu cavalié. Lou menère en dèstre emé lou
seden, au coustat de Clar-de-Luno en lou fourçant,

retourner vers lui et de le regarder en face, pour ne pas lui porter ombrage.

Après quelques jours de ce manège, il se trouva, malgré sa sauvagerie, suffisamment assoupli pour que je pusse songer à le promener d'une autre manière. Je me mis donc en selle, à mon habitude, sur *Clair-de-Lune* et, chaque matin, lorsque je rabattais mes taureaux, je prenais en main le *Castor*, le tirant doucement par sa longe, l'obligeant à me suivre au pas, au trot et à toute allure. Lorsque les gardians se mettent à deux pour dompter un cheval neuf, ils ne lui font pas autant de cérémonies. Mais je me contraignais à procéder avec une prudence extrême vis-à-vis d'une bête que je jugeais, par ses façons, défiante, au fond et difficile à réduire, sachant que la moindre brusquerie me ferait perdre le peu de terrain que j'avais conquis apparemment. De plus, me trouvant seul, je pensais qu'un accident eût pu me placer dans une situation périlleuse.

Je ne manquai donc point, dès que je crus le cheval assez assoupli, je ne manquai point de le fatiguer avant de lui imposer la charge et le gouvernement d'un cavalier. Je l'emmenai en dextre [30] au bout du seden à côté de *Clair-de-Lune*, tantôt le forçant à galoper et tantôt raccourcissant l'allure, et repartant ensuite en zigzag avec un

de-fes à galoupeja e, de-fes en lou retenènt, e pièi, partiéu mai en serpatejant e en petejant 'mé li bouco, pèr l'acoustuma à l'avanço au coumandamen.

Tournère, aquéu jour, dis Enforo dóu païs, qu'erian, apereiça, sus li dès ouro. Fasié tres ouro, à pau près, qu'ère dins la sello e, tant-lèu, me boutère à dejuna, qu'aviéu decida d'entamena lou Vibre. Manjère dounc à la lèsto e me countentère d'un tros de lapin jala qu'aviéu fa grasiha la vèio e coumpliguère moun repas emé quàuqui nose e de figo seco que n'enfournère uno pougnado à la pocho em' un crou-chounet de pan, qu'es ma modo quand lou travai me forço de dejuna d'ouro e que pode pas prevèire quouro me fara rintra. Pèr me leva la set, beguère que d'aigo, en la pousant dins la gerlo mounte la recate, mai pèr moun cop de partènço, en me desentaulant, agantère sus ma plancho e destapère la boutiho d'aquéu melicous sauvo-crestian que li mounge de l'Abadié n'en fabricon e que lou Paire Abat me n'en faguè douno à la coumençanço d'aquest an nouvèu; n'en tirère just uno goulado.

Marque tout, pan pèr pan e pèr lou menut. Qu'acò sèmble, un jour, pièi, afastigous emai enfetant, n'ai, malurousamen gaire de doute. Mai crese necite de bèn prouva qu'eici noun se dèu souspeta lou varai

claquement de langue pour l'accoutumer par avance au commandement.

Je revins ce jour-là des En-Dehors du pays, qu'il était à peu près dix heures. En selle depuis trois heures environ, je me mis tout de suite en devoir de déjeuner, car j'avais résolu de monter le *Castor* pour la première fois. Je mangeai donc fort rapidement, me contentant d'un morceau de lapin froid, grillé sur la braise depuis la veille, et terminai le repas avec quelques noix et figues sèches dont je glissai une poignée dans ma poche ainsi qu'un croûton de pain, comme j'ai coutume de le faire, lorsque les circonstances me forcent à déjeuner plus matin et que je ne puis prévoir l'heure à laquelle elles me permettront de rentrer. Afin de me désaltérer, je bus seulement de l'eau puisée dans la jarre où je la conserve, mais, pour mon coup de l'étrier, comme je me levais de table, je saisis sur mon étagère et débouchai la bouteille de cette liqueur aromatique que fabriquent les moines de l'abbaye et que le père abbé me donna en l'honneur de cette nouvelle année ; j'en tirai seulement une gorgée.

Je note avec soin tous ces détails. Qu'ils paraissent, plus tard, ennuyeux et monotones, j'en suis trop certain. Mais je crois indispensable de bien établir qu'on ne doit soupçonner ici, ni les égarements de

d'un afebrimen e nimai l'embriagamen de la vinasso.
Escrive pas, pièi, lou tourne à dire, pèr lou paure
amusamen d'aquéli qu'un jour auran de me legi,
mai pèr faire counèisse en d'autre, mai capable que
iéu de li coumprendre pèr lis esclargi, d'endevenènço
tant entrepachouso. Escrive, lou mai, pèr me des-
carga.
Venian alor d'aganta lou jour dougen de Febrié e,
ansin, intravian dins la sesoun que lis ouro de la
vesprado, en clarejant, coumençon de s'estira uno
idèio. Lou tèms, qu'avié boufa d'aut uno passado,
s'èro, pèr lou moumen, mes au siau e se mantenié
linde e clar dóu levant fin-qu'à la largado. Vers mie-
jour, apereiça, anère destaca lou Vibre que m'ère
pres siuen, dempièi lou matin, de ié leissa la sello sus
l'esquino e, après i'avé sarra li cenglo just emé
l'atencioun que fau, ié boutère au nas un bon cabas-
soun mounta sus de reno de cren e, dins la bouco,
lou mors de brido qu'ai coustumo de n'entre-prendre
mi chivau jouine. M'es esta farga pèr un manescau
de Lunèu e ié tène forço, qu'es au meme cop dous e
rede, couvenènt pèr espargna la bouco d'un bestiot
nòu, tant coume pèr lou souca, se venié que se des-
brandèsse. Lis ome de chivau, se jamai n'i'a qu'eiçò
legigon, me coumprendran, crese, proun eisa. Menère

l'ivrognerie, ni ceux de la fièvre. D'ailleurs, je n'écris point, je le répète, pour la vaine distraction de qui doit me lire un jour, mais afin de transmettre à d'autres, plus capables que moi de le comprendre et de l'interpréter, le récit de circonstances trop inexplicables. J'écris, avant tout, pour me soulager.

Nous venions d'atteindre alors au douzième jour de février et ainsi nous entrions dans cette saison où les heures claires du soir commencent à se faire un peu plus longues. Le temps, après une période de mistral, était calme maintenant et le ciel limpide et net de l'orient jusqu'à la largade [31]. Vers midi, j'allai détacher le *Castor* sur l'échine duquel j'avais eu soin, depuis le matin, de laisser la selle et, après en avoir serré les sangles au plus juste et avec beaucoup d'attention, je lui mis au nez un bon caveçon [32] à rênes de crin et, dans la bouche, le mors de bride avec lequel j'ai coutume d'entreprendre tous mes dressages. Il m'a été fabriqué par un forgeron de Lunel [33] et j'y tiens parce qu'il est en même temps doux et énergique, combiné pour ne point chagriner la bouche d'un animal débutant et maintenir assez avantageusement celui qui entreprendrait de se défendre. Les hommes de cheval, si aucun lit jamais ceci, me comprendront aisément. Je conduisis donc le

III

dounc d'à-pèd lou Vibre en caminant d'aise, fin-que
sus la listo sablouso que fai l'orle dóu radèu, pèr lou
poudé encamba à-n-un rode mounte m'empachèsse
ges d'aubriho. En i'arrivant, regardère mai mi cenglo
e touto la sello, siblère pèr flateja lou Vibre, mai sèns
lou touca, que nòsti camargue amon gaire li menga-
nello e après l'avé cluga dóu coustat de la man, en
i'anant tant plan que pousquère, boutère moun pèd
dins l'estriéu e me repausère dins la sello. Fuguère
pas fourça de m'aganta ferme, que lou Vibre, après
avé balança e vira sus plaço, partiguè sènso refusa,
d'aquéu pas chancelaire que prenon li chivau jouine,
quand s'envan, pèr lou proumié cop, entre li cambo
d'un ome.
Caminère uno ourado, à pau près, dóu meme trin.
Lou Vibre anavo, en fasènt balouta soun coui dins
li reno, en boufejant de la pòu, estouna, em' un èr
aurouge, mai semblavo proun se gibla à sa pousicioun
nouvello. M'atenciounave à cousteja li radèu e
seguissiéu l'orle à plan en leissant, à man drecho,
lou fourni e, à man gaucho, l'espandido raso encaro
negado d'aquest tèms, quouro lou Vibre, em' aquéu
brutalige de maliço qu'es dins sa naturo i camargue,
m'entre-prenguè sènso me leissa lesi de me n'apara.
Lou mourre estira, tout-d'uno, entre si dos bato, se

112

Castor à pied et d'une marche tranquille en le tenant en main, jusqu'à la bande de sable qui forme la lisière du radeau, pour pouvoir le monter en une place qu'aucun arbre ne gênerait. Lorsque j'y parvins, je vérifiai mes sangles une fois encore et tout le harnachement, flattai le *Castor* en sifflotant, mais sans le toucher, car nos chevaux camarguais accueillent mal ces agaceries, et, lui ayant soigneusement bandé l'œil du côté du montoir, je mis, avec les mouvements les plus doux, mon pied à l'étrier et m'installai dans la selle. Je n'eus pas besoin de m'y cramponner bien fermement car le *Castor*, après avoir hésité et tourné à demi sur lui-même, partit sans aucune résistance, de ce pas mal assuré que prennent les jeunes chevaux lorsqu'ils s'en vont, pour la première fois, entre les jambes d'un homme.

Je cheminai une heure environ, à cette allure. Le *Castor* allait, le cou ballottant entre les rênes, soufflant de crainte, indécis et l'œil inquiet, mais paraissant prendre son parti de sa position nouvelle. Je m'appliquais à côtoyer les radeaux en suivant la lisière découverte, laissant à ma droite le fourré et à ma gauche l'étendue plane encore noyée d'eau en cette saison, lorsque le *Castor*, avec cette brusque malice qui est le propre de nos chevaux camarguais, m'attaqua sans que j'eusse le temps de me mettre

boutè à bacela dis espalo emai dóu ren, à boumb, un
cop en se bandissènt à l'avans e un cop en virant sus
plaço, en rounquejant 'mé li narro e en quilant.
Sousprés pèr aquésti maniero, pousquère pas, mai
fourcèsse, auboura aquelo testasso endemouniado
que tiravo e me pesavo mai d'un quintau i bras e, de
pau à pau, espóussa qu'ère pèr li boumb, cop sus cop,
d'aquéu bestiàri que s'amoulounavo e pièi s'aloungavo
en anant que mai vióulènt, me fuguè pas poussible
de mai teni dins la sello e, escampa dóu chivau, me
sentiguère bandi rede contro lou pèd d'un mourven e
d'aqui, barrulère sus la sablo ounte restère ensuca à
pau près en plen. Pas proun, pamens, pèr pas entre-
vèire, coume dins uno ravacioun de marrit sounge,
lou Vibre que, descapa, la couvo estirado e lou mourre
au vènt, landavo, en rasclant, dóu coustat de la
manado.
Restère ansin pèr mort, fau crèire, proun quàuquis
ouro. Quand me revenguère en sentènt moun chin
Rasclet que me lipejavo li gauto, adeja lou soulèu
se fasié bas e lou ventoulet, dis estang, mai viéu,
alenavo. Recouneiguère, proun countènt, coume es de
crèire, qu'aviéu rèn, franc d'uno escaragnado à l'auriho que, deja, se i'aturavo lou sang, sènso parla di
cop sourd que me ressentiéu de pertout. M'aubourère

en garde. Le museau d'un seul coup descendu entre les pattes, il se prit à donner des épaules et des reins avec de grands bonds, tantôt se portant en avant et tantôt tournant sur lui-même, en soufflant des naseaux et en hennissant. Surpris d'une telle façon, je ne pus, malgré tous mes efforts, ramener cette tête furieuse qui tirait et pesait plus qu'un quintal au bout de mes bras et, ébranlé peu à peu par les coups répétés de cette brute qui se tendait et se détendait à chaque pas avec une violence accrue, il me fut impossible de durer en selle et, quittant l'arçon, je me sentis rudement jeté contre le tronc d'un mourven d'où je roulai sur le sable, à peu près étourdi entièrement. Non point assez pour ne pas entrevoir, comme dans une vision de mauvais songe, le *Castor* délivré, la queue droite et le nez au vent, fuyant au galop allongé dans la direction de la manade.

Je dus demeurer plusieurs heures ainsi lourdement inanimé. Lorsque je revins à moi en sentant mon chien *Rasclet* me lécher doucement la figure, le soleil déjà baissait et la brise, sur les étangs, soufflait assez fraîche. Je constatai, avec un contentement naturel, que j'étais seulement blessé d'une écorchure à la face dont le sang, déjà, se tarissait, sans compter quelques meurtrissures par tout le reste du corps. Je me relevai, la tête un peu

emé la tèsto grèvo e li cambo rejo e, en pas poudènt
me revenja sus lou cop d'aquelo bèstio, me boutère à
la soutisa, en abourrissènt dins mi resoun e à plen
de cor soun paire, sa maire e lou lignage au coumplèt
d'aquelo carogno, e fasènt ansin fiò de bouco, mai
pamens, sèns mau-traire di Sant-Noum, qu'acò
toujour lou regarde, au contro de forço gardian, emai
lou sacrebiéu me cure.

Autant-lèu, me boutère en trin d'enrega lou camin
de ma cabano en coupant d'acóurchi pèr lou travès di
radèu, segur qu'ère d'encapa lou Vibre au mitan di
rosso, noun sènso aprenda pèr ma brido e moun
garnimen li respousc d'aquel escaufèstre.

Pèr bèn dire, en panardejant e en rebalant ma
cambo macado au mitan di mato, apensamenti, me
poudiéu pas teni de tira de plan. Aquel animau que
proumetié d'èstre ragagnous de naturo, en m'avènt
planta un cop, s'anavo-ti pas rèndre inabourdable?
E coume, emé ges d'ajudo, fariéu pièi, pèr lou gibla,
s'un cop de mai m'escampavo? D'un autre coustat,
èro necite que lou reprenguèsse e que, tant-lèu lou
dountèsse se poudiéu, car se saup, un chivau nòu,
coume vèn ratié, quouro, en assajant l'ome entre
parti, ié pren lou dessus, se vous fourças pas à lou
mestreja sus lou cop.

pesante et les jambes raides, et ne pouvant me venger sur-le-champ de cette bête, la chargeai des pires insultes, exécrant en paroles et de tout mon cœur son père, sa mère et la lignée tout entière de cette carogne, faisant ainsi feu de ma bouche, sans cependant blasphémer aucunement les saints noms, ce que, contrairement à beaucoup de gardians, j'observe, même dans mes plus complètes fureurs.

Je me mis aussitôt en devoir de regagner ma cabane en prenant le plus court chemin par le travers des radeaux, certain de retrouver le *Castor* au milieu des juments de la manade, non sans redouter pour ma bride et mon harnais les suites de cette aventure.

A vrai dire, tout en claudiquant et traînant ma jambe froissée à travers les touffes, je ne pouvais me défendre d'une assez vive inquiétude. Cet animal dont le caractère s'annonçait hargneux, m'ayant une fois désarçonné, n'allait-il pas se rendre intraitable ? Et comment, sans aide, parviendrais-je par la suite à le réduire, s'il allait, une fois encore, me démonter ? D'autre part, il m'était indispensable de le reprendre et, si je le pouvais, de le soumettre aussitôt, car on sait combien se rend difficile le cheval neuf au dressage qui, à sa première tentative, prend de l'avantage

Ansin, tout pensatiéu, remenave dins iéu en virant
vers ma cabano que n'ère liuen, alor, tout-bèu-just,
de miejo-lègo, quouro moun chin Rasclet, que casse-
javo à l'entour di mato, s'encourreguè en gingoulant,
esglaria, e venguè s'assousta de iéu tant rede, que me
cougnè soun mourre entre cambo e manquè de me
faire barrula. E, en me courbant pèr destria l'encauso
de tau desvàri, davans iéu me la veguère, elo o éu,
noun sai, la Bèstio, qu'agrouvado pèr sòu, reviravo
la sablo au pèd d'un mourven.

Moun vanc proumié fuguè de me bandi à-rèire e,
sènso bataia, de prendre courso. Elo, de soun coustat,
s'enaussè, coume uno bèstio cregnènto que la visto
de l'ome l'escalustro e que, pèr s'apara, fau que se
fise rèn que dóu lestige de soun cors, mai entre me cou-
nèisse, l'èstre, dóu cop, semblè s'afourti, frounsiguè
si gauto, badè e soun rire aisse e cascarèu, crussiguè
pèr bos coume lou cracra d'uno espetaclouso cigalo.

— Belèu qu'amariés mai de t'enana, ome espantous
que me cerques e qù'entre ausi ma voues, landes
coume se la cisampo t'empourtavo? De-qu'as fa,
vuei, digo, de toun ferre e de toun chivau e coume vai
que tarnasses ansin ta cambo?

De la souspresso, fau dire, restave clava. Aquéu
rescontre, ansin, à la subito, au moumen que, just,

118

sur l'homme, lorsqu'on ne s'astreint pas à le dominer sur le coup.

Ainsi, tout absorbé, faisais-je mes réflexions en gagnant vers ma cabane dont je me trouvais alors à une demi-lieue tout au plus, lorsque mon chien *Rasclet*, qui quêtait autour d'une touffe, s'enfuit en gémissant, comme épouvanté, et vint se réfugier près de moi si vivement, qu'il donna de son museau dans mes jambes et manqua me faire tomber. Et comme je me penchais pour démêler la cause de cette terreur, je l'aperçus devant moi, elle ou lui, je ne sais, la Bête, qui, accroupie sur le sol, fouillait le sable au pied d'un mourven.

Mon premier mouvement fut de me rejeter en arrière et, sans réflexion, de prendre la fuite. Elle, de son côté, se leva à demi comme une créature craintive que la présence humaine épouvante et qui doit compter pour son salut sur l'agilité de son corps. Mais en me reconnaissant, l'être, du même coup, me parut se rassurer, ses joues se plissèrent, sa bouche s'ouvrit, et son rire strident et sec fut, tout à coup, au milieu du bois, comme le crissement d'une prodigieuse cigale.

— Sans doute préférais-tu t'en aller, homme étrange qui me cherches et qui, dès entendre ma voix, fuis, comme emporté par le vent d'une bour-rasque. Dis, qu'as-tu donc fait aujourd'hui de ta

119

l'esperit m'anavo après de pensamen e d'idèio autro,
me treviravo. Ié pousquère pas rèn respondre. Dóu
tèms que parlavo, moun chin Rasclet, qu'en proumié,
s'èro vengu acata vers iéu, avié parti de-rebaloun
vers la Bèstio (pèr me faire coumprendre, dins moun
raconte, fau bèn que ié mantèngue aquest noum) e,
s'avançant d'elo en souinant, restè pièi, aqui, lou
mourre alounga, estira pèr sòu, coume se se senti-
guèsse pivela. Tant nè que fuguèsse, me poudiéu
pas teni de l'estudia. Mai la Bèstio risié plus. S'èro
assetado en s'acoutant sus soun couide e iéu espin-
chave, bourroula, lou péu entre-rascla que ié saupi-
cavo si cueisso de cabro e li bato fourcudo, escaumouso
e fousco que sis oungloun terrous, pèr davans, se
reviravon.

— Siés aqui, de-longo, que me bades, venguè mai,
e iéu te fau mi demando coume se noun fuguèsses un
ome barra. Te li fau e tu sabes pas soulamen coume
vai que vives au mitan d'aquelo planuro esterlo
qu'encenchon, dóu plus liuen, à ta visto, l'espandido
inmènso de la mar e la neblour azurenco di mount
Ceveno. De-que tu sabes? Pas rèn. De-que fas?
Pas gaire e quauco-rèn, pamens, de mai releva e de
mai naut que tu te lou pos refigura. Car, esperlongues,
incounsènt, d'us uman di mai venerable e recou-

pique et de ton cheval et pourquoi traînes-tu si
péniblement la jambe ?

La surprise, je dois le dire, me suffoquait. Cette
brusque rencontre, au moment même où mon esprit
errait à la poursuite d'autres pensées et d'autres
images, me bouleversait. Je ne pus répondre.
Pendant que cet être parlait, mon chien *Rasclet*,
tout d'abord réfugié près de moi, s'était mis à
ramper à petits coups vers la Bête (pour la commo-
dité du récit, il faut bien que je lui conserve ce
nom) et s'avançant ainsi avec de petits gémisse-
ments, restait, le museau allongé vers elle, aplati
sur la terre et comme charmé. Malgré mon saisissement, je n'avais pu m'empêcher de l'observer.
Mais la Bête ne riait plus. Elle s'était assise,
appuyée sur l'un de ses coudes, à demi couchée,
et c'est avec dégoût que je considérais la toison
pelée parsemant ses cuisses de chèvre et ses sabots
fourchus, écailleux et ternes dont la pointe terreuse se retroussait.

— Tu es là, toujours, qui me regardes, poursuivit-
elle, et moi je te questionne comme si tu n'étais pas
un homme borné. Je te questionne et tu ne sais
pas seulement pourquoi tu vis dans cette plaine
sauvage que ferment au plus loin, pour tes regards,
l'étendue immense de la mer et la brume bleue
des monts Cévennes. Que sais-tu ? Rien. Que

mences, dins toun èime, de causo tant grandasso que
li pos pas, soulamen, avaloura. E pamens, de me
vèire ansin miserous e vièi, ignores tu, ço qu'a
d'èstre la jouvènço d'un mié-diéu.

— Blasfème! cridère en ressautant e, tourna, me
sentiguère entre-jala pèr un boufe d'esglariado,
blasfème e sacrilège! De mié-diéu n'i'en pòu ges avé.
I'a qu'un Diéu, un Diéu eterne qu'a crea lou cèu e la
terro — e au Noum dóu Paire e dóu Fiéu e dóu
Sant Esperit!

— Dises bèn, rebriquè sènso s'enaura aquest cop la
Bèstio, dises bèn. I'a qu'un Diéu eterne. Antan,
quouro en bouscant deja, i'a de siècle, l'aire dóu
desert e la lus libro, trevave li raro de la Libìo, me
venguè d'encapa un ome vièi, que semblavo cènt an,
quàsi, e ferouge, dins soun biais, autant coume iéu.
Vivié soul dins l'inmensitudo en se desmamant de
tout tant que poudié, qu'èro acò si sacrifice e anoun-
ciavo ço qu'éu noumavo la Bono Nouvello e m'ensi-
gnavo de dire que s'entre-mesclavon dins iéu, coume
de lamp de flamado, i revòu escur, is oundado achinido
de moun sang. I'a qu'un Diéu eterne. Mai de diéu,
n'i'a agu, de diéu que, sourti dóu mounde, pèr lou
mounde, aro, soun mort. Tu belèu, siés pas capable,
acò, de lou bèn coumprendre. I'a de mié-diéu. Vivon

fais-tu ? Oh ! peu de choses, mais plus nobles et
plus hautes, sans doute, que tu ne peux te le
figurer. Car tu perpétues, à ton insu, des rites
humains parmi les plus vénérables et tu répètes
dans ton instinct des actes dont tu ne peux évaluer
la grandeur. Et cependant, à voir ma vieillesse et
ma misère, tu ignores ce que peut être la jeunesse
d'un demi-dieu.

— Blasphème ! criai-je en sursautant, et je me
sentis à nouveau glacé d'un souffle d'horreur,
blasphème et sacrilège ! Il ne saurait y avoir de
demi-dieux. Il n'y a qu'un Dieu, un Dieu éternel
qui a créé le ciel et la terre — et au nom du Père
et du Fils et du Saint-Esprit !

— Tu dis bien, répondit sans s'émouvoir cette fois
la Bête, tu dis bien. Il n'y a qu'un Dieu éternel.
Jadis lorsque j'errais, cherchant déjà, voici plusieurs siècles, l'air du désert et la libre lumière sur
les limites de la Libye, il me fut donné de rencontrer un vieil homme qui paraissait presque cente-
naire et aussi farouche que moi. Il vivait dans la
solitude, s'imposant de dures privations en guise
de sacrifices et il annonçait ce qu'il nommait la
Bonne Nouvelle et il m'apprenait des mots qui se
mêlaient en moi comme des éclairs de flamme aux
sombres tourbillons, aux vagues inflexibles de
mon instinct. Tu dis bien, sans doute. Il n'est qu'un

123

d'uno vido majouralo, abéura i sourgènt de l'èr,
enchuscla dis alen de la matèri e, baile d'un mounde
enflouri, en s'abrivant au dansa di sesoun e dis estello,
canton emé la memo voues que l'escandihado e la
mar. Ai! m'aguèsses vist, iéu, quand gaiardas e
fièr e espoumpi dins ma forço jouvo, boumbissiéu
à l'ouro de miejour i relarg di bosco, enaurant, rèn
qu'en me fasènt vèire, lou ferun que m'amusave à
lou passa à la courso, o, pièi qu'amaga dins li brusc,
is ouro de la niue siavo, trampelant de la despaciènci
e dóu ruscle, gueirave, pèr li sousprendre emai n'en
jouï, de formo talamen bello qu'en me li rememou-
riant de tant liuen fugue, tout-bèu-just se li pode
nouma de cors. Espincho-me. Di bano de moun su e
de mi pèd d'animau, quau refusarié la provo? Tu
me prendriés pèr un ome? I'a qu'un Diéu eterne.
Mai li mié-diéu naisson e vivon e se fan vièi e,
après uno vido que, dins tu, la poudriés pas soulamen
cuba sèns te perdre, moron, o, moron, revènon i gourg
de l'espàci emai dóu tèms e sabe pas, pèr iéu, mounte
li coucho la voulounta qu'un bèu jour n'i'en faguè
sourti.

Escoutave, de-longo, atenciouna, en alargant moun
esperit, pèr bèn me marca dins la memento proun
causo qu'au tout li coumpreniéu pas trop bèn e

124

seul Dieu éternel. Mais il y eut des dieux, des
dieux nés du monde et qui, au monde, sont morts
maintenant. Il y a des demi-dieux. Tu n'es pas
capable peut-être de comprendre vraiment cela.
Il y a des demi-dieux. Ils vivent d'une vie souve-
raine, abreuvés aux flots de l'éther, enivrés
d'essences matérielles, et, maîtres d'un univers en
fleurs, participant à la danse des saisons et des
étoiles, ils chantent de la même voix que la lumière
et la mer. Que ne m'as-tu vu, moi-même, alors
que, puissant et joyeux et orgueilleux de ma
jeune force, je bondissais à l'heure de midi dans les
clairières, épouvantant de ma présence les bêtes
des bois que je m'amusais à surpasser de vitesse,
ou que, tapi dans la bruyère aux douces heures
nocturnes, tout tendu de ruse et de désir, je guettais,
pour les surprendre et les posséder, des formes si
belles qu'en me les rappelant, de si loin même,
c'est à peine si j'ose les nommer des corps. Regarde-
moi. Des cornes de ma tête et de mes pieds d'animal, comment veux-tu récuser le témoignage ?
Pourrais-tu me prendre pour un homme ? Il n'est
qu'un seul Dieu éternel. Mais les demi-dieux
naissent et vivent et vieillissent, et après une
existence que ta raison ne saurait tenter d'évaluer
sans se perdre, ils meurent, oui, ils meurent, ils
retournent à la matière, ils retournent aux gouffres

*l'autre, la Bèstio, uno passado istè mudo e sènso
m'aluca, semblè mai que mai s'apensamenti.*

*— Li mié-diéu vivon. Vivien, m'aurié, segur,
faugu dire. Car, despièi que bate la terro inmènso
en me sentènt veni vièi, aro, e en vesènt l'esplendour
dóu mounde s'entre-nebla davans mis iue, d'à-cha-
pau, i'a long-tèms que, de mi parié, n'ai plus agu lou
mendre rescontre. Belèu bèn que se rescoundon en
cregnènt coume iéu, d'aquest tèms, la barbarié e la
maliço oumenenco. Repasso-te ço que, en m'entre-
vesènt, tu, lou bèu proumié, te siés ressenti.*

*Nosto visto, antan, anavo pas sènso esglàri. Quant
de cop alor, jougarèu, au bèu mitan dóu champ vaste,
me coungoustave, amaga dins lou broundage, de me
rounsa tout-d'uno en quilant, alegra de vèire, à
grand courso, li pastre e lis avé descrèisse e s'avali
dins la plano. Mai lis ome, alor, tout en nous
cregnènt, nous respetavon. Quant n'a passa de
soulèu e de soulèu, despièi qu'ai plus vist boumbi,
à la rajo de l'estiéu, li mié-diéu enfant, mai lèri
que de cabreto!*

*Un cop, lou darrié — i'a tant de tèms! — en
bouscant, uno niue, en casso, veguère fusa dins lou
fourni uno formo blanco. Vouguère caressa si bouco
de femo. Me lancère, l'agantère dins mi bras, la*

126

de l'espace et du temps et je ne sais, quant à moi, où les ramène la volonté qui, un jour, les en fit sortir.

J'écoutais toujours, attentif et l'esprit tendu, pour bien graver dans ma mémoire tant de paroles que je ne comprenais pas tout entières, et l'autre, la Bête, un long moment, fit silence et, sans me regarder, sembla profondément réfléchir.

— Les demi-dieux vivent. Ils vivaient sans doute, devrais-je dire. Car, depuis que je cours la terre immense, me sentant vieillir, maintenant, et voyant la splendeur du monde se voiler à mes regards peu à peu, il y a bien longtemps que je n'ai fait, de mes pareils, la moindre rencontre. Peut-être, comme moi, se cachent-ils, craignant, en ces temps, la barbarie et la malice des hommes. Songe donc à ce que, en m'apercevant, tu as pu, toi-même, éprouver.

» Notre apparition, autrefois, n'allait pas sans grandes alarmes. Que de fois, jadis, par jeu, au cœur de la campagne déserte, me suis-je plu, tapi entre deux fourrés, à me ruer tout à coup avec des cris, me réjouissant de voir, dans une fuite éperdue, bergers et troupeaux disparaître en décroissant dans la plaine. Mais les hommes, alors, en nous craignant, nous vénéraient. Que

póutirère dóu sourne, au clar de luno; m'arregardè
e, sènso bataia pèr se desfaire, se boutè, tristasso, à
sourrire. Ai las! si gauto fino èron passido, sa bouco
n'avié ges de dènt e dins sis iue fres coume uno aigo,
veguère que l'amour s'èro, pèr sèmpre, atura. La
bandiguère, la leissère ana sènso mai dire e acò
fuguè bèn la darriero, o, la darriero que, desenant,
ague rescountra.

N'en boufave pas uno, estabousi de tout ço que veniéu
d'entèndre. Mis iue, di bouco estranjo que s'èron
barrado, se viravon dóu chin Rasclet que, de-longo
estira, tau coume d'abouchoun davans la Bèstio,
largavo à moumen, aurias di, de gingoulamen
amistous. Es aqui qu'arrestère ma visto sus un trau
de dous pan, lou mai, cava dins terro e que sus l'orle,
ié remarquère quàuqui racinage derraba de fres.

— O, li mié-diéu noun soulamen naisson e vivon,
mai à l'agrat de mouri, fau tambèn que manjon.
De-que vos que fague? Coume vos qu'ane vira à
l'entour di vilage e di mas sènso me faire agarri coume
un animau de rapino? Pièi, te l'ai pas di? Autant
coume lou manja pèr moun cors, l'aire libre e l'azur
sóuvert me soun necite. E, sus aquesto terrado
esterlo, mantène, coume pode, mi vièis os. Lou veses,
ère en trin, quouro, aquest cop, sènso lou voulé,

de soleils et de soleils ont passé depuis que je n'ai plus vu bondir dans le ruissellement d'été les demi-dieux enfants plus agiles que de jeunes chèvres !

» Une fois, la dernière — il y a si longtemps ! — en errant, une nuit, en chasse, je vis se glisser sous le taillis une forme blanche. Je voulus caresser ses lèvres de femme. Je bondis, l'emprisonnai dans mes bras, l'attirai hors de l'ombre, sous la lune claire ; elle me regarda, et sans même un effort pour se dégager, se mit tristement à sourire. Hélas ! ses joues douces étaient ridées, sa bouche n'avait plus de dents et dans ses prunelles de source, je vis bien que l'amour s'était tari à jamais. Je la délivrai, la laissai partir sans une parole, et c'est bien, oui, c'est bien la dernière que j'aie rencontrée désormais.

Je ne soufflais mot, interdit par tout ce que je venais d'entendre. Mes yeux, de l'étrange bouche qui s'était tue, allaient au chien *Rasclet* toujours étendu, comme prosterné devant la Bête, et qui faisait entendre de temps à autre une sorte de tendre glapissement. C'est à ce moment que mes regards s'arrêtèrent sur un trou de deux empans environ creusé dans la terre et au bord duquel je remarquai quelques racines tout fraîchement arrachées.

crese, m'as sousprés, ère en trin de derraba quaucuno
d'aquéli racino que te sèmblon bono quand n'as rèn
mai pèr te bouta sout la dènt. Mai lèu, li giscle
nouvèu dis espargo pounchejaran à l'entour di mato,
e pièi i'a lis iòu di perdris, dis aucèu de plajo e di
flamen, i'a li nis di galejoun emai di sarcello. Tout
acò 's pas gaire. De-que vos? Lou mounde, fau
crèire, dempièi que viro, se sènt plus, coume antan,
renja pèr nautre.

Éu parlavo, aro, em' uno voues amourtido, esclapado,
quàsi. E sus soun visage soumés, rèn mai se vesié
qu'amarejèsse. Pèr lou proumié cop, remarquère sis
espalo rabinado e negro, mai seco, tant seco qu'entre
que boulegavo, ié vesiéu ana e veni si jougadou.
Regardave li gauto cavado e tout aquéu vièi cadabre
que pèr mié-divin que se faguèsse, se mantenié,
anequeli, em' un marrit pessu de racinage. Uno
grand pieta m'agantè. Óublidère, dóu cop, ma rete-
nènço proumiero, lou leidun d'aquéu front bestiau
e d'aquéli bato embessounado. Mandère la man à la
pocho de ma vèsto, n'en póutirère lou pan, li nose
e li figo seco que, pèr en cas, me n'ère prouvesi lou
matin. De vèire aquest paure manja, sis iue mour-
tinèu s'escarrabihèron.

— *Tè! venguère en ié pourgissènt.*

— Oui, les demi-dieux non seulement naissent et vivent, mais sous peine de mourir, ils doivent manger. Que veux-tu que je devienne ? Comment pourrais-je aller rôder autour des villages et des jardins, sans me voir harceler comme un animal de rapine ? Et puis, ne te l'ai-je pas dit ? Autant que la nourriture de la chair, l'air libre et l'azur sauvage me sont nécessaires. Et sur cette terre désertique, je soutiens mon vieux corps comme je peux. Tu le vois, j'étais en train, lorsque cette fois, sans le vouloir, je pense, tu m'as surpris, j'étais en train d'arracher quelques-unes de ces racines qui semblent mangeables lorsqu'on n'a guère autre chose à se mettre sous la dent. Bientôt, de jeunes pousses d'asperges amères pointeront autour des fourrés, et puis il y a les œufs des perdrix rouges, des oiseaux de plage et des flamants, il y a les nids des hérons et des sarcelles. Ce n'est pas grand-chose. Que veux-tu ? Le monde, sans doute, depuis qu'il tourne, ne se sent plus, comme jadis fait pour nous.

Il parlait, à présent, d'une voix sourde, comme accablée. Et son visage résigné ne gardait plus trace d'amertume. Pour la première fois je remarquai ses épaules tannées et brunes, mais si maigres, si maigres qu'au moindre mouvement, sous la peau, je voyais aller et venir les os de chaque jointure.

131

*Faguè un pas, balancè emè si dos man duberto;
loungarudo e nervihouso li remarquère alor qu'avien
d'arpo taianto au bout de si det.
Ié revessère, vitamen, tout ço que teniéu dins li
miéuno.*

— As fam?

*Mai n'ausiguère pas ges de voues. Cargado de la
frucho emai dóu pan, li dos paumo s'entre-crousavon
sus lou pitralas ameigresi. Abramado, ié sarravon
tout, coume uno caturo requisto. E, dóu tèms qu'enre-
gave moun camin, en me revirant pèr sibla moun
chin, veguère lou vièi carage que s'estiravo vers iéu
em' un èr de ravimen e d'estàsi qu'es pas de dire,
enterin que, di parpello brandanto, dos gròssi lagremo,
en espilant tout au cop, regoulavon, sèns muta, dins
la barbo griso.*

*Li jour venènt, en se debanant, fuguèron, pèr iéu,
à la filado, plen de trebau e de bataiage. Car en me
repassant tout, mau-grat lou ges d'efèt di signe de
crous e dis escounjurage, me poudiéu pas leva
l'aprensioun de quauco enmascacioun diaboulico.
E, d'un autre coustat, en me remembrant lou resou-
namen d'aquel èstre, en revesènt, lou mai, soun*

Je regardais ses traits tirés et ce vieux corps
qui, tout demi-divin qu'il se prétendît, s'ali-
mentait, affamé, d'une poignée de dures racines.
Une grande pitié me saisit. J'oubliai d'un coup
mon horreur première, la hideur de ce front
bestial et de ces doubles sabots. Je plongeai ma
main dans la poche de ma veste, en retirai le
pain, les noix et les figues sèches dont, par
précaution, je m'étais muni le matin. A la vue
de ces pauvres mets, les prunelles ternes se
ranimèrent.

— Tiens ! lui dis-je en les lui tendant.

Il fit un pas, hésita, les deux mains ouvertes ;
je vis qu'elles étaient longues, nerveuses et munies,
au bout des doigts, de grands ongles aiguisés. J'y
versai vivement tout ce que je tenais entre les
miennes.

— Tu as faim ?

Mais je n'entendis aucune voix. Les deux paumes
chargées de pain et de fruits s'étaient rapprochées
de la large et maigre poitrine. Elles les y serraient
avidement comme une précieuse proie. Et tandis
que je reprenais mon chemin, j'aperçus, en me
retournant pour siffler mon chien, la vieille face
tendue vers moi avec une incroyable expression
d'apaisement et d'extase, cependant que, des
paupières clignotantes, deux grosses larmes, jaillies

regard tant lene, à moumen, e la fierta de ço que,
tant poudié èstre soun amo, en me repassant aquéu
vanc de recouneissènço que, pèr uno tant pauro
douno, semblavo, de-bon, l'auboura, leissave ma
temour d'en proumié se vira, dirai, en bèn-voulènci
e sentiéu se coungreia dins iéu un quauco-rèn
d'amistous. Es acò d'aqui, desenant, que, jour e niue,
me poudiéu pas teni de lou remena. La niue, lou
mai, en me virant e me revirant, afebri, sautave d'uno
à l'autro d'aquélis idèio, un cop rebuta qu'ère pèr la
retenènço e la pòu e, un autre cop, en me leissant
prendre lou dessus pèr un flaquige que lou coumpreniéu pas bèn.

Aquéu coumbat empouisounavo ma som e fasié, de
mi sounge, un secutige. Dins mi vai-e-vèn, mau-grat
lou travai de la journado, pensave, sèns relàmbi,
en tout eiçò ; e n'ère treva autant bèn dins lou dedins
de la cabano quand renjave ma couchino e qu'alestissiéu ma biasso, coume pèr païs, en arrambant la
manado pèr la niue o quand batiéu, bon matin, lis
Enforo vasto dóu Riege.

Fau counèisse la Camargo e avé mena la vido
gardiano, pèr saupre lou poudé que pren sus l'amo
uno idèio unenco, quand l'ome, sènso ges de voues
que ié responde, s'en vai soulet, pèr sansouiro, à

tout à coup, roulaient silencieusement dans la barbe grise.

Les jours qui suivirent, furent, pour moi, pleins de trouble et d'incertitude. Car en réfléchissant à tout, malgré l'inutilité des signes de croix et des exorcismes, je ne pouvais entièrement écarter l'appréhension de quelque influence diabolique. Et, d'autre part, en me rappelant certaines paroles de cet être, en évoquant, surtout, la bonté, parfois, de ce regard et la fierté de ce qui pouvait être son âme, en revoyant l'élan qui, pour le si faible don que je lui avais fait, semblait le transporter véritablement de reconnaissance, je laissai à la terreur des premiers instants succéder de l'indulgence et je sentais naître en moi une sorte d'amitié. C'est cela, maintenant, que je ne pouvais m'empêcher de méditer jour et nuit. La nuit surtout, en me tournant et me retournant dans ma fièvre, je passais de l'un à l'autre de ces sentiments, tantôt rebuté par la répugnance et par la crainte, tantôt cédant, je l'avoue, à une faiblesse que je ne comprenais pas.

Cette sorte de combat empoisonnait mon sommeil et rendait mes songes insupportables. En allant et en venant, malgré le travail de la journée, je

*chivau, emé si sounge, coume uno barcasso que
vanego dins li soulitudo de la mar.*

*Vaqui perqué boulegave tant coume poudiéu, en
m'adounant is obro que m'espaçavon lou miés de
mi pensamen. Aviéu retrouva lou Vibre bèn tranquile sus li cavalo emé ma sello que, pèr fourtuno,
èro sauvo e l'aviéu agudo bello, en m'arroutinant,
pamens, pèr ié groupa la reno de cabassoun que
rebalavo pèr sòu, sènso èstre fourça de ié manda lou
seden. L'aviéu adu e estaca, mai, darrié la cabano,
decida qu'ère de l'encamba au pulèu que, fauto d'acò,
lou sabiéu proun, se farié mai que mai inabourdable.*

*Mai, peravans, m'avié faugu rèndre à la Vilo-de-
la-Mar. Es aqui que lou Paire Prouveditour me
mando de biasso à quingeno, que me la fai pourta pèr
un di carretié de l'Abadié. M'agandiguère, à l'acoustumado, sus Clar-de-Luno, en menant en dèstre lou
Pavoun, un rafard mansas que, quand n'es besoun,
ié fau pourta lis ensàrri coume, de-bon, s'èro un ase
d'escabot; se saup proun de-que soun aquéli banas-
tasso estacado sus lou bast, de chasco man e coume
fan bèn mestié, pèr charrounta lou viéure de touto
merço.*

*M'envenguère, à la vesprado, sènso avé fa vesito en
res, franc de noste venerable capelan; m'atrouvè la*

pensais sans répit à toutes ces choses ; et elles me
poursuivaient aussi bien à l'intérieur de ma cabane,
lorsque je rangeais ma couchette et préparais mon
repas, qu'à travers la plaine, tandis que je ras-
semblais mes bêtes pour la nuit, ou que je parcou-
rais de grand matin, les vastes En-Dehors du
Riège.

Il faut connaître la Camargue et avoir mené la vie
de gardian, pour savoir la tyrannie que peut
exercer sur l'âme une idée unique, alors que
l'homme, sans aucune autre voix qui lui réponde,
s'en va par l'étendue, à cheval, avec son rêve,
comme une barque qui navigue dans les solitudes
de la mer.

C'est pourquoi j'agissais le plus possible et me
vouais de préférence à la tâche qui pouvait me
détourner le mieux de mes préoccupations. J'avais
retrouvé le *Castor* bien tranquille parmi les cavales
avec ma selle fort heureusement intacte, et il
m'avait été facile assez, en usant toutefois de
quelques ruses, de le saisir par la rêne du caveçon
qui traînait sur le sol entre ses pattes, sans avoir
besoin de le capturer à la corde. Je l'avais ramené
et attaché de nouveau derrière ma cabane, déterminé à l'enfourcher au plus tôt, faute de quoi je
savais bien qu'il deviendrait tout à fait inabor-
dable.

caro malandrouso e l'iue febrous, qu'acò lou boutère
au comte de la palunaio e me faguè, bounias, lou
reproche, d'avé, de long-tèms, leissa moun devé de
crestian; mai l'assoulère en ié leissant encrèire que
l'aviéu coumpli à l'Abadié. Pode pas bèn dire, aro,
aquelo messorgo, quant me fai escor. Coumtarai pas
pèr vesito lou bon-jour qu'anère pourta à Touniet,
pescaire de mar, moun coumpaire, emé quau sian
toujour esta coutrìo. M'atrouvè, éu tambèn, l'èr
ablasiga e me counseiè de béure, quàuqui jour
à-de-rèng, d'aigo de centauro; quitère pas soun
oustau sènso n'empourta dous supèrbi pèis de Sant-
Pèire, en gramaci de quàuqui pèço de sóuvagino
que i'aviéu adu. Vouguère, avans de rintra, passa
vers lou barbejaire qu'èro soun jour, pèr me faire
rascla lou péu di gauto que l'aviéu long e espeloufi e,
lou mai, pèr me rèndre comte, à-n-aquéu rode ounte
s'adoubon tóuti li redi e papafard de la Camargo
e qu'es la toumbado coustumiero de la gardianaio e
di bracounié, se rèn avié alena de la Bèstio espetaclouso que trevavo l'environ dóu Vacarés. Au
regard d'acò, fuguère, en plen, rassegura.

Lou soulèu se couchavo just, qu'adeja, m'encapave
de retour. Autant lèu me groupère à recata dins ma
cabano tout lou viéure qu'aviéu adu. Fuguère

Mais auparavant, il m'avait fallu aller à la Ville-de-la-Mer. C'est là que le père provéditeur m'envoie des vivres pour chaque quinzaine et me les y fait apporter par l'un des charretiers de l'abbaye. Je m'y rendis, à mon habitude, sur *Clair-de-Lune*, en menant en dextre le *Paon-Blanc*, un vieux cheval tranquille, auquel je fais porter, quand j'en ai besoin, les *ensàrri* comme à un véritable âne de troupeau ; on sait assez ce que sont ces larges corbeilles attachées de chaque côté du bât et combien elles sont propres à contenir toutes sortes de provisions.

Je revins, le soir, sans avoir fait visite à personne qu'à notre vénérable curé ; il me trouva le visage malade et l'œil fiévreux, ce que je mis sur le compte du mal des marais, et me reprocha avec bonté d'avoir depuis fort longtemps négligé mes devoirs de chrétien, mais je le rassurai en lui laissant à penser que je les avais remplis récemment à l'abbaye. Je ne saurais dire à quel point un pareil mensonge me fait maintenant horreur. Je ne compte point pour visite, le bonjour que j'allai donner à Touniet, un pêcheur de mer, mon compère, avec lequel j'ai toujours entretenu grand commerce d'amitié. Il me trouva, lui aussi, la figure lasse et m'engagea à boire, pendant quelque temps, de la tisane de centaurée ; je ne partis

countènt de i'atrouva un pichot saquet de figo em' un autre de nose e d'amelo douço e, tambèn, dos dougeno de poumo di gavoto, frounsido, uno idèio, de l'ivèr, mai fermo encaro e melicouso à soun bon dins sa pèu cremesino e duro. Adoubère tant-lèu pèr moun soupa li pèis que lou coumpaire m'avié baia, en me n'en sauvant un taioun pèr moun tuio-verme de l'endeman.

E l'endeman, davans que d'encamba Clar-de-Luno, agantère uno museto, d'aquéli que ié disèn de saquetoun e, en l'aguènt pièi, garnido em' uno bono pourcioun de frucharié e la mita d'un de mi pan de dos liéuro, i'apoundeguère un tros de pèis emé dos galànti poumo.

Tout en tirant sus lis Enforo, faguère lou tour, pèr passa ras d'aquéu mourven qu'à soun pèd, i'aviéu, lou cop d'avans, encapa la Bèstio e penjère lou saquetoun à-n-uno di branco li mai quihado en m'avisant que risquèsse rèn di reinard, dis aucèu de rapino e de touto autro meno de vermino, en n'en nousant, pèr n'èstre segur, li telo em' un liame de jounc. En revenènt à l'errour intrado, veguère proun que res encaro l'avié touca e me proumeteguère de bèn teni d'à-ment pèr vèire coume acò se gaubejarié, un cop passa la niuechado.

point de chez lui sans emporter deux superbes poissons Saint-Pierre, en échange de quelques pièces de sauvagine dont je lui avais fait présent. Je tins, avant de rentrer, à passer encore chez le barbier dont c'était le jour, pour me faire couper la barbe que j'avais longue et fort hérissée, et, surtout, dans le but de me rendre compte, en ce lieu où se fabriquent tous les racontars et sornettes de la Camargue et qui est l'habituel rendez-vous des autres gardians et des braconniers, si quelque chose avait transpiré au sujet de l'hôte étrange qui hantait les abords du Vaccarès. Je fus, à cet égard, entièrement rassuré.

Le soleil se couchait à peine que je me trouvai déjà de retour. Je me mis aussitôt à ranger dans ma cabane toutes les provisions que j'avais rapportées. J'y découvris, avec un véritable plaisir, un petit sac de figues, un autre de noix et d'amandes douces ainsi que deux douzaines de pommes de la montagne, quelque peu ridées par l'hiver, mais fermes encore et sucrées à point sous leur peau résistante et rouge. J'apprêtai aussitôt pour mon souper les poissons que mon compère m'avait donnés, en réservant une partie en vue de mon premier repas du lendemain.

Et le lendemain, avant d'enfourcher *Clair-de-Lune*, je pris une musette, de celles nommées *saquetons*,

Adounc, me levère à pouncho d'aubo. Fauguè, pèr m'abiha, me faire lume emé moun calèu. Lou tèms se gardavo siau emai gai e soumbrejavo encaro quand faguère bada ma porto. M'entenchave. Moun fiò, entre atuba, flamejè e, tout-à-peno se l'entre-lus dóu jour enrousissié la terro e lis aigo, qu'adeja aviéu engouli ma soupo caudo. Ère decida, en me sentènt fres, de mai mounta lou Vibre, noun sèns me prendre, tant bèn que poudriéu, tóuti li precaucioun necito, aquest cop, pèr n'en resta mèstre. Lou selère dounc emé lou meme siuen e lou meme avisamen e lou menère, proumié, pèr lou rèndre un pau, trouta en dèstre à pouncho de seden, dóu tèms que mountave Clar-de-Luno. Caminavo à moun coustat, un pau à-rèire, emé la tèsto souto e l'iue atupi coume uno bèstio que se fai à pourta de pes sus l'esquino e que, desenant, se treviro ni dóu creniha dóu cuer, ni dóu dinda de la ferramento.

Leissère, aquéu jour d'aqui, li biòu coumpletamen faire à soun idèio, pèr garda tout moun tèms à-n-aquelo mounto, que si resulto, fau dire, me fasien tira de plan. Menère lou Vibre pèr bos en lou fourçant de trauca dins lou fourni darrié Clar-de-Luno, pèr l'acoustuma au grata di broundiho sus li quartié de la sello, mai m'entrigave tambèn de saupre se la

et l'ayant garnie d'une bonne mesure de fruits secs et de la moitié d'un de mes pains de deux livres, j'y joignis une tranche de poisson et deux belles pommes.

Tout en gouvernant sur les En-Dehors, je fis un détour pour passer devant le mourven au pied duquel j'avais rencontré la Bête précédemment et suspendis le saqueton à l'une des branches hautes, en ayant soin de le maintenir hors de l'atteinte des renards, des oiseaux nocturnes et autres vermines, en serrant, pour plus de sûreté, la toile de l'ouverture avec un lien de jonc. En rentrant le soir, je vis bien que nul n'y avait encore touché et me promis de me rendre compte s'il en serait de même après cette nuit.

Je me levai donc avant la pointe du jour. Je dus, pour me vêtir, m'éclairer avec mon *calèu* [34]. Le temps était calme et froid et le ciel encore sombre, lorsque j'entrouvris ma porte. Je me hâtai. Mon feu allumé flamba bientôt et la première lueur d'aurore rosissait la terre et les eaux, que, déjà, j'avais avalé ma soupe chaude. J'étais résolu, me sentant dispos, à remonter le *Castor*, mais non sans prendre, autant que je le pourrais, toutes les précautions nécessaires, afin d'en demeurer, cette fois, le maître. Je le sellai donc avec la même prudence et les mêmes soins et l'emmenai d'abord,

Bèstio se sarié entrevado dóu viéure que i'aviéu penja pèr elo au plus aut de la branco dóu mourven. Quand arrivère au rode, m'avisère, en davalant dóu chivau, que lou saquetoun èro esta cura e pièi, plega mai, coume pèr la man d'un ome e, tant-lèu, remarquère, au pèd de l'aubre, un trafé de clavo que peravans se ié vesien pas, en m'estènt pres siuen, la vèio, sus lou vèspre, de me i'avança e d'aplana 'mé la man tout lou dessus de la terro. Despenjère lou saquetoun e remarquère, proun estouna, que, quaucorèn encaro ié soubravo. Èro lou tros dóu pèis que, lou jour d'avans, emé de viéure autre, i'aviéu bouta. En lou carculant, me refigurère que la Bèstio se sentié belèu en repugnanço pèr la viando animalenco e que lou voulié douna à saupre d'aquéu biais. Ço qu'avenguè, pièi, manquè pas d'afourti dins iéu talo idèio.

Me virère vitamen pèr dejuna, talamen que, quand me veguère lèst à reprendre lou Vibre, tout-à-peno se lou soulèu marcavo vuech ouro. Lou cèu, l'ai di, èro lis e clar. E mau-grat lou treboulun que, de-longo, me secutavo, me sentiéu, dins iéu, la voio que vous bouto au cors un bèu tèms, d'aquesto sesoun, lou mai, que se vèi pouncheja la respelido entre l'ivèr que viro à sa fin.

144

pour le fatiguer un peu, trotter en main au bout du seden, tandis que je chevauchais *Clair-de-Lune*. Il cheminait à côté de moi, un peu en arrière, la tête basse et l'œil assoupi, comme un animal qui prend son parti de se sentir l'échine chargée et qui, désormais, ne s'épouvante ni du grincement des cuirs, ni du tintement de la ferraille.

Je laissai, ce jour-là, les taureaux faire entièrement à leur guise, afin de donner tout mon temps à ce dressage, dont l'issue, je dois le dire, me préoccupait. J'emmenai le *Castor* à travers bois, l'obligeant à passer dans le fourré à la suite de *Clair-de-Lune* pour l'accoutumer au grattement des branches sur les quartiers de la selle, mais j'étais curieux aussi de savoir si la Bête se serait avisée des vivres que j'avais suspendus pour elle à la haute branche du mourven. Lorsque je parvins à cet endroit, je m'aperçus, en mettant pied à terre, que le saqueton avait été d'abord vidé puis refermé en son ouverture comme par une main humaine et, en même temps, je pus relever, au pied de l'arbre, une traînée de claves qui ne s'y voyaient pas auparavant, car j'avais eu soin, la veille au soir, d'y venir et d'y aplanir de mes mains toute la surface de la terre. Je détachai le saqueton et constatai d'abord, avec une certaine surprise, que quelque chose encore y demeurait. C'était le morceau de poisson,

Adounc, quand aguère mena lou Vibre au large sus un à-plan, ié faguère faire quàuqui pas e pièi, en lou clugant, intrère moun pèd dins l'estriéu pèr me bouta dins la sello. L'animau se rebifè pas, partiguè d'aise un pau en trantaiejant, mai soumés au tout e lou leissère camina d'aquéu trin, aperaqui uno lègo. Sènso aquel auvàri di jour d'avans, auriéu pouscu m'endourmi en plen e me crèire pèr lou tout tranquile, mai sabiéu que trop ço que l'animau tenié dins sa pèu e, en m'avisant que rèn m'estravièsse, me gardave lèst à para tout refoulèri. Aquéu siuen fuguè pas necite. Lou faguère mai camina à pau près dos ouro e, tant dispausa que fuguèsse de pas gounfla un bestiot qu'en estènt bandi de-longo, un trop de fatigo en partènt riscavo de lou mau-foula, m'estudiave pamens à ié coupa li forço en lou virant voulountié dins la fango e la sablasso e ié leissave tira l'encho tant que n'en poudié. Mai m'encapère sus lou tantost is entour de la cabano, sènso que lou Vibre aguèsse assaja lou mendre saut o prouva d'un biais o de l'autre quauco maniero marrido. En arrivant, l'abéurère e i'espandiguère davans quàuqui bòni garbo seco e pièi, afama qu'ère tambèn, anère lèu-lèu gousta em' un pessu d'óulivo dis amaro e un tros de toumo fresco qu'aviéu adu de la Vilo-de-la-Mar.

146

qu'avec les autres vivres, la veille, j'y avais mis.
En y réfléchissant, je m'imaginai que la Bête
éprouvait, peut-être, de la répugnance à goûter
la chair animale et qu'elle entendait ainsi me le
faire entendre. Les circonstances ne manquèrent
pas, par la suite, de me confirmer sur ce point.

Je revins rapidement déjeuner, si bien que lorsque
je pus reprendre le *Castor*, le soleil marquait à
peine huit heures. Le ciel, je l'ai dit, était immobile
et pur. Et malgré le trouble qui n'avait en rien
cessé de me tourmenter, je me sentais cette allé-
gresse du corps que donne un beau temps surtout
en cette saison où l'on voit une vie nouvelle
pointer sous l'hiver finissant.

Ayant donc mené le *Castor* sur un terrain découvert
et favorable, je lui fis faire quelques pas et, lui
voilant l'œil, engageai mon pied à l'étrier pour me
mettre en selle. L'animal ne se révolta aucunement,
partit doucement d'une allure mal avisée, mais
fort docile, et je le laissai cheminer ainsi tout près
d'une lieue. Sans l'aventure des jours précédents,
j'aurais pu m'endormir dans l'illusion de la plus
complète sécurité, mais je savais trop de quoi il
était capable et, me défendant de la moindre inat-
tention, je me tenais préparé à toute attaque.
Cette vigilance fut inutile. Je le fis marcher encore
environ pendant deux heures et, tout désireux que

L'errour toumbè pas que noun aguèsse, tourna-
mai, brida e encamba lou Vibre. Lou proumenère
ansin, à tout lou mai, uno oureto e pièi lou leissère
pausa davans de lou dessela, que vouliéu just ié
prendre lou dessus e ié faire senti soun mèstre.
Aviéu dins l'idèio de pas recoupa, tant pau fuguèsse,
aquelo mounto, sènso l'avé, proumié, avançado
proun.

N'en reprenguère mai l'endeman e, tant matin que
pousquère, lou pres-fa. Erian alor à l'intrado dóu
mes de Mars que li niue e li matinado en se mantenènt fresqueirouso, lou soulèu, de-jour, coumenço de
prendre de fiò. Adeja la primo, 'en s'avançant, se
fasié counèisse i mant un entre-signe que la sesoun
nouvelàri se marco à l'acoustumado. Un póussun
verdau flourejavo i sagato fino di gacholo, lou rousèu
fres, entre dos aigo, pounchejavo dins la palun e,
bon matin, entendiéu touto l'auceliho que se respoundié long de la costo. I'a d'acò gaire mai d'uno mesado,
d'abord qu'es lou Sant Dimenche de Pasco, vounge
d'Abriéu, — au jour d'aro, just e just, fai sege jour —,
qu'entre-prenguère d'escriéure aquest cartabèu. Vuei,
lou vanc de la primo buto de pertout. Mai à l'acoumençanço de Mars, après un marrit ivernage, es
tout-à-peno, alor, se s'entre-vesié.

je fusse de ne pas forcer un animal jusqu'alors entièrement libre et qu'un excès de fatigue au début de son dressage eût pu dangereusement courbaturer, je m'appliquai tout de même à rompre ses forces, l'engageant volontiers dans le sable ou la terre molle et l'y laissant, tout son soûl, peiner. Mais je me retrouvai sur le tantôt dans les environs de la cabane sans que le *Castor* eût tenté la moindre défense et témoigné de quelque mauvaise intention. Je le fis boire à son arrivée, jetai devant lui quelques bonnes gerbes de roseau sec, après quoi, affamé moi-même, j'allai rapidement collationner d'olives amères et d'un quartier de tomme fraîche que j'avais rapportée de la Ville-de-la-Mer.

Le soir ne tomba pas sans que j'eusse, de nouveau bridé et enfourché le *Castor*. Je le promenai ainsi une heure à peine et le mis ensuite au repos pour le desseller, voulant lui faire sentir uniquement ma domination et ma contrainte. Il était dans mes projets de ne point interrompre, si passagèrement que ce fût, un tel dressage, sans l'avoir d'abord poussé assez loin.

J'en repris donc, dès le lendemain et le plus matin que je pus, la tâche. Nous étions alors au début de mars où les nuits et les matinées demeurant fraîches, le soleil du jour commence à se faire ardent. Déjà

Partiguère dounc, sènso óublida mi precaucioun
coustumiero e, sènso me fisa dóu biais tant soumés de
ma mounturo, tau coume la vèio, prenguère moun
tour en coustejant li radèu. Lou chivau, deja, s'enanavo e, de proun, mai ferme e sentiéu, tambèn,
qu'emé la bouco, respoundié forço miés au quicha
dóu mors. Entre-prenguère dounc, en leissant l'à-
plan de l'orle, de lou vira au fourni, en lou mantenènt, pèr en-cas, dins li carreiroun dóu bos li mai
trafega mounte l'avans-vèio, l'aviéu rebala darrié
Clar-de-Luno e veniéu, sènso entramble, de ié faire
aganta lou proumié recouide, quouro, tout-d'uno,
lou sentiguère entre mi geinoun que se gounflavo, se
bandiguè à la subito en doublant l'esquino, la tèsto
entre cambo e se desbrandant coume disèn nautre,
tant rede qu'es pas de dire, tout en endihant dóu
mourbin. Aviéu groupa tant-lèu lou davans de la
sello, jincant soulamen de me manteni, en sachènt que
trop ço que m'esperavo se me leissave encaro escampa,
mai sentiéu li saut que se respoundien l'un emé l'autre,
tant precepita e tant viéu, que m'enanave coume s'un
endoulible m'empourtèsse e sentiéu veni lou moumen
que poudriéu rèn mai faire que d'envessa.

Es alors qu'avenguè uno causo espetaclouso. En aca-
bant un saut de móutoun, lou Vibre retoumbè, dóu cop,

le printemps proche se manifestait dans ces mille signes par quoi la saison nouvelle a coutume de s'annoncer. Une légère ombre verte courait sur les branches menues des tamaris, les roseaux, sous l'eau du marais, poussaient leurs pointes nouvelles et les oiseaux de la côte s'appelaient dès le matin. Voici de cela un peu plus d'un mois puisque c'est le saint dimanche de Pâques, onzième du mois d'avril — ce qui fait aujourd'hui même seize jours — que j'ai entrepris d'écrire ces pages. Actuellement, la joie de la prime éclate partout. Mais au début de mars, l'hiver ayant été dur, elle s'annonçait à peine.

Je partis donc sans négliger mes habituelles précautions et sans me fier à l'apparente soumission de ma monture et, comme la veille, commençai ma promenade en lisière des radeaux. Le cheval s'en allait, déjà, d'un pas sensiblement plus affermi, et je sentais aussi sa bouche mieux répondre aux pressions du mors. J'entrepris donc, quittant la bordure découverte, de le gouverner dans le fourré, en le maintenant, par prudence, dans les passages du bois les mieux frayés où je l'avais guidé l'avant-veille à la suite de *Clair-de-Lune*, et je venais, sans encombre, de lui faire prendre le premier tournant, lorsque, tout à coup, je le sentis se gonfler sous moi, se détendre brusquement, les reins arqués et la tête

rede e jala sus si quatre pèd, coume se si bato se fuguèsson empegado en terro. E, tant-lèu, s'arrestè de quila
e de boufa e me restè dessouto sènso branda, coume
un animau que s'empèiro. Dins lou moumen,
veguère la Bèstio. Èro aplantado, drecho, acoutado
d'esquino au pèd d'un mourven. Lis iue braca sus
moun chivau em' un regard, aurias di, que flamejavo,
planet, siblavo entre bouco en lalejant. Se boutè pièi
à se bressa sus si cambo, en s'avançant à pas menut,
quasimen coume se dansavo, sènso quita de regarda
lou Vibre dins lou founs dis iue en siblejant, mai en
butant, d'à-cha-pau, lou vanc dóu sibla e lou trepa di
cambado. Quand m'arrivè ras, à dous pan, lou mai,
de la tèsto de moun chivau, sentiguère aquest d'eici,
toujour aplanta, que dins un frejoulun fin e founs
s'aboulegavo, coume uno aigo que la fogo dóu fiò la
travaio e que, tout-d'uno, se bouto à fresi.
Mai l'autre, s'estènt avança, aqui mounte ai di,
s'aplantè, quitè de mena emé li bouco soun enmascanto founfòni e, en aubourant lou bras, aflatè la
paumo duberto de sa man en plen sus lou front dóu
Vibre, qu'en lou vesènt s'avança, éu, pamens tant
lèu enaura au mendre signe, bouleguè pas mai qu'uno
queirado. Mai entre que la man se fuguè plantado
ansin entre sis auriho, se boutè, dóu cop, à tremoula

152

entre les pattes, se « desbrandant [35] », comme nous disons dans notre métier, avec une brutalité incroyable, en poussant en même temps des hennissements de fureur. Je m'étais cramponné au troussequin de ma selle, désireux avant tout de me maintenir, sachant trop ce qu'il adviendrait si je me laissais, une fois encore, démonter, mais je sentais les sauts se succéder avec tant de précipitation et de rudesse, que je m'en allais comme si j'eusse été emporté dans une houle et je sentais venir l'instant où je ne pourrais faire autre chose que de chavirer.

C'est alors que se produisit une circonstance inattendue. Comme il achevait un saut de mouton, le *Castor* retomba tout à coup, immobile et raide sur ses quatre jambes, tout comme si ses sabots se fussent, à la fois, fichés dans le sol. Et aussitôt, il s'arrêta de hennir et de souffler, demeurant sous moi sans bouger, comme un animal de pierre. Au même instant, j'aperçus la Bête. Elle était arrêtée, debout, appuyée de dos au tronc d'un mourven. Ses yeux dardés sur mon cheval, avec un regard d'où semblaient jaillir des flammes, elle modulait doucement entre les lèvres une sorte de sifflement. Puis elle se mit à se balancer sur ses jambes, avançant à petits pas dans une sorte de danse, sans cesser de regarder le *Castor* au fond de ses

sènso branda li pèd, mai en ressautant dins mi
cambo e larguè un souspir d'esperfors et de soufrimen,
coume un animau encourdela que se ié lardarié un
ferre rouge au plen di car vivo. Pièi se boutè à febla
e à moula sus si mèmbre, li de davans, proumié, pièi
li de darrié en trampelant toujour e rangoulejant
d'aqui que s'encapèsse — emé iéu dessus —, coumpletamen afoudra pèr sòu. Mai just au moumen que
toucavo terro, la Bèstio se retirè round e lou Vibre
deliéure, en s'aubourant dins un boumb, se manten-
guè sus si cambo, ensuca, se coumprenié, pèr uno
frapacioun d'abestimen triste e de lourdige, emé lou
péu revechina que i'escumejavo de pertout.
De vèire eiçò, l'èstre espantous partiguè dóu rire en
crenihant, — ai deja, un cop, recata talo remarco —,
coume uno cigalo espetaclouso que, rèn qu'en cantant
aurié estrementi tout lou bos.
— Aro, lou pos mounta, sara souple. Lou pos
encamba sènso risca d'èstre viéuta dins la nito coume
un pougau de palun, o de flouqueja en l'èr coume li
gabieto. Li mié-diéu, es verai, porton esfrai i gardaire,
mai sabon, tambèn, gibla li bèstio feroujo. Tu l'as
vist. Me prendriés mai pèr uno bestiasso? Noun,
pamens, faguè en s'ameisant e en se levant dóu
carage aquéu frounsimen que ié dounavo un èr tant

154

yeux et de siffler, mais augmentant peu à peu
la force de la modulation et la rapidité de la
cadence. Lorsqu'elle parvint près de moi, à deux
empans, pour le plus, de la tête de mon cheval,
je sentis sous moi, celui-ci toujours immobile,
s'agiter d'un frémissement imperceptible et profond,
comme une eau que l'ardeur du feu travaille et qui
se met tout à coup à frissonner.

Mais l'autre s'étant avancé jusqu'où j'ai dit,
s'arrêta, cessa de produire avec la bouche son
agaçante musique, et, levant le bras, appliqua
fermement la paume de sa main ouverte, en plein
sur le front du *Castor*, qui, le voyant venir, lui
pourtant si vite effaré au moindre geste, ne remua
pas plus qu'un bloc. Mais dès que la main fut ainsi
posée entre ses oreilles, il se mit, cette fois, à
trembler sans bouger des pieds, mais tout secoué
entre mes jambes et fit entendre un soupir d'effort
et de douleur, comme un animal ligoté auquel on
plante un fer rougi en pleine chair vive. Puis il se
mit lentement à faiblir et à ployer sur ses membres,
ceux de devant, d'abord, puis ceux de derrière,
grelottant et ahanant toujours, jusqu'à ce qu'il
se trouvât — moi dessus — tout à fait écroulé par
terre. Mais à l'instant même où il atteignait le sol,
la Bête, brusquement, se retira, et le *Castor* délivré,
se relevant d'un seul bond, se maintint debout,

155

menèbre, noun, pamens, sabe que tu siés un ome
brave que mai, au noumbre dis ome. As-ti pas vougu
prendre lou dessus de ta pòu e de l'esfrai sacra que
sènso lou voulé, crese, te porte? As-ti balança, pièi,
pèr te leva lou manja e n'assoula ma fam que,
pamens, noun te demandavo?

Espinchave e escoutave sènso muta e sentiéu lou
Vibre atupi dins l'engourdimen dóu lourdige. E iéu
m'espantave, dins iéu, trevira de vèire qu'uno forço
ansin, de-segur, pèr subre-naturo, aguèsse, de tau
biais, viéuta uno bèstio tant gaiardo.

— N'agues plus cregnènço, me diguè aquel èstre que,
dins iéu, aujave plus l'apela la Bèstio. Noun siéu un
d'aquéli demòni, trevant pudènt que, davans iéu,
lis escounjuravo lou vièi soulitàri de la Libìo. Quau
siéu, belèu que tu lou coumprenes e belèu que, de-longo,
lou dessaupras. Iéu, ai counfessa lou Diéu eterne.
Emé tóuti li voues dóu mounde, ai canta. En dansant,
ai segui lou revòu de l'estelino. E veici, aro, que
sènte mi car antico s'entre-seca sout ma pèu, coume
lou bos d'un vièi aubre que la sabo, en s'aturant, ié
pòu plus douna vido sout sa rusco. Li tèms an vira e,
segur que moun empèri a deja pres fin. Mai enjusqu'au
darrié, gardarai moun poudé, mestrejarai lou
bestiau de la planuro e la feruno di bos. Li sauprai

156

mais dans un état apparent d'abêtissement morne
et de torpeur, le poil agité d'un faible frisson et la
peau tout écumeuse.

A cette vue, l'être étrange éclata de rire en crissant
— j'ai déjà consigné une fois cette remarque —
comme une monstrueuse cigale dont le chant eût
rempli le bois.

— Tu peux le monter, maintenant, il sera docile.
Tu peux l'enfourcher sans risquer d'être roulé dans
la vase comme une anguille de marais ou de volti-
ger en l'air comme une mouette. Si les demi-dieux
épouvantent les pasteurs, ils savent dompter aussi
les bêtes farouches. Tu l'as vu. Me prends-tu
toujours pour une brute ?... Mais non, reprit l'être
en laissant ses traits s'apaiser et en effaçant sur son
visage cette contraction de bouche qui lui donnait
une expression repoussante, mais non, je te sais
un homme bon parmi les hommes. N'as-tu pas
su vaincre ta peur et l'horreur sacrée que, malgré
moi, sans doute, je t'inspire ? As-tu seulement
hésité à te priver de tes propres vivres pour
secourir ma faim, qui pourtant ne te sollicitait
pas ?

Je regardais et j'écoutais sans rien dire et je
sentais le *Castor* plongé toujours dans l'engourdissement et la stupeur. Moi-même j'admirais,
troublé, que cette force apparemment surnaturelle

157

*gibla e soumetre. Anen, d'aut! e manejo toun
chivau coume bon te fara plesi. À toujour, pèr
tu, te l'ai dounta, óublidèsses pas qu'aquesto man
l'a touca.*

*Tant-lèu talounère lou Vibre. Virè e partiguè à
moun idèio. En m'enanant, mandère mis iue sus
l'autre. M'arregardavo. Jamai n'aviéu vist soun
front, tant auturous, trelusi. Davans que de m'acamina, nè, balancère uno minuto e me pode pas teni,
aro, de me repassa lou rire de bonur, de manseta 'mé
de croio que semblavo, à-n-aquéu moumen, i'ensou-
leia tout soun vièi carage.*

*Vaqui ço qu'ai vist. Vaqui ço que marque eici,
proun estransia. Lou, qu'un jour, aura, de tout eiçò,
couneissènço, quau saup se regardara moun raconte
pèr fisable au tout? Fau, pamens, que vogue coumprendre, pèr cas que me creirié touca de quauco
treboulino dins ma tèsto, qu'uno foulié, se m'avié
boufa ço que conte, n'aurié pas, pamens, destimbourla
tambèn lou bestiau que tène à moun entour. De-segur,
quauco fantaumarié de malandro aurié pouscu,
dins iéu, coungreia talo di vesioun qu'ai repintado.
Auriéu bèn pouscu, de-fes, me refigura, un cop o*

eût, d'un seul coup, ainsi terrassé un animal vigoureux.

— Cesse de craindre, me dit cet être, qu'en moi-même je n'osais plus appeler la Bête. Je ne suis pas un de ces démons, impures larves qu'exorcisait à mes yeux le vieux solitaire de la Libye. Ce que je suis, tu le sais peut-être, et peut-être l'ignoreras-tu toujours. J'ai confessé le Dieu éternel. J'ai chanté avec toutes les voix du monde. J'ai suivi, de ma danse, la danse des constellations. Et voici, maintenant, que je sens mon antique chair se dessécher sous ma peau comme le bois d'un vieil arbre que la sève tarie n'arrive plus à nourrir sous son écorce. Les temps sont révolus, sans doute, et mon règne est déjà fini. Mais, jusqu'au bout, je garderai ma puissance, je dominerai les animaux de la plaine et les bêtes des fourrés. Je saurai les courber et les soumettre. Allons, pars, et fais de ton cheval ce qu'il te plaira. Pour toi je l'ai rendu à jamais docile, n'oublie pas que cette main l'a touché.

Tout aussitôt, je talonnai le *Castor*. Il tourna et se mit en marche à ma guise. Comme je me retirai, je jetai un coup d'œil sur l'être. Il me regardait. Jamais je n'avais vu sur ses traits rayonner une majesté pareille. Avant de m'éloigner, j'hésitai une minute, interdit, et je ne puis m'empêcher

159

*l'autre, dins uno ravacioun de fèbre, qu'escambarla
sus lou Vibre, aviéu fa lou rescontre de la Bèstio e
pres part, tau coume ai di, en de causo meravihouso.
Mai justamen, e, pèr parla eici que dóu Vibre, fau
regarda que, tóuti li jour, desenant, lou sèle e lou
mounte, lou fau vira e revira à moun idèio e lou
maneje à touto man tau que m'agrado. Acò, jour pèr
jour, de-bon, pòu pas èstre un sounge. Jamai plus,
à moun coumanda, l'animau n'a fa resistènci. Causo
estounanto que mai e qu'en-liò l'aviéu visto encaro,
quand s'encapo bandi sus li bèstio e que lou vole
agantu, n'ai pas besoun, coume avans, de lou faire
veni em' un saquetoun de civado o de lou groupa de
souspresso en lou soucant em' un nous courrènt.
Entre que me vèi, s'aplanto en virant de vers iéu la
tèsto e espèro, tranquile, que ié vèngue estaca au coui
la ganso doublo de moun seden. Aquéli maniero
d'un de nòsti camargue, coumpletamen sóuvage
peravans, saran pèr estouna, crese, li que counèisson
lou biais aurouge e tihous d'aquelo meno. Se laisso
garni e brida, desenant, mai famihié que lis àutri
chivau de mounturo e l'encambe sènso m'avisa de
rèn, nimai sènso ié faire cas e risque pas mai que,
s'en ié levant lis ensàrri de l'esquino, me prenié idèio
d'encamba lou vièi Pavoun.*

160

maintenant de songer sans cesse au sourire de joie, de mansuétude et d'orgueil qui semblait, à ce moment-là, illuminer tout ce vieux visage.

Voilà ce que j'ai vu. Voilà ce que je consigne ici, non sans une certaine angoisse. Celui qui, un jour ou l'autre, dans l'avenir, connaîtra ceci, accordera-t-il à mon récit une foi entière ? Qu'il veuille cependant réfléchir, au cas où il se trouverait tenté de me croire victime du désordre de ma tête, que ma démence, si elle inspirait véritablement ce que je raconte, ne saurait pervertir également les animaux qui vivent autour de moi. Sans doute, des imaginations maladives auraient pu enfanter en moi telle ou telle des visions que j'ai rapportées. J'ai bien pu me figurer, en effet, une fois ou l'autre, dans un délire de fièvre, que monté sur le *Castor*, et ayant rencontré la Bête, j'avais pris la part que j'ai dite à des circonstances merveilleuses. Mais, précisément, et pour ne parler que du *Castor*, il faut considérer que, chaque jour, depuis lors, je le selle et je le monte, je le fais tourner et volter à ma fantaisie et le mène en tout comme il me convient. Cela, jour par jour, en vérité, ne peut être un songe. Jamais plus, à ma volonté, l'animal n'a opposé quelque défense. Chose plus étonnante

Vaqui ço qu'ai vist, ço qu'ai prouva, ço que sabe.
Vaqui tambèn ço que me rousigo e me secuto. Tout
moun sèn, l'ai, un cop de mai l'afourtisse, pamens,
s'aquéu treboulun s'alongo, noun sabe coume tout
acò poudra vira.

Segur, rèn que la persouno de la Bèstio e sa tengudo
dins nòsti parage, se poudien regarda pèr espeta-
clouso. Adeja, pamens, coumençave de me i'afaire,
lou counfèsse, e sentiéu descrèisse d'à-cha-pau li
trànsi que tout acò n'èro l'encauso abourrido. Mai
dempièi que, davans mis iue, soun poudé, ansin,
s'es fa counèisse, dempièi qu'ai vist se debana l'obro
espantouso que, poudriéu pas, sèns blasfema, l'apela
d'un autre noum, sènte mi tressimàci que recou-
mençon.

En adusènt, dóu Radèu, lou Vibre dounta, sentiéu,
dins iéu, s'espandi rèn mai qu'uno grand recouneis-
sènço. Pensave qu'au dangié gara e au service
presta. Aro, tourna-mai, me reprene. Mau-grat tout
ço qu'éu me n'a di, sabe-ti, iéu, e pèr tant pau fugue,
de-qu'es aquel èstre? Sabe, iéu, emai fague moun
proun pèr, pièi, lis escriéure en li recatant, tóuti li
cop, bèn coume fau, dins ma tèsto —, sabe, iéu, ço
que volon dire, dins lou founs, pèr la majo-part, si
paraulo? Quau m'afourtis que countènon pas quauco

encore et que jamais je n'avais constatée, lorsqu'il se trouve libre à son ordinaire sur la manade et que je veux le saisir, je n'ai nul besoin, comme devant, de l'attirer au moyen d'un saqueton plein d'avoine ou de le capturer par surprise, en l'enveloppant d'un nœud coulant. Dès qu'il m'aperçoit, il s'arrête, la tête tournée vers moi, attendant paisiblement que je veuille passer à son cou la double corde de mon seden. Cette conduite d'un de nos camarguais entièrement sauvage jusqu'alors, émerveillera, j'en suis sûr, ceux qui connaissent assez bien le naturel farouche et défiant de cette race. Il se laisse seller et brider, désormais, avec plus de tranquillité que les autres chevaux de monture. Et je l'enfourche sans préparatifs ni précautions aucunes et sans plus de risques que si, lui ayant retiré du dos les *ensàrri*, il me prenait fantaisie d'enfourcher le vieux *Paon-Blanc*.

Voilà ce que j'ai vu, ce que j'ai expérimenté, ce que je sais. Voilà aussi ce qui m'obsède et me hante. Je possède toute ma raison, je l'affirme encore, mais si ce tourment me poursuit et dure, je ne sais comment tout cela pourra finir.

Sans doute, l'existence de la Bête et sa présence ici peuvent passer à elles seules pour de grands prodiges. Déjà pourtant, je commençais à les accepter,

163

encantacioun malastrouso ? Ai-ti pas de me remem-
bra la retenènço que me sentiéu d'en proumié, en
m'avisant d'aquelo espèci d'afiscacioun, d'aquelo
amistanço incoumprensiblo que, d'à-cha-pau, coume
uno enmascacioun, m'embulo lou cor ? Lou sabe
pas ; coume fariéu pèr lou saupre ? E ignore tambèn,
emai, veici quauque tèms, ague, fervourous, représ mi
preguiero e que, de-longo, me recoumande à mi Sant,
ignore se tout acò pòu ana sènso metre au dangié moun
amo. Car veici qu'ai leissa passa lou tèms di Pasco,
sènso me senti lou vanc de m'avança dóu Tribunau.
Parla de tout acò ? Nàni ; parié vuei coume au prou-
mié jour, sarié pas poussible. E n'ai, pamens,
pas lou front de prendre mi part dóu Sacramen,
sènso counfessa au Paire aquelo causo qu'aro me
doumino.

Dempièi lou jour que m'a gibla lou Vibre, emai de-
longo ague batu lou Riege, lis Enforo e l'Estang-
Redoun, jamai plus la Bèstio, davans iéu, s'es facho
vèire. Veici proun jour, adeja. Tau coume es vengudo,
belèu que s'es enanado, bousca liuen uno autro tengudo,
en leissant lou dre à moun amo de reprendre sa
soulitudo e sa pas. Eiçò, l'escrive em' un founs de
regrèt e de malancòni que, soulet, lou pode coum-
prendre.

164

je l'avoue, à sentir s'atténuer peu à peu les tourments dont, au début, elles étaient la cause abhorrée. Mais depuis que j'ai vu, de mes yeux, se manifester sa puissance, depuis que j'ai assisté à cette opération merveilleuse, à laquelle je ne saurais pourtant, sans blasphème, donner, quant à moi, un autre nom, je sens mes inquiétudes renaître.

En ramenant du radeau le *Castor* dompté, je sentais seulement monter en moi une immense gratitude. Je ne pensais qu'au danger écarté et au service rendu. Maintenant, j'ai, de nouveau, réfléchi. Malgré tout ce qu'il m'en a dit, sais-je vraiment, et si peu que ce soit, quel est cet être? Sais-je — bien que je m'efforce, pour les transcrire, de les graver chaque fois bien exactement dans ma tête — sais-je ce que signifient au fond la plupart de ses paroles? Suis-je bien certain qu'elles ne recèlent pas quelque dangereuse incantation? Ne dois-je pas me souvenir de la répulsion que j'éprouvai tout d'abord et me défier de cette sorte d'attachement, de cette inexplicable et imprudente tendresse qui, peu à peu, comme un sortilège, égare mon cœur? Je ne sais; comment saurais-je? Et j'ignore enfin, bien que, depuis quelque temps, j'aie repris fidèlement mes prières et ne cesse de me recommander à mes saints

165

De long-tèms, dounc, ai plus rèn vist. En-liò, ai plus
ges remarca de clavo fresco. Pèr me garda ges de
doute aqui dessus, ai penja à l'auto branco dóu
mourven, lou saquetoun plen de nose e de figo seco.
Res, aquest cop, n'a desfa lou liame. La Bèstio, es
de crèire, aura parti, mai sènte pas cala ma treboulino. Enveje, regrète e, tambèn, cregne; es acò, lou
mai, cregne.

Dóu jour terrible, qu'au mitan de la palun, pèr lou
proumié cop, davans iéu, se faguè vèire, moun amo,
en dedins, porto uno trevanço que me seguira fin-qu'à
moun darrié badai. Acò es ansin. Aro ma tèsto a coume
li sablas en fiò, que lou soulèu d'avoust i'emplano si
grand mirage.

De-que me fau crèire? Dempièi qu'emé lou dardai
de sis iue a crema li miéu, lou rebat di causo, dins iéu,
viro coume un trelus que se desfai e que danso.

De-bouco, segur, decelarai rèn. N'ai proun d'escriéure pèr me descarga, — dins lou poussible —,
dóu pes que m'arreno. Vaqui perqué, ai assaja de
recata proun estrechamen ço qu'ai remarca e tóuti lis
endevenènço, qu'à l'ouro d'aro, i'ai pres mi part.

Aro, me lou crese ansin; la Bèstio a parti. Tóuti
aquésti jour, ai mai cerca, ai plus rèn vist, rèn de-
founs. Se me vèn, pièi, rèn de marcant, es aqui

166

patrons, si tout cela peut aller sans grand péril pour mon âme. Car voilà que j'ai laissé se passer le temps des Pâques sans oser m'approcher du tribunal. Parler de tout cela? Non, aussi bien qu'au premier jour cela me serait impossible. Et je n'ose participer toutefois au sacrement sans avouer au père cette chose qui maintenant me possède.

Depuis qu'elle a soumis le *Castor*, bien que sans cesse je parcoure le Riège, les En-Dehors et l'Etang-Redon, jamais plus la Bête ne m'est apparue. Voici nombre de jours, déjà. De même qu'elle est venue, peut-être s'en est-elle allée chercher une autre retraite de par le monde, en laissant ainsi à mon âme le droit de reconquérir sa solitude et sa paix. J'écris ceci avec un sentiment de tristesse et de regret que, seul au monde, je puis comprendre.

Depuis longtemps, donc, je n'ai plus rien aperçu. Nulle part je n'ai plus relevé de claves fraîches. J'ai, pour ne conserver aucun doute à cet égard, suspendu à la branche haute du mourven le saqueton garni de noix et de figues sèches. Nul, cette fois, n'en a défait le lien. La Bête est partie, je pense, mais mon obsession ne cède pas. Je souhaite, je regrette et je crains, surtout, je crains.

*qu'aurai clava moun raconte, e pèr toujour. Que res
me n'en fague lou reproche. Pèr paure e embouious
que se coumprengue, m'a vuja, dins mi trebau, un
soulas qu'es pas de dire.*

*Me flate pas d'avé, pèr tau biais, esvarta tóuti mi
trevanço.*

*Mai un chale me vèn de me pensa que tant d'endeve-
nènço meravihouso que trevirèron un paure gardian
dins sa soulitudo, saran pas perdudo, coume bèn
d'autro, engoulido dins lis abime dóu tèms e qu'un
jour vendra, pièi, mounte un mai saberu que iéu e un
mai sàvi, en lis estudiant de liuen sènso esglariado,
saupra esclargi emai counèisse ço que moun nescige
soul, belèu, me tapo au jour d'uei.*

Depuis le terrible jour où, pour la première fois, elle m'est apparue au milieu de la roselière, mon âme garde une image qui me suivra jusqu'à mon dernier instant. C'est ainsi. Maintenant, ma tête est pareille à la plage en feu où le soleil d'août agite ses grands mirages.

Que croire? Depuis que le rayon de ses yeux a brûlé les miens, les lignes du réel sont en moi comme un reflet qui se déforme et qui danse.

De vive voix, certes, je ne veux rien révéler. Il suffit que j'écrive pour me délivrer — autant qu'il est possible — de cette charge épuisante. C'est pourquoi j'ai tâché de marquer, très fidèlement, ce que j'ai observé et toutes les circonstances auxquelles j'ai participé jusqu'à cette heure.

Telle est maintenant ma conviction: la Bête est partie. J'ai cherché, jusqu'à hier, encore, je n'ai plus rien vu, plus rien. Si, par la suite, nul événement notable ne se produit, c'est ici que j'aurai terminé mon récit, et pour toujours. Qu'on ne me le reproche pas. Quelque obscur et désordonné qu'il apparaisse, il m'a procuré, à travers mes inquiétudes, un indicible soulagement.

Je ne me flatte pas d'avoir pu, par un tel moyen, dissiper toutes mes alarmes.

Tout ço qu'aviéu vist, peravans, n'èro pas rèn. Tóuti lis endevenènço qu'ai countado, en partènt, coume espetaclouso, de moun proumié rescontre emé la Bèstio, podon passa pèr coumuno e coustumiero, à respèt dis autro mounte me siéu, despièi, devina.

Aquest cartabèu, dounc, lou reprene, pèr ié recata, tourna-mai, ço qu'es mestié e ié marca ço que me sèmblo necite de ié marca.

Fasié tres mes, peraqui, qu'aviéu rèn escri. Me cresiéu, aquest raconte que, de-bon, l'aviéu acaba. Cinq semano an passa, proumié, que, noun se poudié, mai tranquilouso. Noun pas qu'aguèsse pouscu coucha en plen la souvenènço d'evenimen tant descoustuma, e que, de-longo, mau-grat iéu, me secutavo. Mai aviéu bèu à furna, mau-grat que m'atenciounèsse, reüssissiéu plus à encapa, franc d'aquéli de mi bèstio, pèr païs, ges de clavo fresco.

Mais un apaisement me vient de penser que les
événements merveilleux qui troublèrent un pauvre
gardian dans sa solitude, ne seront pas perdus
comme tant d'autres, ensevelis dans les abîmes
du temps, et qu'un jour viendra où un plus savant
et un plus sage, les observant de loin sans épouvante, saura élucider et comprendre ce que, seule,
mon ignorance me voile peut-être aujourd'hui.

*Lou saquetoun, que, pèr tèms, m'encarave à lou teni
d'à-ment e pièi, à lou mai penja sus la memo branco,
se mantenié plen, fasié de jour, entre-sarra de-longo
dins li nous dóu liame e toujour garni 'mé si dou-
çuro.*

*Me refigurave qu'aquel èstre incouneigu, que
l'aviéu apela la Bèstio, avié, proubable, quita
l'encountrado e que la sesoun mai leno e fru-
chouso proun, ié permetié de trouva autro part, e
forço mai eisa, sa vido. M'estudiave à me i'apensamenti lou mens poussible, mau-grat qu'aquéu
mistèri m'empliguèsse à pau près coumpletamen la
memento.*

*Pèr assaja, en fin de comte, de me n'en desfaire en
plen, aviéu decida, proumié, de plus penja lou
saquetoun e d'arresta aquelo douno que, desenant,
servié plus de rèn e qu'èro tout-bèu-just bono pèr me
manteni dins l'óupilacioun, quouro, un matin, en
prenènt moun tour à l'acoustumado, desvistère lou
saquetoun que badavo, emé soun liame de jounc,
noun pas desfa, aquest cop, mai coupa, e lou toupin
de mèu que i'aviéu mes, cura e lis, coume se fuguèsse
esta lipa pèr lou lengau d'uno bèstio agroumandido.
Aquelo visto d'aqui me boutè proun en chancello,
lou mai que me fuguè impoussible, à l'entour de*

172

Tout ce que j'avais vu, auparavant, n'était rien. Toutes les circonstances que j'ai relatées dans la partie précédente comme merveilleuses, depuis ma première rencontre avec la Bête, peuvent passer pour ordinaires et coutumières, au regard de celles où je me suis, depuis lors, trouvé.

Je reprends donc ce cahier pour y rapporter, de nouveau, ce qui doit l'être et y noter ce qu'il me paraît nécessaire de noter.

Depuis trois mois environ, je n'avais plus rien écrit. Je croyais véritablement cette relation terminée. Cinq semaines, tout d'abord, se sont passées dans la tranquillité la plus complète. Ce n'est point que j'eusse pu écarter le souvenir des événements inaccoutumés qui, malgré moi, continuait toujours à me tourmenter. Mais malgré mes recherches et la plus constante attention, je n'arrivais plus à découvrir, hors celle de mes animaux, une seule clave nouvelle à travers le pâturage. Le saqueton que, de temps à autre, je

*l'aubre, de ges devina de clavo e nimai, fau dire, sus
tout lou bos.*

*Aquel atrouva, coume es de crèire, venguè revira
tóuti mi plan. Me despachère, lou meme vèspre, de
mai metre lou saquet au rode emé tout ço que ié pousquère acampa de bon, principalamen quàuqui pruno
seco e de counfituro de moust que m'avien mandado,
i'avié gaire de tèms, pèr un pescaire d'estang, mi
neboudo d'Arle. S'endevenié, pèr malur, just sout
lou mourven, uno mato de tepo raso qu'empachavo
i clavo de marca e qu'aujave pas la rascla, cregnènço
d'escalustra l'èstre que soun groumandige l'atrivavo
aqui. Moun idèio anavo, naturalamen, à-n-aquéu
que tant m'avié treboula dins la palunasso, mai
vouliéu n'èstre segur. De vèire lou saquetoun cura
d'aquéu biais, me leissavo un doute. E, pèr bèn dire,
en despié de ma retenènço, uno envejo me devourissié
de revèire la Bèstio, d'ausi tourna-mai l'estranjo
voues que me viravo lou sang e me boufavo un fiò
dins lou pitre.*

*Renjère dounc tout pèr lou miés. Quàuqui jour
à la filado, me fuguè pas poussible de reveni, que
vouliéu faire batre i bèstio la palun dóu Grand-
Couvin e que, d'aquest tèms, me falié teni à moun
travai.*

174

continuais à visiter et à suspendre à la même branche, demeurait intact depuis bien des jours, constamment serré dans les nœuds de son lien et garni de ses friandises. Je pensais que cet être inconnu que j'avais appelé la Bête avait dû quitter le pays et que la saison, plus clémente et fort abondante en fruits, lui permettait de trouver ailleurs et plus aisément sa subsistance. Je m'efforçais de m'y arrêter le moins possible, bien que son mystère occupât à peu près entièrement mon esprit.

Pour tenter enfin de m'en délivrer tout à fait, j'avais décidé, premièrement, de ne plus suspendre le saqueton et de supprimer cette offrande devenue, au demeurant, inutile et qui ne servait plus qu'à prolonger pour moi l'obsession, lorsqu'un matin, en accomplissant ma tournée habituelle, j'aperçus la besace tout ouverte, avec son lien de jonc, non point dénoué cette fois, mais rompu, et le pot de miel qu'il contenait parfaitement vide et sec, comme nettoyé par la langue patiente d'une bête. Cette constatation me rendit assez perplexe, car, autour de l'arbre, il me fut impossible de relever aucune trace de pas, non plus, du reste, qu'à travers le bois.

Une telle découverte, comme on pense, vint modifier mes projets. Je m'empressai, dès le soir même, de remettre le bissac en place avec ce que

*Autant bèn l'un coume l'autre, desenant, mountave
lou Vibre e Clar-de-Luno. Lou Vibre, dempièi la
sceno que l'ai repintado, avié, mai que mai, resta
soumés. Aviéu ges de doute que fuguèsse, ansin,
amansi pèr sèmpre. L'agantave, lou bandissiéu sus
la manado, l'agantave mai, sènso que, tant pau,
s'assóuvagiguèsse. Tout au contro, e tau coume l'ai
marca, entre que me vesié, s'aplantavo e, tambèn,
de-fes, s'avançavo de quàuqui pas à moun endavans
e, sènso faire ges de signe pèr escapa, se leissavo
estaca tranquile. Dóu tèms que, proun souvènt, me
fau engenia pèr groupa de chivau que porton la sello
i'a d'annado, aquest, tout mounta de fres coume èro,
se mantenié mai souple e forço mai franc que
Clar-de-Luno.*

*Tant-lèu que mi travai me n'en leissèron lesi,
tournère au bos pèr saupre de mounte li causo avien
vira. Aquest cop, trouvère mai lou saquetoun de
cura e la toupino netejado entre li dos telo. Tau
coume lou cop d'avans, emai me i'afeciounèsse,
noun pousquère destria lou mendre trafé. Pamens
en me cresènt, d'aquéu biais, de i'arriva, m'ère pres
siuen de grata e d'aplana la sablo au pèd de l'aubre,
i rode, à tout lou mens, que l'erbiho la tapavo
pas. Mai couneiguère que, pèr malastre, uno bèstio*

je pus y réunir de meilleur, entre autres quelques prunes sèches et de la confiture au moût de raisin qui m'avait été récemment envoyée au moyen d'un pêcheur d'étangs par mes nièces d'Arles. Il y avait, malheureusement, et juste sous le mourven, une touffe basse qui rendait difficile l'empreinte des claves et que je n'osais arracher, par crainte d'effaroucher l'être que les friandises attiraient. Je pensais naturellement à celui qui m'avait si fort épouvanté dans la roselière, mais je voulais en être certain. La vue du saqueton ainsi vidé me laissait des doutes. Et, à vrai dire, malgré mon appréhension, un grand désir me tenait de revoir la Bête, d'entendre à nouveau cette étrange voix qui bouleversait tout mon sang et faisait passer comme une chaleur dans ma poitrine.

Je disposai donc tout de mon mieux. Pendant plusieurs jours à l'affilée, il me fut impossible de revenir, voulant faire battre à mes bêtes le marais du Grand-Couvin et ne pouvant, en cette saison, négliger ma tâche.

Indifféremment, désormais, je montais le *Castor* et *Clair-de-Lune*. Le *Castor*, depuis la scène que j'ai décrite, avait gardé toute sa docilité. Je ne doutais point qu'il ne me fût soumis à jamais. Je le prenais, je le relâchais sur la manade et le reprenais, sans le voir témoigner de la moindre sauvagerie.

de bouvino, emai proun di grosso, se i'èro vengudo viéuta en trafegant sus la terro boulegado
coume, claramen, soun jas lou fasié coumprendre
à l'espandido de soun cors, emé si clavo e si
bouso fresco. Aguère bèu à furna e, mai dava-
lèsse dóu chivau pèr miés repassa au sòu tóuti li
mounto-davalo, veguère rèn que, tant pau, me coun-
tentèsse.

Mai moun envejo se fasié pougnènto, acò se coumpren. Prenguère dounc, sus lou cop, un biais tout
nouvèu e tirère un plan que, de lou teni, devié à moun
idèio, esclargi de-founs tout moun doute. Aquéu
jour d'aqui, vint-e-sèt dóu mes de mai, lou tèms se
mantenènt clar, mai pamens, l'intrado de la niue
estènt sèns luno, entre qu'aguère soupa bono ouro
d'un catigot de muge qu'aviéu cassa à la pouncho
dóu Lioun, anère prendre lou Vibre que, sus aquelo
estiganço, l'aviéu estaca à l'un di cacho-fais de
l'establoun. Après avé garni de fres lou saquetoun
emé de nose et de counfituro, lou carguère à la bricolo
e encambère lou Vibre à péu, pèr tira sus lou bos,
d'alin mounte fai deja proun jour, guèire aquéu
treva que me carcagno. Ai óublida en remarcant eici
coume s'es fa manse lou Vibre emai soumés à
l'estrème, ai óublida d'óusserva que jamai s'es

Tout au contraire et ainsi que je l'ai marqué, il s'arrêtait dès qu'il me voyait, et venait même parfois de quelques pas à ma rencontre et, sans un mouvement pour fuir, se laissait paisiblement attacher. Alors qu'il me faut bien souvent ruser pour m'emparer de chevaux portant selle depuis des années, celui-ci, bien que capturé nouvellement, était plus doux de beaucoup et plus souple que *Clair-de-Lune*.

Aussitôt que mes travaux m'en laissèrent le loisir, je revins au bois pour savoir en quel état se trouvaient les choses. Cette fois encore je découvris le saqueton vide et la toupine parfaitement nette entre les toiles. Comme précédemment, quelque peine que j'y prisse, je ne pus relever la moindre trace. Cependant, pensant y parvenir de cette manière, j'avais eu soin de gratter et de niveler le sable au pied de l'arbre, aux places, du moins, que nulle végétation ne recouvrait. Mais je reconnus que, par infortune, une bête de bouvine assez pesante, était récemment venue se coucher et trafiquer sur la terre remuée comme l'indiquait clairement son gîte par l'empreinte de son corps, ainsi que ses claves et ses bouses fraîches. Malgré mes investigations et bien que j'eusse mis pied à terre pour observer mieux le sol dans ses inégalités, je ne vis rien qui, si peu que ce soit, pût me satisfaire.

desrenja, memamen quand assajère, i'a just quàuqui
jour, de l'encamba à péu sènso sello, ço que, mai que
mai, chagrino li chivau jouine.

Aquest vèspre d'aqui, vouguère ansin faire. N'en
dirai, e proun lèu, lou pèr-dequé.

Partiguère dounc, coustejant li radèu à la chut-chut,
en me prenènt siuen de camina sus la fino listo de
sablo mouisso que n'en fai l'orle, pèr amourti lou
pas dóu Vibre, lou mantèu plega sus lou coui de ma
mounturo, dins ma man, rèn que moun bastoun de
gardo, à l'espalo, la courdello dóu saquetoun e, à la
pocho, moun coutèu d'Arle qu'es brave autant pèr
taia uno branco de mourven que pèr espeia uno vaco
morto, o pèr durbi la ventresco d'un loubatas viéu,
tau coume m'avenguè, en pleno pinedo d'Aigo-
Morto, i'a agu, d'acò, tres an just, à la fin de Janvié
passa. Pèr me pas faire signala, bèn entendu, m'ère
avisa d'embarra moun chin Rasclet, emé bèn de
siuen, dins ma cabano.

Après avé passa la Gaso de Nègo-Biòu, tant marrido
coume lou marco soun noum, mai que, jour pèr jour,
n'en trafegue li passage, m'arrestère à la pouncho de
Radèu-Long, pas bèn liuen dóu rode mounte tirave,
sautère au sòu d'aise, proun e, en avènt estaca li
cambo de davans au Vibre, 'mé lou liame d'uno

Mais ma curiosité se faisait ardente, on le comprendra. Je pris donc sur-le-champ une résolution toute nouvelle et tirai un certain plan dont l'exécution, me semblait-il, devait dissiper toutes mes incertitudes. Ce jour-là, vingt-septième du mois de mai, le temps étant clair, mais l'entrée de la nuit toutefois sans lune, ayant soupé de bonne heure d'un catigot de muges[36] que j'avais pêchés à la pointe du Lion, je pris le *Castor* attaché, dans cette vue, à l'un des piquets de la cabane. Après avoir chargé à nouveau le saqueton de noix et de confitures, je le pris en bandoulière et enfourchai le *Castor* à poil pour me diriger vers cet endroit du bois où, depuis tant de jours, déjà, je guette cette présence qui m'inquiète. J'ai omis, en signalant ci-contre la docilité du *Castor* et sa soumission extrême, d'indiquer qu'elle ne s'est pas même démentie lorsque j'entrepris, voici peu de jours, de l'enfourcher sans selle et à cru, ce qui est particulièrement insupportable aux jeunes chevaux.

Ainsi voulus-je faire ce soir-là. J'en dirai bientôt la raison.

Je partis donc, côtoyant les radeaux en grand silence, ayant soin de marcher sur l'extrême lisière de sable humide qui en forme tout le bord, pour assourdir le pas du *Castor*, mon manteau

entravo, desfaguère lou seden que i'aviéu renja en
mourraioun sus lou nas, coume es la modo quand
s'encambo à péu li mounturo e que li fau maneja
sèns brido e sèns mors. Coumtave que moun chivau,
ansin, manjarié tranquile e sèns s'escarta tout lou
tèms que sarié necite e, d'un autre coustat, sabiéu
proun que, dins li parage sóuvert, la visto d'un
chivau nus e bandi pèr aparènço n'èro pas pèr marca
presènço d'ome e que rèn de viéu, tant ferouge que
fuguèsse, se n'en poudrié escalustra. De tau biais,
m'èro poussible d'ista soul, sènso mena brut e libre
de resta sus plaço tant coume bon me semblarié car,
dins iéu, aviéu decida d'esclargi ço que regardave,
tourna, pèr mistèri: ère proun segur qu'aviéu pas
à faire en quauque animau, mai, s'èro la Bèstio,
coume s'engaubiavo pèr que noun veguèsse soun pas?
D'un autre coustat, s'èro un ome, qu'acò pamens me
lou cresiéu gaire, n'en vouliéu enfin faire provo e,
tant malastrous que fuguèsse tau rescontre, sabiéu
qu'emé moun calos e moun coutèu me n'en póutirariéu
à ma counvenènço. Acò fai qu'après avé renja lou
saquetoun coume fau e m'èstre, pièi, bèn plega dins
moun bernous, que l'umide entre lis estang, travessavo,
m'entrauquère, tant bèn que pousquère, dins un espés
de restencle, decida de pas boulega de moun espèro,

jeté sur le cou de ma monture, tenant en main seulement mon bâton de garde, à l'épaule la corde du saqueton et, dans ma poche, mon couteau d'Arles, aussi propre à tailler une branche de mourven qu'à dépouiller une vache morte ou à découdre le ventre d'un loup vivant, comme cela m'advint en pleine pinède d'Aigues-Mortes, il y eut juste trois ans à la fin de janvier passé. Bien entendu, pour ne pas risquer d'être trahi, j'avais enfermé *Rasclet*, mon chien, bien soigneusement dans ma cabane.

Après avoir traversé la Gase de Nègo-Biòu [37], si dangereuse comme l'indique son nom, mais dont, presque journellement, je pratique les passages, je m'arrêtai sur la pointe de Radeau-Long, tout près de l'endroit où je voulais tendre, sautai à terre assez doucement et, ayant lié le *Castor* par les jambes de devant avec une entrave, dénouai le seden que j'avais disposé en « mouraillon [38] » autour de sa tête, comme nous le faisons quand nous enfourchons à cru nos montures et que nous voulons les gouverner sans brides et sans mors. Je comptais que mon cheval, ainsi, brouterait tranquillement et sans s'écarter, aussi longtemps qu'il me serait nécessaire, sachant que d'autre part, dans ces solitudes, la vue d'un cheval nu et libre en apparence n'était pas faite pour signaler la

d'aqui que virèsse dóu miéu o que quauco-rèn d'im-
previst me n'en couchèsse.

Tau coume l'ai remarca, fresqueirouso, la niue
clarejavo, mai la luno, que, tout-bèu-just, venié
d'èstre pleno, devié pas resta bèn long-tèms de se leva.
Istère uno bono passado, tranquile au tout, qu'en-
tendiéu rèn boulega à moun entour, escoutant, alin,
lou sibleja di courreli, emai lou croua di becarut
proche entre lou chafaret di granouio à milo. L'oum-
bro fouscarino d'un aucelas que radavo bas, venguè
frusta, en s'esvalissènt, moun espèro. Urousamen
que m'ère avisa de me vira d'aut e sentiéu un soufle
menut e viéu m'alena sus lou carage, qu'autramen,
li mouissau en m'agarrissènt m'aurien fourça belèu,
que que faguèsse, de m'aboulega. D'à-cha-pau, la
feruno escoundudo que, souspresso, s'èro amatado
en m'ausènt veni, coumencè, tourna-mai, de trafega.
Dins uno mato de daladèu, entendeguère ras, un bon
moumen, uno bèstio proun grosso, aurias di, que
tafuravo. Mai me fuguè pas poussible de rèn destria.
Gaire après, pounchejè la luno. Veguère, tout-d'uno,
pèr bos, clareja e negreja pèr sòu que mai lis oum-
brino. Èro, aperaqui, sus li dès ouro e uno calamo

présence humaine et que nul être, même farouche, ne pouvait s'en épouvanter. De cette façon, il m'était possible de demeurer seul, silencieux et maître de rester en place autant que je le jugerais à propos. Car, en moi-même, j'avais décidé de pénétrer ce qui me paraissait un nouveau mystère : j'étais bien persuadé de n'avoir point affaire à un animal, mais, si c'était la Bête, de quel moyen pouvait-elle user pour me dérober ainsi son passage ? D'autre part, si, ce que je ne pensais point, c'était un homme, je voulais en avoir enfin le cœur net et, quelque fâcheuse que pût être la rencontre, je savais qu'avec mon bâton et mon couteau, je m'en tirerais à mon avantage. Voilà pourquoi, après avoir disposé le saqueton à mon ordinaire et m'être ensuite enveloppé avec soin dans mon manteau, car l'humidité de la nuit entre les étangs est fort pénétrante, je m'enfonçai de mon mieux dans un fourré de lentisques, déterminé à ne point bouger de cet affût jusqu'à ce que mon but fût atteint ou que les circonstances ne me missent dans l'obligation d'en sortir.

Comme je l'ai signalé, la nuit était fraîche et claire, mais la lune, déjà sur le point d'être pleine, ne devait pas tarder bien longtemps à se lever. Je

siavo s'espandissié dins la niue. *Pèr quant à iéu,
m'amatave sèns branda de-founs en retenènt mis
alenado e en m'engardant, mau-grat que mi cambo
s'endourmiguèsson, tant pau fugue, de mena brut.
Un grand béu-l'òli en cassant, se venguè quiha sus la
branco dóu mourven. Lou destriave coume au plen dóu
jour. Restè, uno passado, aplanta, en espinchant lou
saquet emé d'iue redoun, pièi, tout-d'uno, esglaria,
en siéulant, alarguè sis alo e founsè dins l'èr siau e
fousc mounte semblavo, en nadant, que s'enanavo.
Gaire après, un reinard se faguè vèire, souple, en
oundejant, ablanqui pèr lou cop de luno, s'enfusè,
lèri, au pèd de l'aubre ounte se boutè d'assetoun,
lou mourre en l'èr, en niflant coume li chin. Mai se
bandiguè, tout au cop, dins lou fourni, en m'avènt
signala, tau qu'es proubable.*
*Emai n'endurèsse, que li cambo coumençavon de
me peta, m'engeniave soulamen à pas branda.
Esperère encaro pièi uno bono passado sènso que
rèn mai avenguèsse. Lis ouro de la niue se debanavon,
marcado soulamen i murmur de touto meno que lou
bestioulun de l'espandido fai ausi à la calamo. A
moun entour, li broundiho dis óulivastre, di mourven
e di restencle, quitavon pas, à cop menut, de brusi e
de cracina. Mai ausissiéu rèn que n'aguèsson pouscu*

demeurai un bon moment, tout à fait tranquille, n'entendant rien absolument remuer autour de moi, écoutant, au loin, la modulation des courlis, le croassement des flamants proches, mêlés à la clameur innombrable des grenouilles. L'ombre indécise d'un gros oiseau chassant bas, vint frôler, en s'évanouissant, mon refuge. J'avais pris heureusement la précaution de me tourner vers le nord et je sentais doucement un souffle imperceptible et vif haleiner sur mon visage, faute de quoi les moustiques m'eussent assailli et forcé peut-être à me remuer malgré moi. Peu à peu, les êtres cachés que mon arrivée avait surpris et qui s'étaient tapis à mon approche, commencèrent de nouveau à aller et à venir. Dans un dalader voisin, j'entendis, un bon moment, fourrager une bête qui paraissait assez grosse. Mais il me fut impossible d'en rien distinguer. Peu après, la lune parut. Je vis s'éclairer le bois tout à coup et les ombres, sur le sol, devenir plus dures. Il était alors environ dix heures et une paix immense emplissait la nuit. Quant à moi, je demeurais parfaitement immobile, retenant mon souffle et me gardant, malgré l'engourdissement qui gagnait mes membres, de faire le moindre bruit. Un grand buveur-d'huile [39] en chasse vint se poser sur la branche du mourven. Je le distinguai comme au

s'escalustra d'auriho, coume li miéuno, acoustumado
de long-tèms i rumour di niue de la primo. En s'escou-
lant, lou tèms me semblavo qu'avié ges de fin.
Pamens, quauco-rèn de nòu se coumprenguè lèu.
Èro un pica sourd e recoupa que venié de liuen e
qu'aurias di lou pas de quauco bestiasso acaminado.
Semblavo, de-fes, que calavo, mai repartié mai sus
lou cop. Aquéu brut s'entre-crousè lèu em' un
patouiage regulié d'aigo e de bolo. Ausiguère pièi
lou fourfoui que fai un animalas en traucant dins
lou bouscage. Lou cor m'anavo, emai me douminèsse,
d'envejo e de despaciènci. Empougnère moun bastoun
e agantère bèn dins la man moun coutèu que, vague
à l'asard, lou teniéu dubert à la pocho. De moumen
à moumen, lou brut en ranfourçant, s'avançavo.
Aro, m'arrivavo ras e entendiéu un gros alen boufeja
à la niuechado, quouro i daladèu e li restencle li mai
proche en s'escartant, veguère, proumié, pouncheja
un grand parèu de banasso qu'un coutet negre ié
venié après e fuguè un de mi biòu que s'aplantè au
bèu mitan dóu relarg estré, qu'à l'orle, i'aviéu renja
moun espèro. La luno en clarejant, lou recouneiguère
eisa. Èro lou Bracounié, un tau crespela dóu su e
que venié de prendre si cinq an is erbo. Niflè uno
passado dóu coustat d'aut, virè sus lou larg uno

188

plein du jour. Il resta un long instant immobile, considérant le bissac de ses yeux ronds, puis tout à coup, comme épouvanté, avec un cri bref, ouvrit ses ailes et plongea dans l'air calme et laiteux où il sembla s'enfuir à la nage. Peu après, un renard parut, onduleux et doux, tout argenté par la lune, se glissa lestement au pied de l'arbre où il se mit sur son séant et le nez en l'air, flairant à la manière des chiens. Mais il se jeta brusquement dans le fourré, m'ayant éventé, sans aucun doute.

Quoi qu'il m'en coûtât, car mes jambes devenaient raides, je m'appliquai uniquement à ne point bouger. J'attendis un long temps encore sans que rien de nouveau se produisît. Les heures de la nuit passaient, marquées seulement aux rumeurs diverses que les êtres de l'étendue font entendre dans le silence. Autour de moi, les brindilles des olivastres, des genévriers et des lentisques ne cessaient, à coups menus, de bruire et craquer. Mais je ne distinguai rien qui pût inquiéter une oreille exercée de longue date aux rumeurs des nuits de printemps. Le temps semblait s'écouler avec une lenteur interminable.

Cependant, bientôt je discernai quelque chose. C'était un choc sourd et répété, encore lointain, mais pareil au pas d'une grosse bête en marche.

idèio, estoufè soun bram e partiguè mai dóu meme
trin, à soun aise, coume un animau que saup proun
mounte la naturo lou sono e qu'a pas besoun de cerca
sa vìo. Un moumen après, l'ausiguère que bourlavo
dins la gaso.

Aquesto visto m'avié pas trop estouna. Aviéu proun,
aquéu jour d'aqui, coume tóuti li jour, à l'errour
intrado, vira li bèstio sus lis Enforo, mai me pensère
que lou tau, d'aquesto sesoun que s'amourousis la
bouvino, avié nifla dins lou vènt la fourtour d'uno
vaco lèsto, bèstio souleto, esmarrado sus Bardouïno
o Cacharèu e qu'éu se triavo de l'escarrado, tira rèn
que pèr lou goust de la femello. Mai acabave pas de
me faire, dins iéu, talo remarco, qu'ausiguère lou
meme tarabast dóu coustat, just, que lou Bracounié
m'avié sourti. Faguè que repica en creissènt e uno
autro bèstio de bouvino venguè mai me trauca davans
à quàuqui cambado tout-à-peno. Mai coume s'escar-
tavo jamai dóu fourni e qu'en caminant, couchavo
si bano sus lou coutet, me fuguè pas poussible de la
counèisse. E me pensère qu'aquéu d'aqui s'enanavo
dóu meme las, en avènt senti dins la niue la memo
óudour calourènto.

Mai quand ausiguère e que veguère un animau tresen
segui li dous autre, — lou mai, qu'aquest cop, èro

Parfois, il paraissait s'interrompre pour reprendre tout aussitôt. Il s'y mêla bientôt un clapotement régulier d'eau et de vase. J'entendis vite ce froissement particulier que produit un corps volumineux en se frayant son passage à travers les branches. Le cœur me battait, malgré moi, de curiosité et d'impatience. Je serrai mon bâton et pris bien en main mon couteau que je tenais, par précaution, ouvert dans ma poche. D'un instant à l'autre, le bruit, progressivement, se rapprochait. Il arrivait tout près de moi maintenant, et j'entendais un gros souffle haléter dans l'air nocturne, quand, les daladers et les lentisques les plus proches s'étant écartés, je vis tout d'abord pointer une grande paire de cornes suivie d'une encolure noire, et ce fut un de mes taureaux qui vint s'arrêter au milieu de l'étroite clairière, en bordure de laquelle j'avais installé mon affût. A la clarté nette de la lune, je le reconnus aisément. C'était le *Braconnier*, un étalon crépu du frontal et qui venait de prendre ses cinq ans aux herbes nouvelles. Il flaira longuement vers le nord, appuya légèrement du côté de la largade, étouffa un court beuglement et reprit sa marche paisible en animal qui sait où l'instinct l'appelle et qui n'a pas à chercher sa direction. Un instant après, je l'entendis qui pataugeait dans la gase.

191

la Liouno, uno de mi vaco jouino —, quand n'en
coumtère, à cha uno, fin-que nòu, pièi que n'en
veguère passa rèn que d'un cop un escarradoun d'uno
dougeno, pièi que recouneiguère enfin dins l'estang
lou trepa couchous d'uno manado amaiado, me
pousquère pas teni e, tout en me rescoundènt lou
miés que poudiéu, me sourtiguère plan-plan de
moun espèro. N'en coumtère, au tout, dos cènt setanto
e quatre, tóuti di miéuno tau que lou pousquère cuba,
mai estènt que tène, à ma gardo, mái de tres cènt bèstio
sus lou Riege, es de crèire qu'en despié dóu clar de
luno me fugue engana, o que, belèu, quàuquis uno
aguèsson resta sus lou bos o aganta un autre camin.
Tóuti li que teniéu d'à-ment, semblavon, en s'enga-
sant, qu'enregavon uno routo bèn marcado. Camina-
von à pas regla e decidado, tau, coume lou matin,
quand li vire is abéurage o que, butado sus la palun,
niflon dins l'èr l'óudour dóu rousèu fres que verdejo.
Escoutère, atenciouna, un moumen, pèr èstre bèn
segur qu'avien passa tóuti, en pas voulènt, se n'en
seguissié mai darrié quaucuno, l'esfraia e ié faire
manca soun camin. Mai en entendènt, à la fin, plus
rèn veni, landère au rode mounte aviéu quita lou
Vibre que, tout entrava, s'avançavo en endihant,
dispausa à s'enana après la manado; en lou desfasènt,

Cette vue ne m'avait pas étonné outre mesure.
J'avais bien, ce soir-là, comme chaque soir au
crépuscule, rabattu les bêtes sur les En-Dehors,
mais je pensais que l'étalon, en cette époque où
ces animaux sont amoureux, avait flairé dans le
vent l'odeur d'une vache prête, bête solitaire
errant en maraude à travers Bardouine ou Cacharel
et qu'il ne se séparait du troupeau qu'attiré par
l'appât de la femelle. Mais je n'avais pas fini de
faire en moi-même cette réflexion, que j'entendis
le même battement se produire dans la direction
par où le *Braconnier* m'était apparu. Il ne fit que
se précipiter et s'accroître, et une autre bête de
bouvine vint se frayer un passage à quelques
enjambées à peine de moi. Mais comme à aucun
moment elle ne se détacha du fourré et couchait,
en marchant, ses cornes sur l'encolure, il me fut
impossible de la reconnaître. Et je pensai que
celui-ci allait vers le même but, ayant senti à travers la nuit la même odeur chaleureuse.
Mais lorsque j'entendis et que je vis un troisième
animal suivre les deux autres — d'autant que cette
fois, c'était la *Lionne*, une de mes jeunes vaches —
lorsque j'en comptai, l'une après l'autre, jusqu'à
neuf, puis que j'en vis passer d'un seul coup un
groupe d'une douzaine, puis que je reconnus enfin
à travers l'étang le piétinement pressé d'une

ié virère, à la precepitado, ma cordo pèr mourraioun
à l'entour dóu nas, pièi, en l'encambant, me boutère
à segui proun de liuen li biòu que li vesiéu, alin,
s'alounga dins l'estang l'un darrié l'autre. Retenguère
lou pas dóu Vibre pèr li leissa faire à soun aise, sènso
risca de li destourna en me fasènt vèire, segur, pamens,
que m'avien pas signala, acamina coume èron, tóuti,
souto vènt, en patusclant dins l'aigo e la bolo.
Èro lou Bracounié que li menavo. Se saup proun
qu'à l'acoustumado, li biòu sóuvage, entre éli, se
chausisson un baile, o à tout lou mens que, pèr tau,
recounèisson aquéu que se fai vèire lou mai vou-
lountous e lou mai carnassié dins li batèsto. Sabiéu
proun que lou Bracounié s'es rendu mèstre, aquest
printèms sus la manado, e m'estounave gaire de ié
vèire mena lou trin. Entre qu'aguè gasa e que pousquè
abourda sus lou ferme, balancè pas, coupè en trou-
tejant lou travès de la sansouiro emé touto la colo que
lou seguissié d'un meme vanc e intrè dins la Grand-
Palun que lou rousèu ié fouguejo e que lis aigo,
d'aquesto sesoun, se ié mantènon proun auto encaro.
Sabiéu bèn que, pèr la passa, emai à chivau fuguèsse,
me faudrié bagna, pèr lou mens, touto la loungour di
cambo. Mai me fasié gaire e aviéu pas soucit di
marridi fèbre, óupila coume ère de counèisse mounte

194

manade entière, je n'y pus tenir et, tout en me dissimulant de mon mieux, sortis doucement de ma cachette. J'en dénombrai en tout deux cent septante et quatre, autant que j'en pouvais juger, toutes miennes, mais comme j'ai à surveiller plus de trois cents bêtes sur le Riège, je pense avoir pu me tromper en dépit du clair de lune, à moins que les autres ne fussent demeurées sur les En-Dehors ou n'eussent pris un autre chemin.

Toutes celles que j'observais, en s'engageant dans la gase, semblaient suivre une sorte de route tracée. Elles cheminaient d'un pas égal et délibéré comme le matin, lorsque je les mène boire ou que, dirigées sur le marais, elles reniflent dans l'air le parfum des verdures fraîches.

J'écoutai attentivement quelques instants, pour être bien sûr qu'elles étaient toutes passées, ne voulant point, s'il en arrivait encore quelqu'une derrière, l'effrayer et la détourner de son chemin. Mais n'entendant à la fin plus rien venir, je courus à l'endroit où j'avais laissé le *Castor* qui, malgré son entrave, s'avançait en hennissant, tout prêt à rejoindre la manade et, le délivrant de son entrave, je lui tournai hâtivement ma corde en mouraillon autour du chanfrein, et, l'ayant enfourché, je me mis à suivre de très loin la file des taureaux que je voyais s'allonger à travers

aquelo aventuro nouvello me carrejarié. Vèire quàsi
touto uno manado apaïsado de long-tèms sus un
tenemen libre e vaste coume lou Riege, sènso èstre
de-founs butado ni desrenjado, remounta ansin au
pas de marcho en virant en aut en pleno niue, — acò
l'aviéu pas vist encaro e nimai ges de gardian, iéu
crese, dempièi que i'a de manado sout la capo dóu
soulèu. Sènso m'entreva de rèn autre, vouliéu saupre;
quau que fugue, à ma plaço, aurié fa parié. Passère
emé peno la Grand-Palun en me bagnant forço mai
encaro que me lou cresiéu; pèr encauso dóu founs
qu'es marrit e moui mai que mai, picave, à moumen,
dins de trau pourri que lou Vibre me n'en sourtié
just à grand cop d'esquino en s'amoulounant e en
nadejant. Es à-n-aquéu chivau que siéu esta devènt
de la vido dès cop, emai mai, dins lou courrènt
d'aquelo niuechado. Mai la visto, davans, di biòu,
qu'éu, ansin, se cresié de li courseja, escaufavo aquel
animau de nèr, tant voulountous e que se saup
póutira de mounte que fugue. Vouguère pas faire
long en cercant dins l'estang li passage ferme que
counèisse, pèr bèn segui de-longo l'endrechiero de
mi bèstio.

Au moumen qu'arrivave en terro e que me sourtiéu
de l'aigo, just se lou darrié biòu venié de s'emboursa

l'étang. Je modérais le pas du *Castor*, pour les
laisser faire librement, sans risquer de les détourner
en décelant ma présence, mais j'étais bien sûr
qu'ils ne la soupçonnaient point, tous acheminés
à bonne allure contre le vent et pataugeant à grand
bruit dans l'eau et la vase.

C'est le *Braconnier* qui les conduisait. On sait
assez que les taureaux sauvages, communément,
s'élisent un chef, ou que, tout au moins, comme
tel ils reconnaissent celui qui parmi eux se montre
le plus courageux au combat et le plus puissant.
Comme je savais que le *Braconnier* s'est fait roi,
depuis ce printemps, sur la manade, je n'étais point
étonné de lui voir mener le train. Sitôt qu'il eut
passé l'eau et qu'il put aborder en terre ferme,
il n'hésita pas, traversa au trot la largeur de la
sansouire, suivi par ses compagnons à la même
allure, et s'engagea droit dans le Grand-Marais
dont les roseaux sont épais, et où l'eau, en cette
saison, est assez profonde. Je n'ignorais pas que,
pour le passer, tout à cheval que je fusse, il faudrait
bien me tremper au moins de la longueur de mes
jambes. Mais peu m'importait et je n'avais nul
souci des mauvaises fièvres, enragé que j'étais à
connaître où cette aventure nouvelle me mènerait.
Voir une manade presque tout entière, habituée
dès longtemps à un pays vaste et désert comme

dins lou fort de tamarisso qu'encenturo, à-n-aquéu rode, la palun e m'arrestère, tant pèr leissa boufa ma mounturo, que pèr vèire miés à moun aise de mounte l'escarrado anavo tira.

Davalère dounc au bèu mitan dóu fourni e, en escartant la ramiho, m'avancère plan, barbelant de saupre, mai proun en chancello, qu'entendiéu un brut sourd e recoupa, coume lou brounsimen, aurias di, d'uno aigo que verso e que boundo. Me refigurère, au meme cop, que me venié tambèn uno espèci de siblejado.

Me pensant, proun emé resoun, que lou chafaret di respouscado, en passant la palun, m'avié pica is auriho e que n'en gardave lou resson, m'avancère, afeciouna, mai pamens, de-founs sènso cregnènço, en me prenènt siuen de manteni lou Vibre darrié e de me pas leissa vèire entre-mitan lou ramage.

Mai restère, de tout moun cadabre, palafica e sang-jala autant que, se sout mi pèd aguèsse bada la terro e qu'ausiguèsse i quatre cantoun de l'espàci, resclanti li troumpo dóu Jujamen.

Iéu, Jaume Roubaud, lou Grela, ai vist aquéli causo, is ourasso d'aquelo niue. Ai vist, proumié, en escartant li tamarisso que me tapavon la sansouiro, ai vist la vastour salancouso e lis estang siau que

celui du Riège, sans être aucunement guidée ni troublée, remonter ainsi au pas de route, vers le nord, en pleine nuit, cela ne m'était jamais advenu encore et, sans doute, à aucun gardian non plus, depuis qu'il existe des manades. Sans m'occuper d'autre chose, je voulais savoir. Quiconque, à ma place, en eût fait autant. Je passai difficilement le Grand-Marais, me mouillant plus abondamment encore que je ne l'avais prévu ; à cause du fond qui en est dangereux et particulièrement instable, je tombais, par instants, à travers des trous de vase dont le *Castor* me sortait à peine avec de grands coups de rein, en trébuchant et en nageant à demi. C'est à ce cheval que j'ai dû par dix fois la vie, au cours de cette nuit-là. Mais la présence devant lui des taureaux qu'il croyait, de cette façon, pour-suivre, échauffait cet animal plein de souffle et de courage qui sait se tirer de tous les pas. Je ne voulus pas m'attarder à chercher à travers l'étang les passages sûrs que je connaissais, afin de bien suivre à tout instant la direction de mes bêtes.

Comme j'arrivais sur le bord et que je sortais moi-même de l'eau, le dernier taureau venait de disparaître au milieu du fourré de tamaris qui ceinture à cet endroit le marais et je m'arrêtai, autant pour laisser souffler ma monture que pour

lusissien, alin, à l'acoustumado, dins lou clarun de
la luno. Mai tant-lèu, pièi, es éu, la Bèstio que, tout
trevira, ai couneigu. Nus e dre, se tenié aplanta au
mitan d'un d'aquéli tourradoun agermi de tepo raso,
que nautre ié disen d'auturo e, tout à soun entour,
uno mescladisso negro e vivo, de-longo viravo en
revoulunant. A l'agrat di cop de luno, vesiéu lusi
d'esquino, d'iue feroun e de pouncho fino. Touto la
bouvino sóuvajo de la Camargo, quasimen, devié
èstre aqui. E de moumen à moumen, de tóuti li
sourgènt de l'espandido, n'en vesiéu veni de chourmo
nouvello. Destriave, proumié, proun de liuen, uno
oumbro mouvedisso que se creissié en s'enfusant
sout la luno e, tout-d'uno, pièi, pareissié uno manado,
qu'en troutejant, sènso arrèst, mourre au sòu, tèsto
brandanto, se bandissié, à soun rèng, dins lou revòu.
Veguère mi dous cènt setanto biòu se ié perdre e
desparèisse coume l'aigo di gaudre de la mountagno
s'escoulo dins lou Rose e se ié found. E lou round, que
mai s'alargavo, e acò fourmavo à l'entour de la
Bèstio un grouün grumejant e sour, tau que lis
eissame dis abiho, quouro couchado de si brusc pèr
lou ruscle dóu printèms, s'entre-sarron, dirias, e se
pertocon dins un desvàri d'amour. E tant lèu coumprenguère qu'èro éu, la Bèstio que, dre sus lou mitan,

voir plus tranquillement où cette bande d'animaux se dirigerait.

Je mis donc pied à terre dans le fourré même et, en écartant les rameaux, je m'avançai avec précaution, ardent à savoir, mais indécis, car j'entendais un bruit inégal et sourd, pareil au bourdonnement soutenu d'une eau qui roule et déborde. Je crus, en même temps, percevoir une sorte de sifflement.

Pensant avec quelque raison que le fracas des éclaboussements m'avait assourdi pendant le passage du marais et se prolongeait dans mes oreilles, je m'avançais, curieux, toutefois sans nulle crainte, en ayant soin de maintenir le *Castor* derrière moi et de ne point me découvrir du milieu de ce feuillage.

Mais je demeurai figé dans mon corps et aussi glacé que si, sous mes pieds, la terre s'était ouverte et que j'eusse entendu, aux quatre points de l'espace, retentir les trompes du Jugement.

Moi, Jacques Roubaud, le Grêlé, j'ai vu ces choses pendant les heures de cette nuit-là. J'ai vu, premièrement, en écartant les tamaris qui me cachaient la sansouire, j'ai vu l'immensité saline avec les étangs immobiles qui, dans le lointain, brillaient à l'accoutumée, sous la clarté de la lune. Mais aussitôt après, c'est lui, la Bête, que dans mon saisissement,

*rèn qu'emé soun poudé, à soun biais, li mestrejavo.
Sentiéu qu'emé sa voulounta, dóu plus liuen, éu li
sounavo, li butavo pèr baisso e païs, ié boufavo dins
lou sang aquéu refoulèri que lis empourtavo.
D'aquéu trepeja feroun, la sansouiro, caucado,
semblavo un eiròu inmènse. Veguère mai arriva
quàuquis-uno di chourmo li mai tardiero. La
darriero pareiguè en venènt d'aut e, dins lou grouün
que viravo, emé lis autro, s'esperdeguè. Entendiéu
rèn qu'un bacelage de bato, un boufeja, un clica de
bano turtado. La luno, d'aquéu moumen, èro à soun
plus aut. Coume d'erseto, à boumb, lis esquino
beluguejavon. Forço bèstio semblavon que venien de
manado proun escartado. Couneissiéu, au passage,
dins un vira d'iue, rèn qu'i trelus dóu péu mouisse
que tubejavo, li que i'avié faugu gasa d'estang founs
o un di dous Rose.
De-longo e, sèns relàmbi, virejavon. Que mai rede,
semblavo, de moumen à moumen, que mai rede. En
aubourant soun bras, — tant mascara coume èro
e tant se —, la Bèstio, emé de signau viéu butavo
soun trin. Afoulido, se bandissien. En brassejant,
coume à cop de fouit, éu li secutavo. Dóu mai
s'abrivavon en virant e dóu mai lou round semblavo
se relarga, s'espandi à soun entour.*

j'ai reconnu. Debout et nu, il se dressait sur un de ces tertres plats couverts d'herbe rase que nous appelons des « autures » et, tout autour de lui, une énorme masse vivante et noire tournait en un incessant remous. Au hasard des coups de lune, je voyais briller des échines, des yeux ardents et des pointes lisses. La bouvine sauvage de la Camargue, presque en entier, devait être là. Et, d'instant en instant, de tous les coins de l'horizon, j'en voyais arriver des bandes nouvelles. Je distinguais d'abord d'assez loin une ombre mouvante qui croissait en se glissant sous la lune et, tout à coup, paraissait une manade qui en trottinant et sans arrêt, mufles bas, têtes ballantes, se lançait, à son tour, dans le tourbillon. Je vis mes deux cent septante taureaux s'y mêler et disparaître, comme l'eau des ruisseaux de la montagne se jette dans le Rhône et s'y confond. Et le cercle croissait toujours, et cela formait autour de la Bête une écume obscure et grouillante, pareille aux essaims d'abeilles, lorsque poussées hors de leur rûche par la force du printemps, elles se serrent et se pénètrent comme dans une ivresse d'amour. Et je compris aussitôt que c'était lui, la Bête, qui, debout au centre et, par sa puissance seule, à sa fantaisie, les maîtrisait. Je sentais sa volonté, du plus loin, les appeler, les pousser à travers la

E veici que, tout-d'uno, lou veguère bouta à si bouco quauco-rèn que lou coumprenguère pas bèn. Me semblè de recounèisse, pamens, un estrumen coume aquéu que se servon li cabraire. E, d'aquelo flahuto estranjo, sènso se chanja de soun rode e nimai de sa pousicioun, coumencè de tira sounado. Entre-ausi-guère, dins la rumour dóu bestiàri, uno musico aisso e feroujo que me revechinavo li nèr. Au proumié siécle, li bèstio, souspresso sus lou cop, s'èron aplantado, mai reprenguèron vanc tant-lèu, abrivado que mai pèr la mesuro misteriouso. Viravon en reglant sus elo soun ande, un cop en retenènt, quàsi au pas, un autre cop, pièi, en boumbissènt e s'enau-rant dins un galoupa menèbre e éu, coume lou cavalié que, sus un chivau abriva, ié plais de relarga o de reprendre li reno, semblavo que, carnassié, se coun-goustavo en empurant o en demenissènt sa coum-bour.

Ai vist aquelo aboouminacioun d'espetacle. L'ai visto se debana davans mis iue, un tèms qu'alor lou pousquère pas bèn cuba, mai que s'esperlounguè, segur, proun quàuquis ouro. La Bèstio flahutejavo e dardaiavon si vistoun. La musico, d'à-cha-pau s'èro reglado e la moulounado di biòu, aro, virejavo en troutant e embarravo l'auturo dins un ciéucle

plaine, leur souffler dans les veines cette frénésie
qui les emportait. Sous ce furieux piétinement,
la sansouire, foulée, ressemblait à une aire immense.
Je vis arriver encore quelques-unes de ces bandes
attardées. La dernière parut du côté du nord et,
dans la masse tournante, avec les autres, elle se
perdit. Je n'entendais qu'un bruit de sabots, un
halètement, un cliquetis de cornes choquées. La
lune était en ce moment au plus haut. Comme de
petites vagues, en bondissant, les échines étincelaient. Beaucoup de bêtes paraissaient venir de
manades éloignées. Je reconnaissais au passage,
dans un éclair, au reflet de leur poil moite et fumant,
celles qui avaient dû traverser les étangs profonds
ou l'un des deux Rhônes.

Toujours et sans répit, elles tournaient. Plus vite
semblait-il, d'instant en instant, plus vite. Le bras
levé de la Bête — si sec et si noir — avec des
signes brefs, hâtait leur train. Elles se lançaient,
effarées. De ses gestes, comme à coups de lanière,
lui, les harcelait. A mesure qu'elles tournaient
plus rapidement, le cercle semblait se dilater, se
lâcher autour de lui davantage.

Et voilà que je lui vis, tout à coup, porter à ses
lèvres un objet que je ne distinguai pas très bien.
Il me sembla reconnaître, toutefois, un instrument
comparable à celui des meneurs de chèvres. Et de

inmènse. Quouro la Bèstio, en fourçant la mesuro,
picavo sus la tepo emé sa bato, la manado espetaclouso se boutavo à galoupa. Aqui i'avié, de tout
segur, pèr lou mens, quàuqui milo de bèstio sóuvajo.
Un moumen venguè que la galoupejado calè plus.
Memamen, que mai anavo e que mai s'afoulissié.
E m'esperave, en tóuti li pas quàsi, de vèire s'embrounca e barrula pèr sòu aquéu troupelas de bèstio
arrenado.

Pèr quant à la musico, sariéu proun en peno de dire
ço que, just, me n'en venié. Un espaime demasia,
dóu coutet i taloun, me troussavo, quauco-rèn, en
passant, me cremavo la gorjo e lou vèntre. Sentiéu
moun esperit que tresanavo e ma car s'estavanissié,
coume se m'aguèsson poumpa tout moun sang. Mi
cambo, souto iéu, me flaquissien. Uno tressusour
d'angòni embugavo ma blodo de telo. E darrié, me
sentiéu, emé soun alen tèbe, lou Vibre desvaria que
rouncavo, de la pòu, ras de moun espalo.

Tout-d'uno, la Bèstio quitè de jouga, aussè lou bras
e la moulounado en s'arrestant round, partiguè mai
dóu meme vanc dins lou biais countràri. Tres cop
veguère aquéu revirage e, tant-lèu, pièi, la musico
ensucanto reprenié. Au moumen que lou troupelas
revoulunavo, li bèstio trepejado e butado, s'escalavon

cette flûte bizarre, sans changer de place ni d'attitude, il se mit à tirer des sons. Je perçus, dans la rumeur animale, une musique raide et sauvage qui me tordait tous les nerfs. Au premier appel, les animaux, brusquement saisis, s'étaient arrêtés, mais ils repartirent aussitôt, emportés plus fort par la mystérieuse cadence. Ils tournaient, mesurant sur elle leur allure, tantôt ralentissant presque au pas, tantôt bondissant et s'effarant à travers une brusque galopade, et lui, pareil au cavalier qui, sur un cheval bien lancé, se plaît à allonger ou à reprendre les rênes, semblait ressentir une joie cruelle à exaspérer ou à modérer leur ardeur.

J'ai vu ce spectacle abominable. Je l'ai vu se dérouler sous mes yeux un temps qu'alors je n'évaluai pas très bien, mais qui se prolongea certainement plusieurs heures. La Bête jouait de la flûte et ses prunelles étincelaient. La musique, insensiblement, s'était faite régulière et la masse des taureaux, maintenant, tournoyait au trot, en ceignant l'auture d'un orbe immense. Lorsque la Bête, forçant la cadence, frappait la terre de son sabot, la gigantesque manade se mettait à galoper. Il y avait là, certainement, plusieurs milliers de têtes de bétail sauvage. Un moment vint où le galop ne s'arrêta plus. De seconde en

*lis uno sus lis autro, rèn que pèr soun vanc. Esglaria,
me poudiéu pas teni d'espincha lou carage de la
Bèstio, enlusido à la grand clarour de la luno. Uno
joio dessenado l'enraiounavo. Un espèci de fió frejas
e misterious semblavo ié verdeja sus li poumeto emai
dins lou trau dis iue. Quouro, à moumen, s'arrestavo
de boufa, em' un rire afrous, vesiéu sa bouco, en
badant, que negrejavo.*

*S'èro mai groupado à jouga e chasco siblejado fasié
leidamen s'estira e retoumba la pelancho sus si costo
e soun davans. La mesuro, que mai vivo, rendié lou
galop que mai tresanant. Quàuqui bram rauquihous
e court partiguèron, bandi pèr de bèstio clavado dins
lou bourboui, 'mé quauque ranvers de bano. Dous
o tres cop, entreveguère la Bèstio que, sus sis anco
pelouso, en se bressant, s'aclinavo dis esquino e dóu
pitrau.*

*Es à-n-aquéu moumen d'aqui, que la luno en
coumplissènt sa virado, s'avaliguè sus lou couchant
quàsi touto au cop. Brandère pas. Veguère pan pèr
pan, à la sournuro, aquelo rodo de bèstio s'aplanta
e se desfaire tant-lèu. Veguère s'arroudela lis escarrado e, chascuno, sèns bataia, reprendre lou camin
de sa manado. Regardère s'acampa li miéuno emé
lou Bracounié en tèsto e s'engasa d'aise dins lou*

seconde, même, il devenait plus ardent. Et je
m'attendais, à chaque pas, à voir s'abattre et
s'emmêler sur le sol cette troupe de bêtes épuisées.
Quant à la musique elle-même, je ne saurais dire
ce qui, exactement, m'en parvenait. Une crispa-
tion insoutenable, de la nuque aux talons, me
raidissait, quelque chose, en passant, me brûlait
la gorge et le ventre. Je sentais frémir mon esprit
et toute ma chair tomber en faiblesse comme si
mon sang s'en était allé. Mes jambes, sous moi,
flageolaient. Une sueur d'agonie imbibait mon
sarrau de toile. Et, derrière moi, je sentais, de son
souffle chaud, le *Castor* qui ronflait de peur contre
mon épaule.

D'un coup, la Bête cessa de jouer, leva le bras, et
toute la masse, s'arrêtant net, repartit à la même
allure en sens inverse. Trois fois je vis ce change-
ment et ce geste et, sitôt après, la musique tortu-
rante reprenait. A l'instant où la masse revenait
sur elle-même, les animaux piétinés et poussés
se chevauchaient, de leur propre élan, les uns les
autres. Epouvanté, je ne pouvais m'empêcher de
contempler la face de la Bête, éclairée par la
grande lumière de la lune. Une joie frénétique la
transfigurait, une sorte de feu froid et mystérieux
semblait verdir ses pommettes et le creux de ses
orbites. Lorsque, par moments, elle s'arrêtait de

*moui de la Grand-Palun. Autant-lèu, pièi, emé lis
iue, cerquère la Bèstio, mai avié despareigu.
Acò fai qu'encambant à la lèsto lou Vibre trempe
autant coume iéu e que, coume iéu, tremoulejavo, partiguère tant vitamen que pousquère, l'amo dóu cors
trevirado e la fèbre dins lou sang. Entre arriva
à la cabano, bandiguère lou Vibre e m'alounguère,
ribla, sus ma brèsso, noun sènso m'èstre, proumié,
davans que de m'endourmi, tira sus moun bras
gauche, 'mé lou tai dóu coutèu, de sus en sus, uno
longo escaragnado.*

*Aquelo remarco, l'endeman, m'engardè de crèire
qu'aviéu sounja. Pèr n'èstre que mai segur, me
boutère à chivau e repassère à pau près tout lou
carré qu'aviéu fa la vèio. Reprenguère li clavo
miéuno enjusquo Radèu-Long, recouneiguère, en
passant, la mato esquichado ounte aviéu gueira ras
de l'aubre e, au bout de sa branco, lou saquetoun,
toujour plen, que pendoulavo. Coustejère la Grand-
Palun, faguère lou tour, remarquère lou trafé di
bèstio aqui mounte enintravo dins l'aigo e aqui
mounte n'en sourtié. De la man d'eila sus l'à-plan,
veguère, de-bon, à l'entour de l'auturo, un grand*

210

souffler, dans un rire affreux, je voyais se distendre sa bouche obscure.

Elle s'était remise à jouer et chaque modulation faisait hideusement s'enfler et s'abaisser sa maigre peau sur ses côtes et sa poitrine. La mesure plus rapide rendait le galop plus haletant. Quelques beuglements rauques et brefs partirent, poussés par des bêtes suffoquées ou poignardées dans la mêlée, de quelque revers de corne. A deux ou trois reprises, j'aperçus la Bête, sur ses hanches velues, en se balançant, incliner son torse.

Ce fut à ce moment que la lune, en suivant sa course, s'évanouit sur le couchant presque tout à coup. Je ne bougeai pas. Je vis distinctement dans la pénombre cette grande roue animale arrêter sa course et, tout aussitôt, se dissocier. Je vis les bandes d'animaux se reformer et chacune, sans hésiter, reprendre la direction de sa manade. Je regardai les miennes se rassembler avec le *Braconnier* à leur tête et s'engager lentement dans les fanges du Grand-Marais. Aussitôt après, du regard, je cherchai la Bête, mais elle avait disparu.

C'est pourquoi, enfourchant à la hâte le *Castor*, trempé et grelottant comme moi-même, je partis le plus rapidement que je pus, troublé dans mon âme et le sang en fièvre. En arrivant à la cabane, je remis le *Castor* en liberté et m'étendis tout

*round de terro caucado que se destacavo, escur e tout
d'un tenènt, sus lou gris de la sansouiro.*

*Restère pas forço, que lou frejoulun m'avié représ e,
tout en trantaiant dins ma sello, tremoulejave,
mau-grat que lou sang me brulèsse lou cadabre long
di veno. En anant recampa mi bèstio — que noun
lou pousquère faire que bèn tard, — lis encapère
escampihado sus l'orle dóu darriè bos, dóu coustat
de la Damisello. En li noumbrant emé forço atencioun,
me fuguè eisa de me rèndre comte qu'aquest cop,
n'i'avié ges de manco. Fuguère bèn fourça de
remarca que, pèr la majo part, èron anguielado emé
lou péu afali. Lou Bracounié, au large, aplanta,
semblavo s'amalandri e chaumavo. En m'avançant,
m'avisère que pourtavo souto la ventresco un cop de
bano e que la viando vivo, à l'entour, s'enverinavo
deja. Quand m'enanère en acampejant lis autre,
lou leissère libre de faire à soun plan e, sènso branda,
éu nous regardè prendre virado.*

*Iéu, tambèn, passère dous jour en plen sènso tasta
lou manja e devouri d'uno set que me cremavo. Mai
lou mau de moun cors èro pas gaire e lèu prenguè
fin. Es lou trànsi de moun amo emai lou pegin
qu'empouisounavon ma soulitudo. En pas me
poudènt resoudre à parla, me sentiéu uno crento qu'es*

212

rompu sur ma couchette, non sans avoir, pourtant, avant de m'endormir, tracé sur mon bras gauche, au moyen de la lame de mon couteau, une longue et légère estafilade.

Cette marque, le lendemain, m'empêcha de croire que j'avais rêvé. Pour en être encore plus certain, je me mis à cheval et refis à peu près tout le chemin que j'avais parcouru la veille. Je repris mes propres claves jusqu'à Radeau-Long, reconnus, en passant, la touffe froissée où j'avais guetté près de l'arbre et, au bout de sa branche, intact encore, mon saqueton qui pendait. Je côtoyai le Grand-Marais, fis le tour, relevai la piste des bêtes aux endroits où elle pénétrait dans l'eau et à celui où elle en sortait. Sur la sansouire, de l'autre côté, je vis réellement autour de l'auture un grand cercle de terre foulée, qui se détachait continu et sombre, sur la terre grise.

Je m'arrêtai peu, car la fièvre m'avait repris et, tout en vacillant sur ma selle, je grelottais, bien que le sang me brûlât le corps au long de mes veines. En allant rassembler mes bêtes — ce que je ne pus faire que fort tard — je les découvris, éparpillées sur la lisière extrême du bois, du côté de la Demoiselle. En les dénombrant soigneusement, il me fut

*pas de dire; pièi, mai pougnènto encaro qu'en
proumié, la pòu me couchavo. D'abord qu'aquel
espravant s'èro pas leva dóu Riege, me falié dounc
risca, en tout moumen, de me i'embrounca? En
avènt vist deja tout ço que se saup, me demandave
mounte enjusquo poudrien ana mis esglariado; pièi,
m'esfraiave, e aviéu pas tort, pèr ma tèsto, en pas me
sentènt de lis afrounta tourna-mai. Uno autro
frapacioun, tambèn, m'aclapavo. Me cresiéu, antan,
de l'avé dountado, mai la sènte, entre iéu, respeli
vióulènto que mai. Quau me pòu afourti qu'emé
moun criminau mutige, perde pas moun amo pèr
toujour? Ai vist, acò 's segur, un sabat de bestiau
sus la sansouiro; l'ai vist, l'autre, cambu coume un
bou, ié boufa sa coumbour endemouniado. Counfèsse
qu'aplanta dins l'escur e, d'acatoun, destimbourla
pèr tant d'espetacle, ai assaja un cop de mai lou
poudé di prègo e dóu signe dóu crestian. N'ai agu
ges d'efèt sus lou moumen, fau que lou digue; mai
es gaire après que la luno s'es afalido e que tout a
représ soun biais de naturo. Sabe plus de-que me
pensa. Noun lou sabe.
Mau-grat ço qu'en proumié aviéu decida, auriéu-ti
pas de tout dire? Que sèr que m'embule? La pas que
me prene eici en me counfisant n'es pas coumplèto.*

aisé de constater qu'il n'en manquait, cette fois, aucune. Je ne pus m'empêcher de remarquer que la plupart d'entre elles avaient le flanc avalé et le poil terne. Le *Braconnier*, à l'écart, immobile, semblait malade et ne cherchait pas à manger. En m'approchant, je m'aperçus qu'il portait sous le ventre un coup de pointe dont la blessure, tout autour, déjà s'enflammait. Lorsque je partis en chassant les autres, je le laissai libre de faire à sa guise et, sans bouger de place, il nous regarda nous éloigner.

Moi-même, je passai deux jours entiers sans goûter à la nourriture et tout dévoré de soif ardente. Mais le mal de mon corps était peu de chose et prit fin rapidement. C'est l'inquiétude de mon âme et le remords qui empoisonnaient ma solitude. N'ayant pas le courage de parler, je me sentais une grande honte ; mais plus cruellement encore qu'au début, la peur me hantait. Puisque cet être affreux n'avait pas fui le Riège, devais-je risquer, à tout moment, de le rencontrer sur mon chemin ? Ayant déjà vu tout ce qu'on sait, je me demandais jus qu'où pourraient aller mes épouvantes ; et je craignais justement pour ma raison, ne me sentant pas le courage d'en affronter de nouvelles.

Une autre frayeur, aussi bien, me dominait. Je croyais, jadis, l'avoir étouffée, mais au fond de

Tant de causo se soun passado que, de li prevèire, se
poudié pas. Me faudrié-ti pas demanda au Sant
Paire Abat de m'ausi au tribunau de la Penitènci e
aqui, umble e franc, tout ié debana?

Coume auriéu, pamens lou courage? Coume l'auriéu,
aro qu'is idèio que, dóu proumié jour, me retènon,
se n'en vèn apoundre uno autro que noun la pode
coucha?

Un cop ma counfessioun acabado, de tant de prepaus
espetaclous, me faudra-ti pas faire la provo? Van-ti
pas bousca la Bèstio? La secutaran, de tout segur.
La Bèstio? N'ai cregnènço, en couneissènt soun
poudé; elo sauprié se revenja, acò lou crese. Mai,
subre-tout, coume fariéu, pèr la vèndre? N'ai de
pieta. Adeja entènde li bram di couchaire pèr estang
e pèr radèu e li biéu di cavalié, estrementissènt la
calamo dóu Riege. Vese la casso, abrivado sus li
sablas de Mournés, se perdre dins lou mirage, dóu
tèms que lou vièi cadabre, en tabouscant, councha
de la fango dis estang, s'enfusara, courseja, d'uno
mato à l'autro. Iéu vese sis iue en ànci e si pàuri
cambo, qu'em' un tremoulun se jalaran. Acò se
pòu pas. Soul, de-longo e toujour qu'entre iéu bataie,
tout acò, me lou refigure que trop clar. Tout acò. La
Bèstio, à la fin, envirounado e pièi agantado e lou

216

moi, je la sens, plus fort que jamais, renaître. Comment être sûr que, par un silence coupable, je ne perds pas mon âme à jamais ?

J'ai vu, c'est certain, un sabbat de bêtes sur la sansouire ; j'ai vu l'être aux jambes de bouc les enivrer d'une ardeur démoniaque. J'avoue que, debout dans l'ombre et caché, alarmé de scènes si effrayantes, j'ai tenté, une fois encore, la vertu des prières et le signe du chrétien. Je n'en ai obtenu aucun effet sur le moment même, je dois le dire ; mais c'est peu après que la lune s'est évanouie et que toutes choses sont rentrées dans l'ordre de la nature. Je ne sais plus que penser. Je ne le sais.

Malgré ma résolution première, ne devrais-je pas tout dire ? Pourquoi me leurrer en vain ? La paix que j'ai trouvée à me confier ici n'est pas complète. Tant de choses se sont produites que je ne pouvais prévoir. Ne devrais-je pas demander au saint père abbé de m'entendre au tribunal de la pénitence et là, humblement, sincèrement, tout lui avouer ?

Comment oser cependant ? Comment oser, maintenant qu'aux raisons qui, depuis le premier jour, me retiennent, s'en ajoute une autre que je ne puis écarter ?

Ma confession faite, ne devrai-je pas prouver de si surprenantes allégations ? Ne va-t-on pas rechercher la Bête ? On la persécutera, c'est certain.

Paire Abat escounjurant aquéu mié-demòni dins lou souleias e lou mesquin miserable encourdela, bacela, belèu, rebala darrié li chivau jusquo l'Abadié. Pèr quant d'avanié, quant de suplice? Siéu pas counsènt, iéu, d'aquelo angòni. Mai que mai cregne lou reproche de si pàuris iue d'esglaria. Dóu jour qu'ai cala davans sa misèri, que i'ai pourta ajudo, qu'ai vist sus sa caro, davans mis iue, regoula de lagremo d'ome, mau-grat un descor, uno ourrour, qu'à-moumen, ié pode pas prendre lou dessus, carreje coume un mau, dins moun sang, soun amistanço. Coume fariéu pèr parla?

Vaqui lis idèio que, de-longo, dins iéu s'entre-baton, lou mai, desempièi la niue que veguère vira la rodo vivo, amaga dins li tamarisso, long la baisso dis Emperiau. Uno après l'autro, me despoutènton. Causo estranjo. Dóu mai, pèr la loungour dóu tèms, se fan vièio, e dóu mai prenon de poudé. Que iéu me taise? Mai tout vau-ti pas mai qu'aquéu trebau?

Pamens, de rebouli me fai gaire; es lou soucit de moun amo que soul, vuei, m'apensamentis. En entamenant lou cartabèu, afourtissiéu que, dins lou founs de tout acò, se poudié pas souspeta la maliço dóu demòni. N'en siéu bèn segur d'acò? Es-ti pas, de tout biais, moun devé de me counfisa à mi baile

La Bête ? Je la redoute, depuis que je connais sa puissance ; je crois qu'elle saurait se venger. Mais comment, surtout, la trahirais-je ? J'en ai pitié. J'entends déjà les cris de poursuite à travers les étangs et les radeaux, et les trompes des cavaliers troublant la grande paix du Riège. Je vois la chasse, au galop sur les sables de Mornès, s'enfoncer dans le mirage, tandis que le vieux corps en fuite, souillé de la fange des étangs, se glissera, traqué, de touffe en touffe. Je vois ses yeux d'angoisse et ses pauvres jambes qui, tout en tremblant, se raidiront. Ce n'est pas possible. Seul, toujours, toujours, à livrer bataille avec moi-même, je ne me figure que trop distinctement tout cela. Tout. La proie cernée enfin, et la prise, et le père abbé exorcisant ce demi-démon dans le soleil, et l'être misérable ligoté, frappé, peut-être, traîné derrière les chevaux jusqu'à l'abbaye. Pour quelle ignominie, pour quelle torture ? Je ne consens pas à cette agonie. Je redoute le reproche de ces tristes yeux épouvantés. Depuis le jour où je n'ai pu résister à sa souffrance, depuis que je l'ai secouru, que j'ai vu sur sa face, devant moi, ruisseler des larmes d'homme, malgré la répulsion et l'horreur que, par moments, je n'arrive pas à vaincre, je porte dans mon sang son amitié comme un mal. Comment parler ?

*esperitau en quau dève comte de mi pecat ? Vau, e
me sènte que mens capable de pourta mai de tèms uno
cargo que m'aclapo.*

*Moun secrèt, fau que lou largue. Coume que vague,
de mounte virara pèr aquel èstre, noun lou sabe, acò.
Mai iéu, tambèn, siéu-ti en risque de rèn ? En ausènt
lou raconte de ço que veguère à l'entour dóu Vacarés e
sus lou Riege, me regardaran, belèu, pèr bau o ende-
mounia. Tant miés, d'abord qu'es sus iéu que
retoumbaran li suplice. Li suplice ? Moun Diéu !
Quau saup se n'auran proun de m'embarra dins un
di croutoun de l'Abadié ? Li counèisse, li croutoun;
ié mouririéu. I'a la questioun, pièi; acò es uno
esprovo, dison, qu'es quàsi pas supourtablo e,
innoucènt qu'innoucènt, bèn gaire ié podon teni.
Innoucènt siéu. Sant Jaume, moun patroun,
m'assoustara. Chasque vèspre, lou prègue en aubourant la tèsto de-vers aquelo draio d'estello que porto
soun noum. Fau que parle. E, se me fan, pièi, passa
pèr masc ? Masc ? Just pèr avé vist ? N'en fau, proun
souvènt, pas mai. Quau noun se rapello lou cop
d'aquéu salinié...*

*Basto ! tout ço que voudran, pièi, que me lou fagon.
Fau que parle e parlarai. A-niue, tout aro, s'un cop
ai feni d'escriéure, m'anarai abouca davans la*

Voilà les pensées qui luttent sans cesse en moi-même, depuis cette nuit, surtout, où j'ai vu se mouvoir la roue vivante, caché dans les tamaris, près de la baisse des Impériaux. A tour de rôle, elles me possèdent. Chose étrange. Plus elles s'éloignent dans le temps et plus elles prennent de puissance. Me taire ? Tout ne vaut-il pas mieux qu'un tel tourment ?

Mais la souffrance ne m'est rien ; c'est le souci de mon âme, aujourd'hui seul, qui m'occupe. J'ai affirmé, en commençant ce cahier, qu'on ne saurait soupçonner la malice du démon au fond de ces choses. En suis-je certain ? N'ai-je pas, en tout cas, le devoir de me confier à mes maîtres spirituels à qui je dois compte de mes péchés ? Je vais et je me sens incapable de porter plus longtemps cette charge insupportable.

Il faut que je livre mon secret. Malgré tout, ce qu'il en adviendra pour cet être, je l'ignore. Mais moi-même, ne risqué-je rien ? En entendant le récit de ce que j'ai vu aux bords du Vaccarès et sur le Riège, on me prendra peut-être pour un fou ou un possédé. Tant mieux, puisque c'est sur moi que retomberont les tortures. Les tortures ? Mon Dieu ! Se bornera-t-on à me claustrer dans un des cachots de l'abbaye ? Je les ai vus ; j'y mourrais. Il y a la question, encore ; c'est une épreuve,

*pichoto crous qu'ai aqui, de penjado dins ma cabano
e qu'em' aquest libre de resoun fai pèr iéu tout ço que
moun sant ouncle m'a leissa sus terro: es de relicle,
acò, que, davans, ié poudriéu pas perjura. Dirai
de-bouco moun ate de countricioun, proumetrai ço
que fau, lou sènte bèn, qu'aproumete. E deman,
entre dejuna, tant-lèu qu'aurai repassa mi bèstio,
selarai lou Vibre pèr me rèndre à l'Abadié e faire
pleno e coumplèto ma counfessioun.*

*L'Abadié o la Vilo-de-la-Mar? Uno o l'autro. Vau
mai, belèu, l'Abadié.*

*Pèr quant à-n-aquésti pajo, quand n'aurai larga lou
secrèt au Paire, n'avendra ço qu'éu-meme jujara pèr
bon. Se lou coumando, lis estrifarai.*

*Partirai deman. A-niue, uno grand calamo, dins iéu,
davalo. Siéu mai que mai decida. Parlarai.*

Aquest 12 de Nouvèmbre.

*Ai pas parla. Tout l'estiéu em' un tros de l'autou-
nado, recoupon aquésti rego d'aquéli que vènon
davans. Se reprene mai moun raconte es que, revengu
de quàuqui jour sus lou Riege, sènte, tourna,
s'aboulega mi trebau.*

222

dit-on, presque insoutenable et à laquelle bien peu d'innocents eux-mêmes peuvent résister. Je suis innocent. Saint Jacques, mon patron, me soutiendra. Tous les soirs, je le prie en levant la tête vers cette voie d'étoiles qui porte son nom. Il faut que je parle. Et si l'on me traite de sorcier? Sorcier? Pour avoir seulement vu? Il n'en faut souvent pas davantage. Comment oublier l'histoire de ce salinier...

Eh bien! tout ce qu'on voudra, qu'on me le fasse. Il faut que je parle et je parlerai. Ce soir, tout à l'heure, lorsque j'aurai fini de tracer ces lignes, j'irai me prosterner devant la petite croix que j'ai là, suspendue dans ma cabane, et qui, avec ce livre de raison, constitue pour moi tout ce que mon saint oncle m'a laissé sur terre : c'est une relique devant laquelle je ne saurais parjurer. Je réciterai mon acte de contrition, je promettrai ce qu'il faut, je le sens, que je promette. Et demain, sitôt déjeuné, dès que j'aurai visité mes bêtes, je sellerai vite le *Castor* pour me rendre à l'abbaye et faire, pleine et entière, ma confession.

Vers l'abbaye ou la Ville-de-la-Mer? L'une ou l'autre. Mieux vaut l'abbaye, peut-être.

Quant à ces présentes pages, lorsque j'en aurai livré le secret au père, il en adviendra ce que lui-même jugera bon. S'il l'ordonne, je les détruirai.

Adeja, nous veici au jour dougen de Nouvèmbre.
Es à l'acoumençanço dóu mes de Jun qu'aviéu parti.
En avènt escri sus lou libre, tau coume s'es vist, ço
qu'aviéu d'escriéure, aquest vèspre d'aqui, m'ère ana
jaire. Leva l'endeman à pouncho de jour, coume ai
coustumo, n'aviéu desóublida ni la resoulucioun
qu'emé tant de vai-e-vèn l'aviéu presso, nimai lou
sarramen que me n'ère fa. Aquelo idèio, tout au
contro, èro estado la proumiero qu'en me revihant
m'avié lusi. E, de-bon, fasiéu moun proun pèr me
i'afourti. Se saup bèn que trop, de quant nòstis idèio
li vesèn, de-fes, revirado, quouro la som nous a
travaia. Aviéu fa sarramen : regretave rèn ; mai,
dins iéu, sèns voulé n'en counveni, me n'en siéu
rendu comte en me lou repassant pièi, ère dispausa
d'aculi tout ço que me poudrié permetre de me
retarda ounestamen pèr coumpli aquelo proumesso.
Moun treboulun de la vèio, lou sentiéu pas tant
pougnènt.

Autambèn, m'alestissiéu. Après avé bouta sello, ère
en trin, sènso fòrço goust, d'adouba moun tuio-verme
pèr pas m'enana lou vèntre prim à la Vilo-de-la-Mar,
que coumtave de ié vèire lou capelan davans que de
m'agandi à l'Abadié, quouro ausiguère moun chivau
qu'endihavo coume se se respoundié emé quauco

Je partirai demain. Ce soir, une grande paix descend en moi-même. J'y suis bien résolu. Je parlerai.

Ce 12 novembre.

Je n'ai pas parlé. Tout l'été et une partie de l'automne séparent ces lignes de celles qui les précèdent. Si je reprends de nouveau ces confidences, c'est que, revenu depuis quelques jours au Riège, je sens renaître toutes mes angoisses.

Nous voici déjà au douzième jour de novembre. C'est au début du mois de juin que j'étais parti. Ayant écrit sur ce cahier, comme on l'a vu, ce que j'avais à écrire, je m'étais, ce soir-là, couché. Levé le lendemain dès la pointe du jour à mon ordinaire, je n'avais oublié ni la résolution qu'après tant de combats j'avais prise, ni le serment que j'en avais fait. Cette idée, tout au contraire, avait été la première à se présenter dès mon réveil. Et je faisais mon possible, sincèrement, pour m'y confirmer. On sait trop combien nos idées, parfois, semblent modifiées quand le sommeil a agi sur elles. J'avais juré : je ne regrettais rien ; mais sans vouloir me l'avouer à moi-même, je m'en suis rendu compte, à la réflexion, plus tard, j'étais prêt à accueillir ce qui pouvait retarder honnêtement

225

*autro bèstio roussatino. Au meme cop, uno oumbrino
de cavalié se plantè davans la porto de ma cabano e,
tant-lèu, me desentaulère pèr vèire de que viravo.
Fuguère espanta, emai de proun, en recouneissènt
Bon-Pache, moun fraire que, tout en se desestrivant,
se boutè à rire e me demandè:*

— Alor, Jaume, vai, l'apetis?
*Ié quichère la man e de tout cor, emé mis iue dins
sis iue e moun autro man pausado sus soun espalo,
à la gardiano, qu'acò fasié de tèms que s'erian pas
vist e ié respoundeguère, emai n'aguèsse pas forço
envejo:*

— O, o, gramaci, tout vai bèn.

*— Pos acampa ti rabasto, venguè mai moun fraire,
veici, aro, que lou Paire vòu que menen ti bèstio pèr
li faire estiva à la Palun de Saumòdi, o, belèu, dins
un di pradas de la Coustiero.*

— Escouto...

*— I'a pas ges d'« escouto », lou sabes proun. Quand
lou Paire coumando, nous soubro just d'óubeï. N'en
saup mai que nautre, counèis l'interès di bèstio e,
pèr dessus lou marcat, es éu qu'es lou mèstre. Anen,
zóu, fai-me cacha un croustet, qu'ai i taloun l'aigo-
boulido qu'avalère bon matin avant de parti d'en
Pinedo.*

226

l'exécution de cette promesse. Je sentais moins cruellement toutes mes inquiétudes de la veille.

Cependant, je me préparais. Après avoir bouté selle, j'étais en train, sans grand appétit, de préparer mon premier repas pour ne pas partir à jeun vers la Ville-de-la-Mer où je comptais voir le curé avant de me rendre à l'abbaye, lorsque j'entendis mon cheval hennir, comme s'il répondait à quelque animal de son espèce. Au même instant, une ombre de cavalier s'arrêta devant la porte de ma cabane et je quittai aussitôt la table pour savoir ce qu'il en était. Mon étonnement fut assez grand en reconnaissant Bon-Pache, mon frère, qui, tout en mettant pied à terre, se prit à rire et me demanda :

— Alors, Jacques, il va l'appétit ?

Je lui serrai la main et de tout mon cœur, les yeux dans les yeux et l'autre main posée sur l'épaule, à la gardiane, car il y avait longtemps que nous ne nous étions vus, et je lui répondis, sans en avoir grande envie :

— Oui, oui, merci, tout va bien...

— Tu peux faire vite ton paquet, le père veut que nous emmenions tes bêtes pour les faire estiver, soit dans le marais de Psalmodi, soit dans l'un des grands prés de la Costière.

— Ecoute...

227

*Faguère asseta moun fraire à la taulo e dejunè coume
iéu, em' uno anchoio e uno cebo di cousènto, garnido
d'òli e de vinaigre, emai d'un tros de froumajoun de
fedo. Destapère, pièi, pèr ié faire fèsto, uno caieto que
ié counserve de gros age estoufa dins lou vin cue e
lou mèu. Dóu tèms qu'après soun manja éu se pau-
savo, alestiguère moun change emé tout ço que me
falié, mis engen pèr la pesco e pèr la casso, que n'en
cacaluchère dos banasto, en visto de n'en carga lis
ensàrri dóu Pavoun. E tant-lèu, pièi, après avé
abéura nòsti chivau e sarra li cengloun di sello, se
bouterian à batre lou bos à-de-rèng, pèr n'en sourti
tóuti li bèstio, que li voulian, proumié, recoumta, tau
coume n'es l'us tóuti li cop que l'on se sort d'un païs
pèr uno passado.*

*Pode pas faire coumprendre l'ànci cousènto qu'à-
n-aquéu moumen d'aqui, m'estranglavo. Tout en
anant d'uno mato à l'autro e en cassant, coume n'avèn
coustumo, en cas parié, de lou faire, dóu tèms qu'emé
l'aste tabasave la broundiho, « Oi! Hoho! Oi! » uno
idèio me tenié emai me lachavo pas. Èro lou devourimen, qu'en chasque pas prenié que mai d'ande, de
vèire tout à-n-un cop, parèisse e tabousca davans
li chivau acò qu'ère lou soulet de lou counèisse e
qu'aprendave tant que quaucun mai, 'mé sis iue,*

— Il n'y a pas d' « écoute », tu le sais bien. Quand le père nous commande, il nous reste juste à obéir. Il est plus savant que nous, il connaît l'intérêt des animaux et, de plus, il en est le maître. Allons, fais-moi manger un morceau, car j'ai dans les talons la soupe à l'ail avalée de bon matin, avant de partir de la Pinède.

Je fis asseoir mon frère à ma table où il déjeuna comme moi-même d'un anchois et d'un oignon fort, assaisonnés d'huile et de vinaigre, ainsi que d'un morceau de fromage de brebis. J'ouvris ensuite, pour le fêter, un bocal où je conserve de gros grains de panse confits dans le vinaigre et le miel. Tandis qu'après avoir mangé il se délassait, je préparai mes vêtements avec tout ce qu'il fallait, mes engins de pêche et de chasse dont je garnis deux corbeilles pour en charger les ensàrri du *Paon-Blanc*. Et sitôt après, ayant abreuvé nos chevaux et serré nos sangles, nous nous mîmes en train de battre avec soin le bois pour en faire sortir toutes les bêtes afin, d'abord, de les recenser, comme c'est l'usage lorsqu'on sort d'un pays pour quelque temps.

Je ne puis exprimer, à ce moment-là, combien vive était mon angoisse. En m'en allant d'une touffe à l'autre et en traquant, comme nous avons coutume, en pareil cas, de le faire, en criant tandis que, de

*l'entre-veguèsse. Autambèn, m'afeciounave à crida
tant fort coume poudiéu e à mena dóu plus liuen,
pèr radèu, forço tarabast. E aquissave moun fraire
pèr que faguèsse parié, emé l'entènto, dins iéu, de
signala ansin pèr bos lou cop d'uno voues e d'uno
persouno estrangiero.*

*— Crido, tu, ié veniéu ; aquéli bèstio soun marrido
pèr li destousca, en estènt de long-tèms agourrinido e
la voues de soun gardian li treviro plus.*

*Mai acò m'empachavo pas de ressauta dins ma sello,
tóuti li cop qu'uno bèstio, desrenjado, se sourtié tout-
d'uno en fourgougnant, de quauque espés de restencle
o de quauque mourven abouscassi. Me desfisave, lou
counfèsse, de moun fraire, un fin cat, qu'a lou cop
d'iue gardian e saup faire si remarco, segur trop que
n'ère de me recoupa, s'aguèsse vougu me questiouna,
e pas mai, sus de clavo que vole dire. Me demandè
rèn. Mai un cop la manado acampado au large,
tout en ié virant à l'entour pèr la manteni e recoumta
à noste aise, me diguè en fasènt la bèbo, sènso
m'aluca :*

*— De-bon, sabe pas de-que podon avé ti bèstio, mai
pèr la sesoun que sian e emé l'erbo que soubro, tron
de sort ! soun pas gaire bono. E tu, de-segur, auras
acassa li fèbre, que siés aqui se coume un os emé ta*

mon trident, je frappais les branches : « Oï ! Hoho !
Oï ! » une idée me tenait et ne m'abandonnait pas.
C'était l'inquiétude, à chaque pas renaissante, de
voir tout à coup apparaître et débouler devant
les chevaux ce que j'étais seul à connaître, ce que
je redoutais tant de laisser entrevoir à d'autres
yeux. Aussi avais-je soin de crier le plus fort que
je pouvais et de mener du plus loin, à travers les
radeaux, un grand tumulte. Et j'engageais mon
frère à faire de même, avec l'intention secrète de
signaler ainsi à travers le bois, et cette voix, et
cette présence étrangère :

— Crie, toi, lui disais-je ; ces bêtes ne sont pas
dociles à déloger, lorsqu'elles sont, dès longtemps,
acoquinées, et la voix de leur gardian ne les épouvante plus.

Mais je n'en sursautais pas moins dans ma selle,
chaque fois qu'une bête, dérangée, se dégageait
tout à coup, en fourrageant, d'un lentisque épais ou
d'une touffe de mourven enchevêtrée. Je craignais,
je dois l'avouer, la subtilité de mon frère, qui a
l'œil gardian et sait observer, trop certain que
j'étais de me troubler, s'il eût seulement entrepris
de m'interroger au sujet de certaines claves. Il n'en
fut rien. Seulement, une fois la manade rassem-
blée en terrain plat, tout en tournant autour
d'elle pour la maintenir et en faire le compte à

figuro de Ce-Omo. Lou Paire n'a pas tort, anen, de
vous faire un pau chanja d'èr.
Faguè rèn coumprendre autramen, franc qu'en nous
adraiant, remarquè, mai sènso avé l'èr de ié faire cas :
— *Digo, Jaume, m'es vejaire que s'ère que tu,*
tirariéu moun plan pèr manja de bràvi cambajoun,
en gardant sus lou Riege. Dèu èstre empouisouna de
gros porc-senglié, apereici.
Souspirère, emai de quant descarga me sentiguère,
en me pensant que Bon-Pache aurié pouscu, quàuqui
jour plus lèu, encapa li bèstio long de la raro, aflan-
quido e lasso e lou péu amechourli, sènso que me
venguèsse à biais de n'i'esplica l'encauso. Coume,
alor, acò aurié vira? Me sentiéu soulaja, tambèn,
d'un autre biais, mai sènso voulé, fuguèsse que dins
iéu, n'en counveni. Car tout en m'avesinant de
l'Abadié, aquéu cop de partènço me forçavo de
remanda liuen moun counfessa.
Lou vèspre dóu meme jour, nosto manado intravo
sènso entramble e au coumplèt, dins un païs vaste
que ié dison lou Courrejau e la quiterian dins li
man de dous gardaire carga de l'acoussouna, valènt-à-
dire de la teni d'amoulounado au rode vougu touto
la niue, dóu tèms qu'emé moun fraire, anavian cerca
couchado i cabano dóu Galejoun.

232

notre aise, il me dit, l'air mécontent, sans me
regarder :

— Je ne sais vraiment pas ce que peuvent avoir
tes bêtes, mais pour la saison et avec l'herbe qui
reste, nom de sort ! elles ne sont guère grasses.
Et toi, c'est sûr, tu auras attrapé les fièvres, car
te voilà maigre comme un os, avec une figure
d'Ecce-Homo. Le père n'a pas tort, allons, de vous
faire un peu changer d'air.

Il ne dit rien autre de particulier, sauf qu'en nous
en allant, il remarqua, sans paraître y attacher
d'importance :

— Dis donc, Jacques, j'ai idée qu'à ta place, je
m'arrangerais pour manger de fameux jambons,
si je gardais les taureaux sur le Riège. Ce doit être
infesté de gros sangliers, par ici.

Je respirai et combien je me sentis soulagé en pensant
que Bon-Pache aurait pu, quelque temps plus tôt,
trouver les bêtes sur la lisière, efflanquées de fatigue
et le poil hérissé, sans que je fusse en mesure de
lui en dire la cause. Qu'en fut-il advenu, alors ? Je
me sentais soulagé aussi, mais sans vouloir même
secrètement en convenir, d'une autre manière,
car bien que me rapprochant de l'abbaye, ce
départ imprévu m'obligeait à différer mon aveu.

Le soir même, notre bétail entrait, sans encombre et
au complet, en un herbage vaste appelé le Courrejal

233

*Farai pas, eici, lou raconte de moun estiéu, que si
vai-e-vèn n'an rèn à vèire emé li causo qu'aquest
raconte d'eici n'a pres vanc. Li mesado d'estiéu, pèr
un gardo-bèstio, d'un an à l'autre, se sèmblon tóuti.
Tout se ié debanè dounc à la modo e segound l'us
coustumié di causo de la bouvino. Mai que d'un cop,
pèr ordre dóu Paire, nous fauguè mena de biòu i
vilage pèr li faire courre sus li plaço dins de round
de carreto, i jour festenau. Ansin faguerian à
Eimargue, au Queilar emai à Galargue-sus-l'Auturo. Se saup proun lou foulige que buto à-n-aquélis
amusamen lou mounde dins nòsti parage. A la viloto
de Vau-verd, un ome ié leissè la vido.*

*Coume que n'en vague, au regard di remèmbre espe-
taclous qu'aviéu carreja 'mé iéu dóu Riege, dirai que,
sènso lis óublida de ges de modo, li sentiguère, en me
chanjant de païs, mai que mai se demeni e dins lou
trin que menave, au travai e mai dins lou mounde,
quitèron d'èstre, coume davans, uno cargo de-longo
e un devourimen d'óupilacioun: en vesènt moun
trebau descrèisse, me regardère pas tengu tant just
pèr uno proumesso que me semblavo, pièi, destem-
pourado, sènso renouncia pamens la voulounta,
dirai, proun flaco, de me ié soumetre, pièi, plus tard.
Mai aro, en me vesènt liuen de la mau-parado, en*

où nous le laissâmes aux soins de deux gardeurs chargés de l'« acoussouner », c'est-à-dire de le maintenir sur place, en groupe serré, pendant la nuit, tandis que mon frère et moi allions coucher aux cabanes du Héron.

Je ne raconterai pas ici mon été, dont les circonstances n'ont rien à faire avec celles qui motivent ce récit. Les mois de l'été, pour un gardian, d'une année à l'autre, se ressemblent. Tout s'y passa donc à l'ordinaire et selon l'usage coutumier des choses de la bouvine. Plusieurs fois, par l'ordre du père, nous dûmes mener de nos taureaux dans les villages, pour les faire courir sur les places dans des enceintes de chars rustiques, à l'occasion des réjouissances. Ainsi fîmes-nous à Aimargues, au Cailar et à Gallargues-le-Montueux [40]. On sait quelle frénésie pousse à ces divertissements les gens de tous nos pays. Au bourg de Vauvert [41], un homme y laissa la vie.

Quoi qu'il en soit, au sujet des étranges souvenirs que j'avais emportés du Riège, je dois dire que, sans les oublier aucunement, je les sentis, en changeant de lieux, singulièrement s'affaiblir et, dans une vie active et moins solitaire, cesser de devenir comme auparavant, une continuelle et insoutenable obsession ; en voyant diminuer mon tourment, je me crus moins étroitement lié par

*me plus trouvant embourbouia is evenimen que me
secutavon e la pas en venènt souleto, me sentiguère
plus lou besoun de la bousca. Leissère, bèn entendu,
coumprendre en res ço qu'aviéu agu de vèire e ço
que m'èro avengu. Voulountié me figurère que
quauque afebrimen de ma tèsto, pèr mau di palun
o tout autre, avié pouscu me vira à m'empouisouna
dóu pegin e à crèisse ansin ma malamagno. En
m'enanant à chivau 'mé mi coumpagnoun, me
sentiguère plus treva qu'à moumen pèr tau fantaume
e aviéu espèr qu'en rintrant eici pèr l'ivernage, me
n'en veiriéu deliéure en plen.*

*Me veici dounc de retour. En mai me retrouvant
soulet, retrove, tambèn, moun trebau. Car, n'ai pas
pouscu me teni, en repassant li trau d'abéurage, coume
moun travai lou coumando, d'espincha lis alentour
pan pèr pan. La Bèstio a pas parti. A la pouncho de
l'Estang-Redoun, sus la raro, à levant dóu Radèu
de l'Aubo e sus Radèu-Long, i'a de clavo. Ai cregnènço de la revèire. Rèn que l'idèio de la rescountra
me fai ferni de la pòu, mai, tambèn, de l'envejo e de
l'impaciènci.*

*Dève marca qu'ai perdu moun bèu Bracòunié. Es
mort dins la palun de Saumòdi, tres semano, lou mai,
après nosto arrivado. A quita de manja e, pres*

une promesse que je jugeai, dès lors, tout au moins prématurée, sans abandonner pourtant l'intention, du reste assez vague, de m'y conformer un peu plus tard. Mais étant à présent loin du péril, ne me trouvant plus mêlé aux événements qui me tourmentaient et la paix venant toute seule, je n'éprouvai plus le besoin de l'aller chercher. Je ne laissai, bien entendu, soupçonner à personne ce que j'avais pu voir et ce qui m'était advenu. Je me plus à me figurer qu'une disposition fiévreuse de mon cerveau, due au mal des marais ou à d'autres causes, m'avait porté à m'empoisonner de remords et accroître ainsi mes propres angoisses. En chevauchant avec mes compagnons, en accomplissant ma tâche, je ne fus plus visité que de temps en temps par ces fantômes et j'espérais qu'en rentrant ici pour l'hivernage, je m'en sentirais délivré complètement. Me voici donc de retour. En me retrouvant dans ma solitude, je retrouve aussi mon tourment. Car je n'ai pu m'empêcher, en visitant les abreuvoirs, comme mon travail l'exige, de scruter l'alentour attentivement. La Bête n'est pas partie. A la pointe de l'Etang-Redon, sur la lisière au levant du Radeau de l'Aube et à travers Radeau-Long, il y a des claves. Je redoute de la revoir. L'idée de la rencontrer me fait trembler de terreur, mais aussi de désir et d'impatience.

d'anequelimen, a segui de pau à pau en s'entre-
secant. En l'espeiant pèr l'entarra, ai vist que lou
cop qu'avié tira, i'avié fourma dins lou vèntre un
apoustèmo. Vaqui, à la Bèstio, ço que ié dève, acò,
sènso coumta moun pegin e mi treboulèri. E pamens,
rèn que d'avé entre-vist si clavo, entènde plus sus
lou Riege lou silènci dóu desert.
Me vau manteni, aro, dins la cregnènço e l'espèro e
sènte proun que me roudejo mai à l'entour, toujour e
de-longo, aquéu foulige que me cresiéu bèn soulide,
pèr sèmpre, de l'avé coucha.

Aquest 18 de Nouvèmbre.

L'ai visto. Tourna, l'ai visto.
Lou tèms se mantenié proun dous e siau enjusqu'aro,
mai fai cinq jour que lou vènt dóu levant boufo à
rounflado. Un levant bramaire e jala que rebalo
amoundaut de nivoulasso; crebaran entre que la
ventoulado calara.
Adusiéu, de-matin, lèu-lèu, la manado dis Enforo,
pèr la mena à la calo dins lou bos, quouro, au moumen
just que traucave au mitan di proumiéri mato dóu
Radèu de l'Aubo, lou Vibre, de dessouto iéu, a

238

Je dois noter que j'ai perdu mon beau *Braconnier*. Il est mort dans le marais de Psalmodi, trois semaines environ après l'arrivée. Il a cessé de manger et, pris de langueur, est allé en se desséchant.peu à peu. En le dépouillant pour l'enterrer, j'ai constaté que le coup qu'il avait reçu lui avait occasionné dans le ventre un apostème. Voilà ce que je dois à la Bête, cela, sans compter mes tortures et mes remords. Et pourtant, d'avoir seulement aperçu ses traces, je n'entends plus sur le Riège le silence du désert.

Je vais vivre, maintenant, dans la crainte et dans l'attente ; et je sens bien qu'elle rôde de nouveau autour de moi, toujours et encore, la démence que j'avais pourtant bien fermement cru chasser.

Ce 18 novembre.

Je l'ai vue. Je l'ai revue.

Le temps se maintenait assez doux et calme jusqu'à présent, mais depuis cinq jours, le vent du levant souffle en tempête. Un vent beuglant et glacé qui culbute dans le ciel de pesants nuages ; ils crèveront sitôt que la bourrasque s'arrêtera.

Je ramenais ce matin, en hâte, la manade des En-Dehors, pour la conduire à l'abri du bois,

boumbi. Au vanc de soun escart, au tramble que lou brandussavo sus si quatre cambo, ai coumprés que, ras, elo devié èstre aqui. E, tant-lèu, l'ai desvistado, entre-amagado souto un daladèu. M'espinchavo em' aquel iue ferouge e cregnènt que i'aviéu remarca dins noste proumié rescontre e semblavo pas, defouns, que me couneiguèsse. Avié perdu mai que mai e, à rode, soun cors n'èro plus qu'uno orro carcasso. Sus si gros os, aro, la pèu seco semblavo arrapado. Se tenié entre-plegado, emé lou pitrau tout esquicha. E dins la fàci fousco e frounsido, rèn mai se vesié que lou trau dis iue, ounte, mourtinello, uno flamour bataiavo. Tout lou cadabre cridavo de l'avanimen e de la misèri, talamen, que mau-grat moun descor m'estransiavo. Sis iue planta sus iéu, fisse e bestiau, flamejèron, tout-d'uno, desvaria, coume li dóu gibié clava que se vèi, sènso revenge, i man dóu cassaire, pièi la Bèstio aguè un ressaut e, rede, desvirè la tèsto à-rèire, coume se s'aprestavo à se leva de davans. Mai faguè qu'un souspir e veguère soun arpo seco que s'arrapavo à soun pitre afrous. Restavo aplantado. Uno idèio me trevirè. Furnère dins moun saquetoun pèr ié cerca de mangiho, mai en partènt de suito après dejuna, que coumtave de rintra entre li bèstio acampado, aquéu

240

lorsque, au moment même où je m'engageais entre
les premières touffes du Radeau de l'Aube, le
Castor, tout à coup, a bondi sous moi. A la force
de son écart, au tremblement qui le secouait sur
ses quatre pattes, j'ai compris que, toute proche,
elle devait être là. Et aussitôt je l'ai aperçue,
tapie à demi sous un dalader. Elle me considérait
de cet œil farouche et craintif que je lui avais vu
à notre première rencontre et ne paraissait nulle-
ment me reconnaître. Elle avait maigri extrêmement et, par endroits, son corps n'était plus qu'un
affreux squelette. Sur ses gros os, maintenant, la
peau sèche semblait collée. Elle se tenait affaissée
sur elle-même, le torse tout rétréci. Et dans la face
hâve et plissée, on n'apercevait plus que les
orbites où agonisait une flamme morne. De tout
l'être sortait un aveu de misère et de faiblesse qui,
malgré mon dégoût, me serra le cœur. Les yeux
arrêtés sur moi avec une fixité bestiale, jetèrent
tout à coup une lueur hagarde comme ceux de la
proie blessée qui se voit, sans défense, à la merci
du chasseur, puis la Bête eut un sursaut et, d'un
brusque mouvement, tourna la tête en arrière,
comme si elle s'apprêtait à fuir. Elle soupira
seulement et je vis sa main sèche se crisper sur son
affreuse poitrine. Elle demeurait immobile. Une
idée m'émut. Je fouillai mon sac pour y chercher

jour d'aqui, aviéu rèn pourta. Uno grand pieta
m'abouleguè.

— As fam ? As fam ? Digo.

La Bèstio brandè pas. Se countentè de me planta
dessus un regard en plen abestiali, perdu dóu nescige
e de la cregnènço. Aurias pouscu crèire que jamai
m'aguèsse pas vist.

Alor, sènso balança, virère moun chivau e, dins li
rounfle, partiguère, à galop, vers la cabano. Lou
tèms, mai que mai, se fasié bas; la mar grisasso,
en boufant, salivavo long de la costo. Aviéu clava
mis esperoun dins lou vèntre dóu Vibre. Barbelant,
sentiéu, dins iéu, un desvàri qu'em' aquéu tèms de
malastre fasié que crèisse. En arrivant à la cabano,
sènso me prendre lou tèms de lou plega, agantère un
pan d'uno liéuro e cougnère, à bóudre, dins moun sa,
de nose e de poumo. Partiguère tant-lèu dóu meme
vanc, mai en m'avançant dóu radèu, faguère plan
pèr pas pourta esfrai à-n-aquéu, just, que lou vouliéu
secouri. Peno perdudo. La Bèstio s'èro esvalido.

Assajère proun de la cerca e butère moun chivau à la
devinaio au mitan di mourven e di restencle; en
avènt rèn trouva d'aquéu biais, tournère au rode
mounte l'aviéu, proumié, desvistado e, pèr miés re-
prendre soun trafé, davalère, mai lou perdeguère

242

quelque vivre mais, parti après déjeuner, certain de rentrer aussitôt mes bêtes rassemblées, je n'avais, ce jour-là, rien emporté. Une grande pitié me saisit.

— Tu as faim? tu as faim? Réponds.

La Bête ne bougea pas. Elle se contenta de fixer sur moi son regard tout animal, fait d'inintelligence et de crainte. On eût pu penser qu'elle ne m'avait jamais vu.

Alors, sans hésiter, je tournai mon cheval et, sous les rafales, partis vers la cabane, au galop. Le ciel, de plus en plus, se faisait bas; la mer grise, en bondissant, salivait le long de la côte. J'avais mis les éperons dans le ventre du *Castor*. Impatient, je sentais en moi-même un désespoir qu'augmentait ce temps de désastre. En arrivant à la cabane, sans prendre le soin de l'empaqueter, je saisis un pain d'une livre et bourrai mon sac de noix et de pommes. Je repartis aussitôt à la même allure, mais en approchant du radeau, je ralentis pour ne pas porter épouvante à celui qu'au contraire, je désirais secourir. Précaution trop vaine. La Bête avait déjà disparu.

Je tentai cependant de la chercher et poussai au hasard mon cheval à travers les mourvens et les lentisques; n'ayant ainsi rien trouvé, je revins à l'endroit où je l'avais d'abord aperçue et, pour

*tant-lèu dins lou bouscage, qu'aqui se i'encapo de
gros fourni.*

*Anave pas à moun aise, que lou vènt boufavo en
moulant e riscavo de cala d'un moumen à l'autre.
En ges avènt de bernous e, segur coume ère que la
pluejo crebarié rede, èro pas poussible que m'escar-
tèsse. Mai sèns trop m'esmarra m'óupilave à cerca
li clavo en virant à l'entour di mato. Repassère ansin
lou radèu pèr lou travès, sènso avé, de mi cerco, ges
de resulto e me decidère de penja lou saquetoun à la
fourco d'un mourven, dins l'idèio que, pèr quant à
la Bèstio, sa misèri emai sa sentido, eisa, ié tirarien
proun.*

Aquest 21 de Nouvèmbre.

Fai tres jour e tres niue que plòu.
*Lou vènt, en tancant tout-d'uno coume acò arrivo
après li bourrascado d'autouno, un glavas de pluejo
s'es mes à toumba. D'aquesto ouro, encaro, raisso
talamen, que tout-bèu-just se pode faire entre-bada
ma porto pèr me douna un rai de jour e que, dóu
téulat de sagno que, pamens, es à la pèndo e bèn
rejoun, l'aigo rintro de pertout. En espinchant de la*

244

mieux reprendre sa trace, mis pied à terre ; mais je la perdis bientôt à travers le fourré qui est fort épais à cette place.

Je n'agissais pas tranquillement, car le vent soufflait en faiblissant peu à peu et menaçait de tomber d'un instant à l'autre. N'ayant pas de manteau et certain que la pluie serait violente, il m'était impossible de trop m'éloigner. Mais sans m'écarter outre mesure, je m'obstinai à chercher la piste en tournant autour du fourré. Je battis ainsi le radeau dans sa largeur sans obtenir aucun résultat de ces recherches et pris le parti d'accrocher mon saqueton à la fourche d'un mourven, espérant, quant à la Bête, que sa détresse et son instinct, aisément, l'y amèneraient.

Ce 21 novembre.

Depuis trois jours et trois nuits, il pleut.

Le vent ayant lâché tout à coup, comme il advient à la suite des grandes bourrasques d'automne, une pluie torrentielle s'est mise à tomber. Elle est, à cette heure encore, si violente, que j'ose à peine entrouvrir ma porte pour me donner un rayon de jour et qu'à travers le toit en roseaux, convenablement incliné pourtant et pourvu d'une bonne

porto entre-duberto, destrìe ni lou cèu ni la liuen-
chour; la pluejo, en toumbant, envirouno tout e, dins
l'èr coume de-bas, l'aigo regoulejo.

Li journado n'an ges de fin; en estènt fourça de rèn
faire, li passe coume pode. Pamens, moun calèu
qu'ai atuba e la reflamour dóu fougau me permeton
proun d'escriéure, en despié de la tubassino. Entènde
que lou tremoulun e lou boufa de la mar que, pèr
cop d'oundado, regounflo dins lis estang. Li niue me
sèmblon longo que mai, car dorme pas gaire. Pènse à
mi bèstio, de-fes, e, tant marrit pèr éli que fugon li
tèms, de-bon, n'en tire pas peno; emé de giscle rede
e jala, s'encapo, pèr uno manado, ges d'abri meiour
que li radèu dóu Riege; li bèstio, pièi, an passa
l'estiéu dins la drudiero e lis ai entournado eici bono
que-noun-sai; tant podon teni emé d'àutri regui-
gnado.

Es quauco-rèn mai que me charpino. Coume pensa-
riéu pas, sèns repaus, d'aquéu qu'ai vist, pèr bos,
tant miserable? Qu'acò s'es fa maigre e coume
semblavo feble e anequeli. Coume vai que, de iéu,
s'es douna pòu ansin e de mounte aura pouscu
prendre virado? Se se fuguèsse escarta, pamens,
auriéu bèn aganta si clavo sus l'orle. Mai, prou-
bable, aura pas sourti dóu Radèu de l'Aubo e, aro,

246

couverture, l'eau s'infiltre en plusieurs endroits. Lorsque je regarde par la porte entrebâillée, je n'aperçois ni le ciel ni l'horizon ; la pluie qui tombe enveloppe tout et, en l'air comme sur le sol, l'eau ruisselle.

Les journées sont interminables ; condamné à ne rien faire, je les passe comme je peux. Pourtant, mon calèu que j'ai allumé et la flamme de la cheminée me permettent de tracer ces lignes. Je n'entends que le grelottement de la pluie et le souffle de la mer qui, à pleines vagues, remonte dans les étangs. Les nuits me paraissent longues, encore plus, car je ne dors guère. Je songe à mes bêtes, parfois, et, quelque fâcheux que soient ces temps-là pour elles, je n'en ai pas véritablement de souci : par des pluies cinglantes et froides, il n'existe pas pour une manade de meilleur abri que les radeaux du Riège ; le bétail, d'ailleurs, a passé un été de grande abondance et je l'ai ramené ici en très bon état ; il peut résister à de pires intempéries.

J'ai d'autres tourments. Comment ne pas penser sans répit à l'être que j'ai vu, dans le bois, si misérable ? Comme il est devenu maigre et qu'il paraissait faible et défait ! Pourquoi donc a-t-il peur de moi et dans quelle direction a-t-il pu prendre la fuite ? S'il s'était éloigné, pourtant,

me lou refigure alin o, mai proche, eici ras, belèu, agrouva entre quauque daladèu, que tremoulejo, avani, en sentènt l'aigo jalado ié regoula dins l'esquino.

Au diable touto ma pòu, tóuti mi rancuro. Acò n'es qu'un paure èstre, e pas mai. N'ai de pieta. Quau saup s'aura destousca lou viéure qu'ai leissa dins lou saquetoun? Se l'a pas pres sus lou cop, lou pan dèu èstre embuga e espoumpi de la pluejo. Entre la proumiero embelido, sourtirai.

Aquest 22 de Nouvèmbre.

L'aigo raisso toujour, frejo e sarrado. Lou vènt boufo toujour levant e, de-niue coume de-jour, la mar rounflo.

Aguère, aièr sus lou vèspre, un escaufèstre. Fasié negro-niue, deja, dempièi quàuquis ouro. Aviéu, entre soupa, aganta ma brèsso, mai n'ère pas arriva à m'endourmi, que lou cors se repauso gaire quand l'avès pas ribla pèr carré o pèr travai. S'entendié rèn mai que lou brusi de la pluejo, lou regiscle sus lou cuvert e li regouloun, qu'à rode, degoutavon pèr sòu, regulié, dins la cabano.

248

j'aurais bien découvert ses claves sur la lisière. Mais il n'a d'abord pas dû quitter le Radeau de l'Aube et, maintenant, je me le figure là-bas, ou, plus près d'ici, tout près peut-être, à demi tapi sous un dalader, grelottant et épuisé et sentant l'eau froide ruisseler sur son échine.

J'oublie toute ma peur, toutes mes rancunes. Ce n'est qu'un pauvre être. J'en ai pitié. Aura-t-il trouvé ces vivres que j'ai laissés dans le saqueton ? S'il ne les a pris tout de suite, le pain doit être détrempé et gonflé de pluie. A la première accalmie, je sortirai.

Ce 22 novembre.

La pluie tombe toujours, froide et serrée. L'air toujours donne du levant et, la nuit comme le jour, la mer gronde.

J'ai eu, dans la soirée d'hier, une alerte. L'ombre était noire, déjà, depuis plusieurs heures. J'avais, sitôt souper, gagné ma couchette, mais je n'étais point parvenu à m'endormir, car le corps ne repose guère lorsqu'il n'a pas été rompu par la marche ou le travail. On n'entendait que le bruissement de la pluie et son jaillissement sur le toit et les petites gouttières qui, par

E vejeici que, tout-d'uno, Rasclet, moun chin,
s'aubourè, roundinè de-retenoun e boumbiguè, pièi,
de-vers la porto en japant, mai, autant-lèu, en
s'aplantant, se boutè à larga un ourlamen que, de
pèd-en-cap, n'en ferniguère. Pièi, de-rebaloun, s'encourreguè sout ma brèsso e se i'acantounè sèns quita
de gingoula. Me levère e, en aflamant uno brouqueto
au recaliéu dóu fougau, atubère moun calèu pèr me
faire lume. Mau-grat moun envejo d'ista siau, bèn
d'acatoun, entre mi flassado, uno idèio enmascanto
me fasié vira. Acò qu'enauravo ansin Rasclet, èro,
belèu, la fleirour d'un loup o de quauco ferunaio,
mai sabiéu proun, — que peravans l'aviéu esprouva —, l'autro presènço qu'ansin lou poudié
faire souina. Me tracère dounc dessus, proumié, à
l'asard de tout, un signe de crous e après avé repausa
moun lume sus lou cantoun de la taulo, agantère, di
dos man, moun ficheiroun e, mau-grat que l'aigo
regisclèsse sus lou lindau, abrandère en plen la porto.
Restère aqui uno bono passado, en counjurant à la
chut-chut li malesperit que s'escartèsson, tout tremoulejant de la fre e de la tafo, mai aguère bèu à souna
Rasclet e à lou bourra, jamai lou pousquère faire
sourti de sa cantounado. Ié vouguère pas mau d'acò,
qu'es uno bèstio voulountouso; pèr se coumpourta

endroits, à coups réguliers, tapent sur le sol de la cabane.

Et voici que, tout à coup, *Rasclet* mon chien, se leva, grogna sourdement et bondit en aboyant vers la porte, mais s'arrêtant aussitôt, se mit à pousser un hurlement qui me fit hérisser des pieds à la tête. Puis il s'enfuit en rampant sous ma couchette où il resta cantonné et ne cessa de gémir. Je me levai et, ayant enflammé une brouquette [42] à la braise du foyer, allumai mon calèu pour avoir de la lumière. Malgré ma tentation de demeurer immobile, bien au chaud dans mes couvertures, une irrésistible pensée me faisait agir. Ce qui épouvantait ainsi *Rasclet*, était sans doute une odeur de loup ou de je ne sais quel animal fauve, mais j'avais appris auparavant déjà, par moi-même, quelle autre présence pouvait ainsi le faire gémir. Je traçai donc d'abord sur moi, à tout hasard, un signe de croix, et, après avoir posé ma lampe au bord de la table, je pris des deux mains mon ficheron et malgré l'eau qui rebondissait sur le seuil, ouvris plus largement la porte. Je demeurai là un bon moment, adjurant à voix basse les mauvais esprits de s'éloigner, grelottant d'angoisse et de froid, mais malgré mes ordres et mes appels, je ne pus décider *Rasclet* à sortir de sa cachette. Je ne lui en tins pas rigueur, car

ansin, segur qu'avié de resoun mai di forto à soun
idèio, qu'un ome li pòu pas coumprendre en plen.
Aguère bèu à me cava lis iue pèr cerca dins la
sournuro, destrière, à moun comte, rèn de bèn segur.
Dève marca, pamens, que me semblè de vèire, e dous
cop, un espèci de rebat sour fusa entre lou pluejas e
la niue negrasso. Mai de que voulès afourti, quand
gueiras ansin, la pòu dins lou vèntre, à l'escuresino,
em' un calèu d'òli, de-pèr darrié, que flamejo, — e,
tout soul, au fin founs dóu Riege, de la porto badanto
d'uno cabano ?

Aquest 23 de Nouvèmbre.

La pluejo, dins la niue, a demeni e s'es facho fino.
Enfin, de-matin, ai pouscu sourti. Me siéu mes,
autant-lèu, en cerco de mi chivau qu'em' aquéu tèms,
sabiéu proun, pèr avanço, mounte apereiça, lis
encapariéu. Es Clar-de-Luno, qu'en proumié, ai
destousca e l'ai aganta sènso entramble, groumand e
glout coume es, entre qu'a agu nifla la civado. L'ai
sela e, plega dins moun grand caban de telo ouliado,
ai coumença de repassa lou bos. Ai pouscu ansin
recounèisse li bèstio e me rèndre comte que rèn avié

c'est une bête courageuse ; pour agir de cette façon, sans doute avait-elle des raisons insurmontables pour elle, qu'un homme ne comprend pas bien.

J'eus beau fatiguer mes yeux à scruter l'ombre, je n'aperçus, quant à moi, rien de bien certain. Je dois noter, cependant, qu'il me sembla voir, par deux fois, une espèce d'obscur reflet passer à travers la pluie et la nuit profonde. Mais qu'affirmer, lorsqu'on guette ainsi, la peur au ventre et dans les ténèbres, un calèu plein d'huile allumé derrière soi — et tout seul, au fond du Riège, par la porte ouverte d'une cabane ?

Ce 23 novembre.

La pluie s'est faite, dans la nuit, moins abondante et moins dense. Enfin, ce matin, j'ai pu sortir. Je me suis mis, tout de suite, à la recherche de mes chevaux et, par ce temps-là, je savais bien à peu près, d'avance, où les rencontrer. C'est *Clair-de-Lune*, le premier, que j'ai découvert et il s'est laissé prendre sans difficultés, glouton et friand comme il est, dès qu'il a flairé l'avoine. Je l'ai sellé et, couvert de mon grand caban de toile grasse, j'ai commencé à battre le bois. J'ai pu ainsi

253

soufri dóu mau-tèms. Tóuti se mantènon bèn,
enjusquo la plus marrido, uno vaco jouino, qu'en
avènt vedela foro soun tèms, rebalo un tardoun après
e s'encapo, d'aquéu biais, proun seco.

Ai retrouva moun saquetoun plen e tau coume èro,
au rode que l'aviéu planta. Lou pan embuga e eigas-
sous de la pluejo coume uno espoungo, fasié bouden-
fla li telo. L'ai pas reveja sus lou cop, qu'amave mai
l'empourta ansin à la cabano. Me n'en servirai pèr
faire de soupo à Rasclet, que lou pan es un viéure
sant, uno douno de la Prouvidènci e, de-bon, quau
l'estrasso fai pecat. Mai me sènte aclapa d'uno
grand tristesso. Desenant, de-que fau me pensa de
l'èstre? De mounte a vira? De de-que pòu faire
vèntre? Franc de quàuqui marrit racinage e d'aquéli
poumeto di mourven, óudourouso e doucinasso, que
li reinard se i'aganton quand la fam li curo, i'a
pèr éu rèn que se mange, d'aquesto sesoun, sus lou
Riege.

La pluejo, mai se fague fino, toujour toumbo. Pode
pas, vuei encaro, tira bèn liuen. Lou tèms, pamens,
pòu pas gaire resta sènso que vire. Deja lou fres de
l'èr s'es fa viéu. Mai la mar n'es pas abaucado.
S'entènd que boufo e qu'ersejo, dóu tèms qu'irritado,
aboulego alin lis estang e noun sabe pas coume vai,

reconnaître les bêtes et m'assurer qu'elles n'ont souffert en rien du gros temps. Toutes sont en état satisfaisant, même la plus débile d'entre elles, une jeune mère qui, ayant mis bas pendant l'arrière-saison, a un petit veau à nourrir et se trouve, en conséquence, assez maigre.

J'ai retrouvé mon saqueton, intact et tel quel, à la place où je l'avais exposé. Le pain, alourdi et imbibé d'eau comme une éponge, arrondissait le bissac. Je n'y ai pas touché sur-le-champ, préférant le rapporter en cet état même à la cabane. Il me servira à préparer de la soupe pour *Rasclet*, car le pain est un aliment sacré, un présent de la Providence, et c'est un péché véritable que de le gâter. Mais je me trouve plongé dans une grande tristesse. Désormais, que penser de l'être ? Qu'est-il devenu ? de quoi peut-il se nourrir ? Sauf quelques piètres racines et ces baies de mourven douceâtres et odorantes dont les renards se contentent lorsqu'ils sont pressés par la faim, il n'y a rien à manger pour lui, en cette saison, sur le Riège.

La pluie, plus légère il est vrai, tombe toujours. Il m'est impossible aujourd'hui encore, de pousser bien loin. Le temps, toutefois, ne peut tarder à changer. Déjà la fraîcheur de l'air est devenue vive. Mais la mer n'est pas apaisée. On l'entend qui roule et halète, tandis que, de sa colère, elle agite

255

aquelo voues estoufado me gounflo lou cor de segren,
emai me coustren qu'es pas de dire.

Aquest 24 de Nouvèmbre.

Coume èro de prevèire après tant longo eigassado, lou
vènt a vira. Li nivo, proumié, se soun estrassa sus
la largado; es un signe, acò, que troumpo pas. Vese,
aro, un bèu soulèu qu'escandiho sus lis aigo encaro
mouvedisso e li sansouiro molo que lusejon. Dóu
coustat d'aut, fino e gaio, se sènt, à moumen, uno
pouncho de mistrau que s'aboulego. Se la sesoun
vèn mai dins lou se, auren de bèu jour sus nosto fin de
Nouvèmbre, que lou tèms, se saup, fai emé la luno e
es vuei, tout-bèu-just, qu'a vira en renouvelant.
Lou païs, à despart di bos, es nega à pau près en
plen, o gaire se manco; la mar emé lou Vacarés, pèr
l'engoulidou dis estang bas, fan qu'uno aigo ounte li
radèu abouscassi ié subroundon, de-bon, coume
d'isclo.
Tire pas peno pèr l'ivernage. Li bèstio, l'ai di, an
tourna bono e lou Riege, descarga tout l'estiéu, se
soubro uno grosso erbo entre li mato. Aquésti pluejo
nous auran bouta, emai pèr long-tèms, d'aigo douço.

256

au loin les étangs ; et, je ne sais comment, cette sourde voix me remplit le cœur d'appréhension et d'une insupportable contrainte.

Ce 24 novembre.

Comme il était à prévoir après cette longue pluie, le vent a sauté. Les nuages, tout d'abord, se sont écartés sur la largade ; c'est un signe qui ne trompe pas. Je vois briller maintenant un beau soleil au-dessus des eaux houleuses encore et des sansouires molles qui miroitent. Du côté du nord, aiguë et vive, on sent percer, par instants, une pointe de mistral. Si la saison se remet au sec, nous aurons de beaux jours sur cette fin de novembre, car le temps, on le sait, tourne avec la lune et c'est aujourd'hui même qu'elle est venue dans son renouvellement.

Le pays, à part le bois, est sous l'eau, à peu près complètement ; la mer et le Vaccarès, par le moyen des étangs inférieurs, ne font qu'une seule étendue où émergent les radeaux boisés, comme de véritables îles.

Je ne suis pas inquiet pour l'hiver. Les bêtes, je l'ai dit, sont revenues grasses et le Riège, libre tout l'été, garde une herbe abondante entre ses touffes.

Lou soucit dóu capitau, nàni, es pas d'acò que me rousigue. Es à l'autre, sèns poudé me n'en leva, que de-longo pènse. Coume que vague, fau que l'atrove e se ié pode pourta ajudo, lou farai, que que me n'en coste.

Es trop tard, vuei. Mai, deman, partirai à pouncho d'aubo. Pèr que rèn m'alongue, farai coucha eici lou Rouan. I'a d'erbo e d'aigo, vuei fai un tèms d'or; pode bèn, d'un radèu à l'autre, leissa vira li bèstio quàuqui jour à soun idèio.

De-longo, vese davans iéu, aquéu cadabras amoulouna emé soun carage de glàri e sis iue amourti de l'anequelimen e de l'esfrai. Iéu pènse plus qu'à-n-acò; es pièi trop ourrible. Qu'éu fugue o noun moun parié, qu'enchau? Lou pode pas leissa ansin.

Aquest 10 de Desèmbre.

Sèns relàmbi, cerque emai cerque. Veici deja proun quàuqui jour. Me lève davans aubo e, à grand dèstre, entre ma soupo engoulido, un cop sus lou Vibre e un cop sus Clar-de-Luno, parte pèr batre lou païs. Veici que tourno, pèr malastre, aquesto sesoun de l'an que li niue s'estiron. De-vèspre, lou soulèu vèn

258

La pluie nouvelle nous aura donné et pour longtemps de l'eau douce. Non, ce n'est pas le souci du
bétail qui me travaille. C'est à l'autre sans pouvoir
m'en empêcher, que je pense incessamment. Il
faut absolument que je le trouve et si je peux lui
venir en aide, je le ferai, dût-il m'en coûter.

Il est aujourd'hui trop tard. Mais, demain, je
partirai dès la première heure. Pour que rien ne me
retarde, je ferai coucher ici le Rouan. Il y a
de l'herbe et de l'eau, le temps, aujourd'hui,
est magnifique ; je puis bien, à travers les
radeaux, laisser aller quelques jours les bêtes à
leur guise.

Constamment, je revois ce maigre corps affaissé et
cette face de spectre et ces yeux mourants d'épui-
sement et de peur. Je ne pense plus qu'à cela ;
c'est trop atroce. Qu'il soit mon semblable ou non,
que m'importe ? Je ne puis le laisser ainsi.

Ce 10 décembre.

Sans répit, je cherche et je cherche. Voilà plusieurs
jours déjà. Je me lève dès avant l'aube en grand
presse et, sitôt avalée ma soupe, tantôt sur le
Castor et tantôt sur *Clair-de-Lune*, je pars battre
le pays.

bas bono ouro e, tant-lèu, soumbrejo. Lou tèms,
pèr coumpensa, viro viéu. Lou mistrau a manca
e jalo.

Dempièi aièr, m'arrèste pas, dins iéu, de remena uno
causo que me sèmblo proun marcanto pèr ié presta
atencioun. Sus l'orle dóu Radèu de l'Aubo, ai
óusserva de clavo; — d'aquéli, just, que n'en siéu en
cerco. Soun fresco, de tout segur. Despariero e pas
bèn boulado, s'arrestavon round davans uno mato,
qu'à soun pèd, la terro, en dessus, s'èro gratado. Sèns
rèn mai endeveni, ai cerca tout à l'entour. Acò es
tout. Es pas gaire. Fai pamens un entre-signe que
n'en vau la peno. Fau remarca que, pertout mounte
la terro es tapado pèr lou germe o lou bouscage, li clavo
podon pas trassa e nimai i rode, tambèn, mounte la
sansouiro se fai duro à la jalado. A chivau, tout lou
jour, pèr pas rèn, ai mai camina. Ai remarca
pamens d'àutri clavo que viravon de-vers Malagroi,
mai m'a sembla qu'èron forço vièio.

Tóuti li cop que rintre à la cabano, sènte uno ànci que
me cargo lou cor. Mai n'es pas la memo, qu'antan,
empouisounavo mi jour emé mi niuechado. S'ai un
regrèt, es pèr avé leissa tant long-tèms à la misèri
aquel èstre que me ié siéu misteriousamen afreira,
es d'avé pas previst talo doulènci.

Voici revenue, malheureusement, cette époque de l'année où les nuits sont longues. Le soir, le soleil décroît très tôt et c'est, tout de suite, le crépuscule. Le temps, en revanche, s'est mis au froid. Le mistral ne souffle plus et il gèle.

Depuis hier, je ne cesse, en moi-même, de repasser une chose qui me semble assez importante pour fixer mon attention. Sur le bord du Radeau de l'Aube, j'ai relevé des claves — de celles, précisément, que je cherche. Elles sont récentes, certainement. Inégales et mal appuyées, elles s'arrêtaient brusquement devant une touffe au pied de laquelle la terre avait été grattée superficiellement. Sans découvrir autre chose, j'ai cherché tout alentour. Voilà tout. C'est peu. C'est un indice, pourtant, qui compte. Il faut remarquer que, partout où le sol est recouvert d'herbes ou de touffes, les claves ne peuvent marquer et là aussi où la terre devient dure après la gelée.

Tout le jour, inutilement encore, j'ai chevauché. J'ai relevé toutefois d'autres empreintes se dirigeant du côté de Malagroy, mais elles m'ont paru beaucoup plus anciennes.

Chaque fois que je rentre à la cabane, je sens peser une angoisse sur mon cœur. Mais ce n'est point celle qui, autrefois, rendait mes jours et mes nuits intolérables. Si j'ai un regret, c'est d'avoir laissé

Uno grando calamo s'espandis sus mi remem-
branço. Pènse, aro, sènso ges d'esfrai i meraviho e i
mistèri què, peravans, li cresiéu pèr bouta moun amo
au dangié. L'ai plus, aquelo ressentido d'espavènt
criminau emai de pegin qu'empourracavo mis obro
li mai innoucènto.

Aro, chasque vèspre, fervourous, remene mi sànti
preguiero. S'ai vertadieramen agacha li sceno espantouso qu'ai repintado es que, dins de visto que me
passon, la Prouvidènci a vougu que n'en fugue lou
temouin. Aro, n'ai qu'uno toco e es la carita que me
ié buto, car, me crese, verai, de pourta ajudo à-n-un
oubrage de Diéu.

Aquest 12 de Desèmbre.

Pamens, a faugu un pau que tenguèsse d'à-ment la
manado. Counvèn pas que de bèstio de bouvino,
fugue dins un païs vaste e libre coume lou Riege,
s'espandigon trop à soun caprice e se sentigon plus
en presènço dóu gardian, qu'alor se rèndon auroujo e
tihouso que mai pèr li gaubeja.

Siéu dounc esta fourça, quàuqui jour, de leissa
moun fur, o, à tout lou mens, de lou mena dins li

si longtemps dans le besoin cet être auquel je me suis mystérieusement attaché, c'est de ne pas avoir prévenu cette souffrance.

Une grande paix s'étend sur mes souvenirs. Je songe, à présent, sans frayeur aux prestiges et aux mystères qui, auparavant, semblaient devoir me mettre en péril. Je ne sens plus ce relent de terreur coupable et de remords vicier mes actions les plus innocentes.

Maintenant, chaque soir, avec ferveur, je redis mes saintes prières. Si j'ai réellement contemplé les scènes merveilleuses que j'ai décrites, c'est que, pour des raisons que j'ignore, la Providence a permis que j'en sois témoin. Je n'ai qu'un but, maintenant, et c'est la charité qui me l'impose, car je crois vraiment secourir une créature de Dieu.

Ce 12 décembre.

Il a fallu, cependant, que je veille à la manade. Il n'est pas bon que des bêtes de bouvine, même dans un pays aussi vaste et aussi libre, s'éparpillent trop à leur guise et ne sentent plus la présence du gardian. Car alors elles deviennent farouches et trop difficiles à gouverner.

263

raro mounte, d'aquest tèms, mantène lou capitau.
E veici que, de-matin, l'ai mai représ e que, d'aquest
moumen, escrive dins la treboulino e la fèbre.

Lou levant, fau dire, en s'estènt mai aboulega sus la
plouvino, i'a un parèu de jour, tourna, boufo à
rounflado. Quau saup, s'aquest cop, nous adurra
mai de pluejasso? Avèn d'aigo, pamens, mai que ço
que fau e m'espère, qu'acò viro ansin proun souvènt,
de lou vèire sauta à tremountano.

Vuei ai repassa, pèr lou couchant, tout lou Riege,
en prenènt de la baisso dis Emperiau. Aviéu ges
remarca encaro, d'aquéu las, de clavo fresco, mai,
pèr bèn dire, dempièi li darriéri pluejo, li baisso
s'encapon negado e, entre lis aigo espandido e touto
frisado pèr lou vènt, es quasimen pas poussible de
destria ges de clavo.

En coupant pèr aganta lou travès de Malagroi, que
vouliéu manca li marrit passage, ai tira sus lou
Grand-Abime. Lou Grand-Abime es, acò se saup, un
d'aquélis afrous embut de nito encro, gaire relarga
de la bouco, mai traite, talamen que ges de courdado
n'en poudrié aganta lou founs. Tout ço que ié pico
es esbegu sèns perdoun dins li cauno d'aquéu goufre,
qu'es de cregne pèr lis ome, e pèr lou bestiàri, parié.
L'ai environa 'mé quàuqui pau pèr lou vèire dóu

J'ai donc dû, pendant quelques jours, abandonner mes recherches ou, tout au moins, les réduire aux limites mêmes où je maintiens en ce moment mon bétail. Et voilà que, les ayant reprises ce matin, j'écris, en cet instant, plein d'indécision et de fièvre.

Le levant, je dois dire, s'étant relevé sur la gelée, souffle de nouveau, depuis deux jours, en bourrasques. Nous amènera-t-il, cette fois encore, des grandes pluies ? Nous avons cependant de l'eau plus qu'à notre suffisance et j'espère, ainsi qu'il arrive assez souvent, le voir sauter à la tramontane.

Aujourd'hui, j'ai parcouru tout le couchant du Riège en passant par la baisse des Impériaux. Je n'avais remarqué encore, par-là, aucune clave nouvelle, mais, à vrai dire, depuis la dernière pluie, les basses terres se trouvent noyées, et sous cette surface d'eau toute rebroussée par le vent, il est presque impossible de distinguer une empreinte.

En obliquant pour prendre le travers de Malagroy, afin d'éviter les fonds mouvants, je me suis guidé sur le Grand-Abîme. Le Grand-Abîme est, comme on le sait, un de ces affreux puits de fange noire dont la surface n'est pas extrêmement étendue, mais si dangereux qu'aucune sonde n'en saurait atteindre le fond. Tout ce qui y tombe est, sans rémission, absorbé aux profondeurs de ce gouffre,

plus liuen poussible e aquéli pau me servon en meme
tèms, pèr m'adraia, de signau emé d'amiro. Me siéu
pres lou siuen de li planta quàuqui pan liuen de
l'orle dóu moui, aqui mounte la sansouiro encaro
porto.

Tirère dounc sus lou Grand-Abime, sènso rèn remarca,
proumié, de descoustuma. Mai en m'avançant,
devistère sus lou bèu mitan, tout envisca de fango
pegouso, un to que semblavo la souco d'un aubre
mort, qu'à-n-un de si bout se fenissié pèr dos meno
de racinage. Acò se fasié vèire d'aclin, traucant d'un
coustat e planta de l'autre, que l'abime, fau crèire,
deja lou poumpavo. Mai pèr raport la liuenchour
mounte ère bèn fourça de me manteni, lou poudiéu
pas recounèisse pan pèr pan.

Quant anavo resta ansin, à ma visto, avans de
s'aprefoundi pèr toujour? Pas forço, de tout segur.
Aquesto remarco, tout-d'uno, me trevirè. Tout en me
la fasènt, ai senti, — coume n'en vai? — uno ànci
que, dins iéu, se coungreiavo. De-que pòu m'en-
chaure ansin aquéu to moutu e councha de bolo?

Me demandave, tambèn, coume avié fa pèr pica just
dins l'abime, qu'acò, lou counfèsse, m'embouiavo
proun. Mai èro facile. Car groupa pèr lou giscle
de la mar o lou vanc de la ventoulado sus l'orle de

266

redoutable aux hommes et aux bêtes également. Je l'ai clos de quelques piquets afin de l'apercevoir du plus loin possible, et ces piquets me servent en même temps pour m'orienter, de signaux et de repères. J'ai eu soin de les y planter à plusieurs empans du bord dangereux, là où le sol y est encore ferme.

Je gouvernai donc sur le Grand-Abîme, sans rien remarquer, d'abord, d'inaccoutumé. Mais en approchant, j'y distinguai dans le beau milieu et tout engluée de fange visqueuse, une masse pareille à la souche d'un arbre mort et terminée à l'un de ses bouts par deux sortes de racines. Cet objet se présentait incliné, émergeant d'une extrémité et plongeant de l'autre qui ne s'apercevait déjà plus, happée déjà, probablement, par l'abîme. Mais à cause de la distance où il fallait bien que je me maintienne, je ne pouvais examiner le détail.

Combien allait-il rester ainsi, visible, avant de disparaître à jamais ? Peu de temps, sans doute. Cette réflexion, tout à coup, m'a bouleversé. En la faisant, j'ai senti — pourquoi ? — monter en moi une angoisse. Que peut m'importer ce bloc informe et souillé de vase ?

Je me demandais comment il avait pu tomber dans l'abîme, ce qui, je l'avoue, me parut d'abord assez difficile à expliquer. Mais c'était tout simple.

quauque radèu, avié nada tant que l'espés de l'aigo
l'avié pourta e, pèr cop d'asard, s'èro arresta sus
l'abime qu'avié coumença de l'engouli.

Pèr miés me rèndre comte, davalère de chivau e, en
avènt, davans, marca quatre pas dóu pau de tèsto en
virant d'aut, sabiéu que poudiéu pas avança un pas
de mai, sèns risca, iéu tambèn, uno mort afrouso.

Desfaguère dounc moun seden e, en lou plegant dins
ma man emé siuen, parié que se fuguèsse esta questioun d'aganta un chivau o uno bèstio de bouvino,
lou bandiguère en m'estudiant à bèn faire bada la
ganso pèr lou vanc que ié dounave, en tirant à la
souco dóu miés que poudiéu. Mai fasiéu rèn. Lou
vènt que, desregla, boufavo de la mar à rounflado,
semblavo que vouguèsse destourba mi cop li miés
aligna e, de quint coustat que me campèsse, arrestavo
ma cordo o la carrejavo, embouiavo o barravo moun
nous courrènt. Pèr dessus lou marcat, moun seden
s'enviscavo e se fasié grèu en picant cop pèr cop sus
la gatiho. D'aquéu biais, me rebusère sènso rèn
gagna e m'enanère, à la fes susarènt e entre-jala, li
bras esclapa e li cambo trempo, en avènt encaro rèn
tasta dempièi lou matin.

Lou jour, tant pichot d'aquesto sesoun, m'a pas
pernés, uno fes assadoula, de reprendre ma batudo,

268

Car, saisi par le flux de la mer ou le grand vent
sur quelque lisière du bois, il avait flotté tant que
l'épaisseur d'eau s'était maintenue suffisante et
un hasard, précisément, l'avait arrêté sur l'abîme
qui avait commencé à l'absorber.

Pour mieux me rendre compte, je mis pied à terre
et, ayant d'abord marqué quatre pas à partir du
premier piquet dans la direction du nord, je savais
que je ne pouvais m'avancer d'un pas encore, sans
risquer moi-même une mort affreuse.

Je défis donc mon seden et, l'ayant roulé dans ma
main avec autant de soin que s'il s'était agi de
capturer un cheval ou un animal de bouvine, je le
lançai, en m'efforçant d'en bien ouvrir la boucle
de corde par l'élan que je lui donnai en visant de
mon mieux l'épave. Mais ce fut en vain. Le vent
qui soufflait de la mer avec une violence inégale,
semblait vouloir tromper les mieux calculés de
mes mouvements et, de quelque côté que je me
misse, arrêtait ma corde ou l'emportait, embrouil-
lait et fermait mon nœud coulant. De plus, mon
seden s'engluait et s'alourdissait en frappant à
chaque coup cette surface de fange. En sorte que
je me lassai sans obtenir aucun résultat et partis
à la fois suant et transi, les bras rompus et les
jambes mouillées, n'ayant rien mangé encore
depuis le matin.

269

mai deman, entre que l'aubo pounchejara, tournarai
au Grand-Abime, mancha d'uno partego, la plus
longo qu'encaparai, emé de pes pèr carga ma cordo.
Aquelo rabasto, de qu'a que, dins moun founs, me
devarìo e m'encagno? Pèr bèn la vèire de proche, la
vole póutira en plen dóu trau. Dèu nada, à moun
comte, enca un brèu de tèms. Coume que vague, n'ai
pèr quàuqui jour, avans que la bolo l'engouligue.

Aquest 16 de Janvié de 1418.

Veici mai d'uno mesado qu'aviéu pas touca lou
cartabèu. Lou durbisse, à-niue, emai ague bèn gaire
à escriéure.
L'endeman dóu jour qu'eici subre n'ai parla, tournère
au Grand-Abime. M'ère leva d'ouro, en voulènt me
trouva au rode davans que l'aubo aguèsse en plen
clareja. Mau-grat ço qu'aviéu pouscu prevèire, la
souco s'èro aprefoundido en plen. La fango dis
abime es glouto e travaio proumte. De-bado, ai assaja
de tasteja 'mé ma partego, mai en me voulènt trop
avança, me siéu planta jusqu'à l'entre-cueisso que
me n'en siéu póutira just 'mé proun peno, tout sang-
vira de l'esfrai e empourraca pèr la nito.

270

Le jour, trop court en cette saison, ne m'a pas laissé, sitôt restauré, me mettre de nouveau en route, mais demain, dès l'aube, je retournerai au Grand-Abîme, muni d'une perche, la plus longue que je trouverai, et de quelque poids pour lester ma corde.

Qu'y a-t-il dans cette épave, qui, au fond de moi, m'inquiète et m'irrite? Pour la voir de près, je veux la tirer entièrement hors du trou. Elle doit surnager, je pense, encore quelque temps. En tout cas, plusieurs jours se passeront avant que la fange ne l'engloutisse.

Ce 16 janvier de 1418.

Voilà plus d'un mois, déjà, que je n'avais pris ce cahier. Je le rouvre, ce soir, bien que j'aie peu de choses à écrire.

Le lendemain du jour dont, ci-dessus, j'ai parlé, je suis retourné au Grand-Abîme. Je m'étais levé de très bonne heure afin de me trouver sur place avant que la clarté de l'aurore ne fût complète. Malgré mes prévisions, l'épave avait complètement disparu. La vase des abîmes est vorace et travaille rapidement. En vain ai-je tenté de faire un sondage du bout de ma perche, mais ayant voulu m'avancer

*Ai représ, de retour, moun fur dins lou Riege. S'es
ges passa de jour que noun ague, emé siuen, représ,
pèr lou mens, quauque radèu. Bute moun chivau
dins lou bouscas e emé moun aste, à-de-rèng, four-
gougne au mitan di mato. Ai pas rèn vist. A la
pouncho la mai auto de Radèu-Long, ai remarca
quàuqui clavo, mai lis ai pas couneigudo pèr fresco.
Moun saquetoun, toujour penja, rèsto ansin garni,
de-longo; pamens, pèr pas n'avé lou regrèt, lou vau
vèire à jour regla e, de-fes, n'en change lou prouve-
simen. Ansin farai mai uno passado; veirai bèn,
pièi. Aro ai vesita, proun quàuqui lègo à l'entour,
li terro que subroundon, d'aquest tèms; pèr quant à
l'Estang-Redoun, vau gaire la peno que me i'avaste,
qu'aquest an restara à l'aigo tres mes encaro emai
mai.*

*Aquest cop, es morto, la Bèstio, o bèn a parti. Me
sènte soul, aro, emai trop soul. Un an, tout-à-peno,
a passa, dempièi qu'à chivau, barbelant pèr uno
caturo que la cresiéu bello, landave en batènt palun e
sansouiro après li clavo misteriouso fin-qu'is Enforo,
alin, sus li raro de Badoun. La pouisoun que s'es
enfusado entre mi veno, sabe que, dins iéu, la carre-
jarai fin-qu'à la mort. Uno pòu, uno afreiracioun,
un mistèri; un regrèt, tambèn, un regrèt.*

trop, je me suis enfoncé jusqu'à l'entrecuisse, m'en tirant sauf, à grand-peine, bouleversé de terreur et luisant de fange empestée.

J'ai repris, dès mon retour, mes recherches à travers le Riège. Un seul jour ne s'est pas passé sans que, soigneusement, j'aie battu au moins un radeau. Je pousse mon cheval dans les lieux boisés et, du manche de mon trident, une à une, je fouille les touffes. Je n'ai rien vu. A la pointe la plus haute de Radeau-Long, j'ai relevé quelques claves, mais elles ne m'ont pas paru nouvelles. Mon saqueton, toujours suspendu, reste intact, sans cesse ; cependant, pour n'en avoir pas de regrets, régulièrement, je le visite et, parfois, en renouvelle les provisions. Ainsi ferai-je quelque temps encore ; je verrai bien. J'ai reconnu maintenant, et dans un rayon de plusieurs lieues, toutes les terres qui émergent en cette saison ; quant à l'Etang-Redon, ce n'est pas la peine que je m'y engage, car cette année, le fond en sera sous l'eau, pour le moins trois mois encore.

Cette fois, la Bête est morte ou partie. Je me sens seul, maintenant, trop seul. Une année à peine est passée, depuis qu'à cheval, ardent à poursuivre une proie que je croyais belle, je me hâtais, battant le marais et les sansouires et suivant les claves mystérieuses, jusque sur les En-Dehors ou le long

*Moun chin Rasclet es aqui, alounga ras de mi pèd;
à moumen, aubouro la tèsto e niflo dóu coustat dóu
bos, pièi s'amoulouno mai en tremoulejant entre
soun péu mouisse. Entènde, deforo, pas bèn liuen,
lou trepa lourdas dóu Vibre que sautejo, grèu, emé
si dos cambo de davans agantado dins soun entravo.*

*Deman, en cercant, seguirai mai. La Bèstio a parti
o bèn es morto. Franc d'acò, iéu l'atrouvarai. Desenant, d'aqui qu'ague destousca quauco-rèn, crese plus
d'escriéure. Reprendrai lou cartabèu que se me vese
à pourtado de ié marca de nouvèu.*

*D'aro-en-la, vole cerca e cerca de-longo, sènso maucor
ni lassige; mau-grat que remene trop, veici quauque
tèms, d'aquelo souco d'aubre, qu'emé sa racino doublo,
l'endevenguère à l'errour, plantado pèr mita dins lou
Grand-Abime e que, l'endeman, lou Grand-Abime
l'aguè touto engoulido dins lou courrènt de la niue.*

274

des limites de Badon. Le poison qui s'est glissé dans mes veines, je sais qu'en moi je le porterai jusqu'à la mort. Une terreur, une amitié, un mystère ; et un remords, un remords.

Mon chien *Rasclet* est là, couché à mes pieds ; de temps à autre, il lève la tête et flaire du côté du bois, puis il se pelotonne en grelottant sous son poil humide. J'entends, au-dehors pas bien loin, la foulée pesante du *Castor* qui saute sur place gauchement, les deux jambes de devant prises, pour la nuit, dans une entrave.

Demain je continuerai à chercher. La Bête est partie ou morte. Sans cela, je la trouverai. Désormais, tant que je n'aurai rien découvert, il me paraît inutile que j'écrive. Je ne reprendrai ce cahier que si je me trouve en mesure d'y noter quelque circonstance nouvelle.

D'ici là, je veux chercher et chercher toujours, sans découragement ni lassitude ; bien que je songe trop, depuis quelque temps, à cette souche d'arbre à deux racines, que j'ai vue, un soir, plongée à demi dans le Grand-Abîme et que, le lendemain, la vase du Grand-Abîme avait dévorée.

Le Regret de Pierre Guilhem
Lou Regrèt de Pèire Guilhem

*De la fenestrasso, qu'is areno d'Arle fai de jour
i caso di bèstio, Pèire Guilhem se courbè pèr
vèire sourti soun biòu. La bèstio boumbiguè de la
sournuro, passè lou cas dubert entre li barro, se revirè
round e, en parpelejant, faguè tèsto au proumié
picador pèr l'ataca.*

*Entre li rèng cacalucha, de picamen de man parti-
guèron.*

*— De-que i'as fa manja à-n-aquéu? cridè, de l'en-
bas, un fustié dóu service acouta i barro.*

*— Hòu, Blanquet, rebequè lou gardian, segur qu'aura
manja 'mé lis autre, mai li bèstio, sabes, pertout
n'i'a de bono emé de marrido. Es coume pèr lis
ome.*

— Es parié, diguè Blanquet.

*Un grand escamandre de chivau gris venié de s'afou-
dra sus la sablo e de varlet póussous, emé si casaco
rouginasso, tabouscavon, aubouravon la mounturo à*

278

A travers la large ouverture qui, dans les arènes d'Arles, donne du jour aux cases des bêtes, Pierre Guilhem se pencha pour voir sortir le taureau *[1]. L'animal bondit hors du couloir sombre, franchit l'espace ouvert des barricades, fit face, en clignotant, dans une volte brusque, au premier picador qu'il attaqua.

Sur les gradins bondés, des applaudissements éclatèrent.

— Qu'est-ce que tu lui as fait manger à celui-là ? cria d'en bas un charpentier de service accoudé à la barricade.

— Hé ! Blanquet, riposta le gardian, il a dû manger avec les autres, mais les bêtes, tu sais, il y en a partout de mauvaises et de bonnes. C'est comme les hommes.

— C'est pareil, dit Blanquet.

Une grande rosse grise venait de s'écrouler dans la poussière et des garçons d'arène, vêtus de rouge

* Voir les notes à la fin du volume.

*cop de pau, carrejavon à la brasseto lou picador
ensuca que rendié si dènt.*

— Hè, toro!

*Au chama rau dóu matador, lou biòu qu'esquihavo
long di barro, se virè, alounguè lou coui, founsè dins
lou mantèu que ié flouquejavo sout lou mourre e que,
subran, coume uno flamado que s'amosso, semblavo,
de davans éu, s'esvali.*

Lis aplaudimen ranfourcèron.

*Lou fustié, emé sa camiso bluio estroupado i couide,
picavo di man en cridant:*

— Vaqui un biòu, moun ome! Vaqui un biòu!

*Pièi, sènso soulamen enaussa lis iue, faguè quàuqui
pas à-rèire pèr se sarra dóu gardian.*

*— Hòu, digo, Guilhem, te fai pas peno de vèire peri
uno bèstio ansin?*

Pèire Guilhem, en l'espinchant, brandè lis espalo.

*Peno? De-segur, que ié fasié peno. Tóuti aquéli
courso espagnolo, fau dire, i'anavon pas trop. Es uno
pieta, en fin de comte, quand fau d'annado pèr faire
uno bravo bèstio, de la vèire sagata dins un vira
d'iue pèr aquelo colo d'espeio-chin. E, de-bon que,
s'èro éu lou mèstre...*

*Mai, tant-lèu, Blanquet ié fasié plus cas. Arresou-
navo lis ome de la quadriho, charpavo un picador*

280

crasseux, se précipitaient, relevaient la monture
à coups de trique, remorquaient par les aisselles
le picador ahuri qui crachait ses dents.

— *He, toro!*

A l'appel sec du matador, le taureau, qui filait vers
la barricade, se retourna, tendit le cou, fonça dans
la cape balancée sous son mufle et qui sembla tout
à coup, comme une grande flamme éteinte, s'éva-
nouir devant lui.

Les applaudissements redoublèrent.

Le charpentier, sa chemise bleue troussée jusqu'au
coude, battait des mains en criant :

— Voilà un taureau, mon homme ! Voilà un
taureau !

Puis, sans même lever les yeux et le doigt tendu
vers la piste, il fit quelques pas en arrière pour
se rapprocher du gardian.

— Et dis donc, Guilhem, ça ne te fait pas de peine
de voir périr une bête comme celle-là ?

Pierre Guilhem, en le regardant, haussa les épaules.
De la peine ? Oui, bien sûr, ça lui faisait de la peine.
Toutes ces courses espagnoles[2], du reste, lui, ne les
aimait pas beaucoup. C'était une pitié, après tout,
quand il faut des années pour faire une brave bête,
de la voir massacrer en quelques minutes par tous
ces tondeurs de chiens. Et, certes, s'il était le
maître...

planta, pèr lou moumen, en quàuqui pas liuen di barro.

— *Hòu Duro! Basto aguèsses un pau mai d'aste, que, feiniant? As tant pòu, ansin, pèr touca de proche'un biòu coume aquéu? Ai! lou pourcas!*

Lou biòu venié de boumbi à la subito e lou chivau sèns revenge, clava de pèr davans dins la courniolo, partiguè en espouscant sus la sablo un rai de sang, qu'à regisclado, ié regoulavo long dóu pitrau. Faguè quàuqui pas, trantaiè sus plaço e barrulè. De femo, en quilant, se revirèron, d'ourlado e de siblejado, de pertout rounflèron pèr esbramassa lou mau-faras.

— Otro caballo! *Un autre chivau, un autre chivau! cridavo lou picador engancha dins sis estriviero.*

Mai lou matador paravo sa capo e, tourna-mai, lou mounde aplaudissié. De varlet courrien dins lou bourboui, escampavon pèr sòu si toucadouiro, espóussavon lou resset à coufinado.

Blanquet, enmalicia que mai, siblavo.

— *L'as vist, aquéu Duro? L'as vist? De-que se cresié d'avé davans, aquéu picador de pato?*

Se quihè uno idèio e, vira de-vers Guilhem, em' un cop de tèsto, ié faguè vèire la porto di chivau.

— *Hòu, Guilhem, regardo-me un pau aquéu chivau, se lou diriés pas un camargue?*

Mais déjà Blanquet ne l'écoutait plus. Il inter-
pellait les gens de la cuadrilla, admonestait un
picador campé, pour l'instant, à quelques pas de
la barricade.

— Oh ! Duro ! Dommage que la hampe ne soit pas
plus longue, hé ! fainéant ? Tu as donc bien peur
de piquer de près un taureau comme celui-là !
Ah ! le porc !

Le taureau venait de bondir à l'improviste et le
cheval sans défense, frappé de face à la base du cou,
partit, éclaboussant la piste d'un jet de sang qui,
par saccades, lui ruisselait à travers le poitrail. Il
fit quelques pas, tourna sur lui-même et s'abattit.
Des femmes, en criant, se détournèrent, de longs
sifflets et des huées partirent de toutes les places,
à l'adresse du maladroit.

— *Otro caballo !* Un autre cheval, un autre cheval !
braillait le picador empêtré dans ses étrivières.

Mais le matador ouvrait sa cape et, de nouveau, le
public applaudissait. Des garçons d'arène couraient
dans le tapage, jetaient de côté leurs longues
triques, répandaient des paniers de sciure sur le
sol.

Blanquet, indigné, sifflait encore.

— Tu as vu le Duro ? Tu l'as vu ? Qu'est-ce qu'il
croyait donc avoir sur la piste, ce picador de
malheur ?

Pèire Guilhem badaiè, toumbè l'alo de soun capèu,
espinchè, sèns ié faire cas, lou cavalié escambarla
sus la carno blanco, qu'alin, la porto doublo ié venié,
darrié, de se mai barra.

O, acò tant poudié èstre un camargue.

Dóu vièi rafard embraia dins l'arnés d'areno, rèn
mai se vesié entre la selasso e lou grèu caparassoun,
que l'encouluro e la tèsto, uno groupo taianto e seco,
quatre cambo pelouso que, de la cargo de l'ome, avien
l'èr de trantaieja.

— Paure vièi carcan! faguè lou fustié.

Lou Duro que talounavo, rabin, pèr braveja, mandè
soun capèu à la voulado.

I'aguè de crid e quàuqui cop de siblet.

Lou varlet que tenié la brido, courreguè à-rèire,
aubourè sa toucadouiro, cenglè lou chivau em' un
cop que, dins l'entre-silènci, petè se.

— Hè, toro!

La bèstio venié de founsa.

Mai lou Duro, aquest cop, en groupant soun long
aste mai ras dóu ferre e se mandant foro la sello,
pourtavo, de tout soun pes, sus lou coutet. Un mou-
men, se veguè rèn que la couveto e l'esquinasso de
l'ome, lou ren de la bèstio que se bidoursavo en
fourçant. Pièi, tout-d'uno, de la butado, lou chivau

284

Il se haussa un peu et, tourné vers Guilhem, d'un mouvement de tête, lui désigna la porte des chevaux.

— Hé! Guilhem, regarde un peu ce cheval, si on ne dirait pas un camargue?

Pierre Guilhem bâilla, rabattit son chapeau, regarda distraitement le cavalier juché sur la haridelle blanche, derrière lequel la double porte venait, là-bas, de se refermer.

Oui, ça devait bien être un camargue.

Du vieux cheval, affublé du harnais d'arène, on n'apercevait, sous la selle et le lourd caparaçon, que l'encolure et la tête, une croupe tranchante et maigre, quatre jambes velues, qui, sous la charge de l'homme, semblaient tituber un peu.

— Pauvre vieille bique! dit le charpentier.

Le Duro qui talonnait rageusement, par bravade, lança son chapeau à la volée.

Il y eut des cris et quelques sifflets.

Le valet qui tenait la bride courut en arrière, leva sa trique, cingla le cheval d'un coup qui, dans le demi-silence, claqua sec.

— *He toro!*

La bête venait de foncer.

Mais le Duro, cette fois, ayant saisi près du fer la longue hampe, le corps penché hors de la selle, pesait de tout son poids sur le garrot. Pendant

panleva quàsi, trantaiè e, rede, desvira pèr sòu, à paquet, piquè sus la sablo.

Lou biòu se rounsè, l'espóussè mai à grand cop de tèsto.

S'encagnavo.

Uno bano, en s'engavachant ras de l'espalo, esquihè sout lou cuer e lou telage, estrifè lou caparassoun e, dóu Duro, empega long dóu chivau, lou biòu se boutè à boufa li cambo.

Lèu-lèu, s'espandiguè uno capo, èro lou matador que s'entre-metié. Un vèu cluguè lis iue de la bèstio, pèr sòu tapè l'ome. E lou biòu, engana, tourna-mai, dins sa rounsado, se bandiguè pèr segui, de l'autre coustat dóu round, aquéu secutaire, qu'en fantaume-jant, dins un revòu d'estofo, fasié camin.

I'aguè, quasimen, un escaufèstre. L'aclamacioun, tengudo un moumen, se decidè. De casqueto e de capèu picavon pèr lou round emé de cano. Uno musico, dins lou tarabast, se boutè en trin.

A l'estounamen dóu mounde, lou chivau s'èro auboura sus si cambo e landavo long di barro. Un varlet, à la voulado, l'agantè, l'aduguè mai. E l'aclamacioun ranfourcè, quand lou Duro, quiha sus la sello auto, reclamè tourna sa pico e faguè signe que s'anavo mai aligna.

quelques secondes, on ne vit que la tresse et le
large dos de l'homme, l'échine courbe de la bête qui
se tendait. Puis tout à coup, sous la poussée, le
cheval à demi soulevé chancela et, tout raide,
culbuté d'un bloc, roula par terre.

Le taureau se précipita, le secoua encore d'un
furieux coup de tête.

Il s'acharnait.

Une corne, engagée près de l'épaule, se glissa sous
les cuirs et les toiles, déchira le caparaçon et du
Duro, collé à plat le long de la haridelle, il se mit
à flairer les jambes.

Vivement, une cape se déploya, c'était le matador
qui intervenait. Un voile masqua les yeux de la
bête, couvrit l'homme à terre ; et le taureau,
trompé de nouveau dans son attaque, se rua pour
suivre, à l'autre bout de l'arène, l'insaisissable
adversaire qui, dans un tourbillon d'étoffe, se
déplaçait.

Ce fut un véritable tumulte. L'ovation, suspendue
un instant, se déchaîna. Des casquettes et des
chapeaux tombaient sur la piste avec des cannes.
Une musique, dans le tapage, se prit à jouer.

Le cheval, à la surprise de tous, s'était remis sur
ses jambes et fuyait le long des barrières. Un
garçon le saisit au passage, le ramena. Et les
acclamations redoublèrent quand le Duro, hissé

Tant-lèu, de cop de siblet l'arrestèron. Pèr encauso dóu caparassoun, forço proutestavon. Se poudié pas pica em' un chivau nus ansin, ié falié chanja de mounturo! E, dóu tèms qu'en pas coumprenènt, lou Duro regardavo, estabousi, li rèng que, d'amount, lou chamatan n'en reissavo, un banderillero agantè la brido e virè em' un cop de poung la rosso vers la porto di chivau.

De darrié li barro, Blanquet aplaudissié plus. S'èro enfaucha si dos paumo.

Quet ome, aquéu Duro, quand voulié!

Boufè dins sa man que caudejavo, se cerquè à la pòchi un parèu de cigaro, li bandiguè dins lou round tant liuen pousquè. Uno bravo pico, acò, uno bravo pico!

— Hòu, Guilhem, uno bravo pico!

Mai, esperluca, s'arrestè.

Tout-d'uno, en se courbant e planta sus si lòngui cambo, Guilhem venié, pèr l'escaleto, de sauta ras dóu fustié.

— De-que t'arrivo? Mounte vas, ansin, 'mé toun ferre? aquest ié faguè proun estouna.

Lou gardian respoundeguè rèn.

Quiha sus la pouncho di pèd, semblavo gueira quauco-rèn de l'autro man de l'areno, sequè em'

288

sur la haute selle, réclama de nouveau sa pique
et fit signe qu'il allait marcher au taureau.
De brusques sifflets, aussitôt, l'arrêtèrent. A cause
du caparaçon, beaucoup de spectateurs protes-
taient. On ne pouvait pas piquer avec un cheval
aussi découvert, il fallait changer de monture !
Et comme, sans comprendre, le Duro regardait,
ahuri, les gradins d'où descendait le vacarme, un
banderillero saisit la bride et tourna, d'un coup
de poing, la rosse vers la porte des chevaux.
Derrière la barricade, Blanquet n'applaudissait
plus. Ses deux paumes lui faisaient mal.
Quel homme, ce Duro, quand il voulait !
Il souffla dans sa main brûlante, se fouilla, et tirant
de sa poche deux cigares, les lança sur la piste le plus
loin qu'il put. Une bonne pique, une bonne pique !
— Hé ! Guilhem, une bonne pique !
Mais la surprise l'arrêta.
Tout à coup penché en avant et dressé sur ses
longues jambes, Guilhem venait, par l'échelle
volante, de sauter près du charpentier.
— Qu'est-ce qui t'arrive ? Où vas-tu avec ton trident, à cette heure ? demanda celui-ci tout intrigué.
Le gardian ne répondit pas.
Haussé sur ses pointes, il sembla guetter quelque
chose à l'autre bout de l'arène, essuya d'un revers
de manche sa figure toute pâle qui suait.

289

*un revès de mancho sa caro ableimido que tressu-
savo.*

*— En fin de comte, cridè Blanquet, me sèmblo, iéu,
que te parle e, franc que fugues vengu sourd o que me
coumprengues pas...*

*Mai Guilhem boumbiguè à l'avans, virè l'autre pèr
coustat 'm' un cop d'espalo.*

*— Ai! tron de Diéu, laisso-me passa, qu'es lou
Pavoun!*

*Landè long di barro, alounguè dins lou courredou.
Un faciounàri lou sounè:*

— Hòu, gardian, de-qu'arrivo?

— Rèn, pas rèn.

*Un banderillero, aganta, sus lou moumen, pèr lou
biòu, fuguè espóussa proun rede dins lou round e
viéuta pèr sòu. De crid partiguèron de pertout. Mai
éu, tout-bèu-just se virè la tèsto, alentiguè pas
soulamen.*

*Courreguè ansin d'uno estirado enjusqu'à la porto di
chivau. En tèsto dis estable, sout l'arc de pèiro, uno
cavalasso seco arrivavo en troutant, couchado pèr de
varlet d'areno; de l'autro man, dins l'escur, s'entre-
vesié lou quiéu d'uno gancherlo aplantado 'mé sa
couvo que blanquejavo, un picador, en se courbant
sus l'avans, se desencambavo: èro lou Duro.*

290

— Enfin, cria Blanquet, il me semble que je te parle et, à moins que tu sois sourd ou que tu ne comprennes pas...

Mais Guilhem bondit en avant, jeta l'autre de côté d'un coup d'épaule.

— Ah! tonnerre de Dieu, laisse-moi passer, c'est le *Paon-Blanc!*

Il fila le long des barrières, allongea le pas dans le couloir. Un factionnaire l'interpella :

— O gardian, qu'est-ce qui arrive?

— Rien, rien.

Un banderillero, saisi à l'instant par le taureau, fut secoué rudement sur la piste et lancé à terre. Des cris éclatèrent de partout. Mais lui détourna la tête à peine, ne ralentit même pas.

Il courut ainsi d'une traite jusqu'à la porte des chevaux. Sous la voûte de pierre qui commande les corrals, une grande jument maigre arrivait au trot, poussée par des valets d'arène ; en face, dans l'ombre, on distinguait la croupe immobile et la queue blanche d'une haridelle, un picador penché sur l'arçon mettait pied à terre : c'était le Duro.

Guilhem se jeta sur lui sans rien dire, le frappa du trident à deux mains derrière l'épaule.

Le coup s'amortit aux broderies de la veste, mais le choc fut si rude que l'homme, basculant sur la

Guilhem se ié rounsè dessus sèns muta, ié plantè lou ferre emé si dos man de darrié l'espalo.

Lou cop s'amourtiguè dins li clin-clan de la vèsto, mai tant ié piquè rede, que l'ome, en baloutant dins la sello, roudè dóu coustat de la man. En se i'abrivant, de varlet lou recassèron.

Lou picador arpatejavo, carga pèr l'emboutage de ferramento e d'estoupo que, dins si braio de cuer, lou paravo; encaro croucheta dins l'estriéu, se boutè à bandi de bacèu à la voulado, en s'estoufant de la ràbi e en sacrejant.

Mai li crid de Guilhem ié douminavon sa voues:

— Leissas-me! Leissas-me, tron de Diéu! Leissas-me! Rintrara pas dins lou round aquéu chivau! D'abord que vous dise qu'es lou Pavoun. Belèu lou counèisse. Uno bèstio ansin? Un chivau de gardian que, davans lou biòu, n'en sabié mai qu'un ome... lou faire creba à cop de bano? Colo de salop!

Fourçavo tant qu'avié de nèr, en bandissènt à ressaut, de drecho e de gaucho, li droulas que lou mantenien.

— Vaqui lou patroun, es pas de rèsto, faguè un lougadié.

Un oumenas, d'efèt, en sourtènt dis estable à la subito, venguè espincha souto lou nas Guilhem que,

selle, roula du côté du montoir. Des aides accourus le dégagèrent.

Le picador se débattait, alourdi par le jambart de fer et d'étoupe qui, sous son pantalon de cuir, le protégeait ; accroché encore à l'étrier, il se mit à lancer, au hasard, des bourrades, en suffoquant de rage et en jurant.

Mais les cris de Guilhem couvraient sa voix :

— Lâchez-moi ! Lâchez-moi, tonnerre de Dieu ! Lâchez-moi ! Il ne rentrera pas dans l'arène, ce cheval ! Puisque je vous dis que c'est le *Paon-Blanc*. Je le connais, moi, peut-être. Une bête comme celle-là ?... Un cheval de gardian, qui, devant le taureau, en savait plus qu'un homme... le faire crever par la corne ? Ah ! tas de salauds !

Il luttait de toute sa force, jetant par secousses, de droite et de gauche, les garçons qui le maintenaient.

— Voilà le patron, ce n'est pas de reste, fit un aide.

Un gros homme, en effet, sorti des écuries à l'improviste, vint regarder sous le nez Guilhem que, dans l'ombre, il ne reconnaissait pas. Mais il recula stupéfait.

— Toi ? Toi, Guilhem ? Un garçon tranquille comme toi ? Venir mettre la révolution dans mes arènes ? Qui m'aurait dit ça ? Un gardian de

*dins la sournuro, sus lou cop, couneissié pas. Mai
se reculè estabousi.*

*— Tu? Tu, Guilhem? Un garçoun pausa coume
tu? Veni metre la desbrando dins mis areno? Quau
m'aurié di acò? Un gardian de biòu, lou mai!...
Faudra belèu que t'entravon? E, proumié, leissas-lou,
vous autre!*

*Enmalicia, se cougnè la man à la pòchi, póutirè soun
moucadou pèr se freta.*

— Tant, de-fes, belèu, qu'auras teta?

Guilhem, sournaru, bouleguè la tèsto.

*Lou Duro, entre vèire l'enemi deliéure, se bandiguè
pèr coustat 'mé li poung en l'èr. Mai, rede, Ricard
lou coupè:*

*— Me vas faire lou plesi, tu, d'ana mounte toun
travai te sono. Vous renjarés, tóuti dous, après la
courso. Ta plaço es pas eici.*

*Lou picador virè l'esquino, encambè la mounturo
fresco, se braquè sus sa sello en repetejant. De-bon,
ié coumprenié gaire, mai lou direitour coumandavo,
èro bèn mestié d'óubeï.*

— Pamens, señor empresario...

*Acampè si reno e, enrouita subran, se tenènt plus,
faguè desbounda sa maliço dins uno raisso de mot
d'espagnòu.*

taureaux, encore !... Est-ce qu'il faudra te faire attacher ? Et d'abord, lâchez-le vous autres !

Il se fouilla rageusement, tira son mouchoir pour s'éponger.

— C'est peut-être bien, aussi, que tu as bu ?

Guilhem renfrogné secoua la tête.

Le Duro, voyant son ennemi libre, se jeta de côté les poings tendus. Mais Ricard, sèchement, l'arrêta :

— Tu vas me faire le plaisir, toi, d'aller où ton travail te demande. Vous vous expliquerez après la course. Ta place n'est pas ici.

Le picador tourna le dos, enfourcha la monture fraîche, s'installa sur sa selle en grognant. Visiblement il n'y comprenait pas grand-chose, mais le directeur était le maître, il fallait bien obéir.

— Pourtant, *señor empresario*...

Il ramassa ses rênes et, cramoisi, tout à coup, n'y tenant plus, se mit à lâcher sa colère dans une bordée de mots espagnols.

Un grand tumulte, en même temps, s'éleva du dehors, s'engouffra dans le couloir comme une bourrasque. De longs cris se mêlaient aux applaudissements et aux huées. Des sifflets partirent des gradins supérieurs. Un banderillero, sa cape au bras, débouchant tout essoufflé sous la voûte, héla rudement le cavalier.

Un bramadis, au meme cop, mountè dóu deforo,
s'emboursè dins lou courredou coume uno rounflado.
De quilet s'entre-mesclavon i picamen de man em' is
ourlado. De cop de siblet gisclèron i rèng d'amoun-
daut. Un banderillero emé soun mantèu sus lou bras,
en traucant, desalena, sout l'arcado, sounè, raga-
gnous, lou cavalié.

— *Hòu, Duro, que pignes aqui? Lis entèndes pas,*
alin, que cridon? Lou biòu n'es pas di gros, camba-
rado, mai n'as agu tasta de mai fla. Zóu, zóu! Cigar-
ron vèn de s'ensuca dins lou round e lou mounde
encaro vòu de chivau... Toun matador, t'avertisse,
a pas lou rire: « Vai lèu, éu m'a di, querre lou Duro
e, se s'es endourmi dins lis estable, iéu te ié foutrai
uno emendo, que l'escarrabihara! »

— *Es aquel espèci de pacan, cridè en jeissant lou*
Duro, aquéu pourcatas de vaquié d'Arle, que lou
diable quihe la garço que l'abariguè...!

E représ, tourna-mai, pèr lou mourbin, se picavo
lou pitre à grand cop e, en uiejant de-vers Guilhem,
envoucavo tóuti li sant de l'Espagno.

— *Vaqui douge an que fau moun mestié. Ai pica,*
alin, en Pourtugau, ai pica, l'ivèr passa, au Mes-
sique. Mai, carajo! Es lou proumié cop que vese
escarni dins uno areno un paire de famiho ounèste,

— Hé ! Duro, qu'est-ce que tu fais là ? Tu n'entends donc pas les gens qui crient ? Le taureau n'est pas gros, camarade, mais tu en as piqué de moins durs. Dépêche-toi, dépêche-toi ! Cigarron vient de s'étourdir sur la piste et le public réclame encore des chevaux... Ton matador, je te préviens, n'a pas l'air de rire : « Va vite, qu'il m'a dit, chercher le Duro et, s'il s'est endormi dans les corrals, je lui foutrai une amende, moi, qui le réveillera ! »

— C'est cette espèce de paysan, cria en salivant le Duro, ce porc de vacher arlésien, que maudite soit la garce qui l'a nourri... !

Et repris, maintenant, par sa fureur, il frappait sa poitrine à grands coups et, roulant ses yeux vers Guilhem, attestait tous les saints d'Espagne.

— Voilà douze ans que je fais mon métier. J'ai piqué en Portugal, j'ai piqué l'hiver dernier au Mexique. Mais, *carajo* ! C'est la première fois que je vois assassiner dans une arène un honnête père de famille, qui, au péril de sa carcasse, gagne le pain de ses enfants !

Il éperonna, s'éloigna avec les valets, un peu courbé sous la voûte basse, au pas saccadé de la rosse qui éparvinait.

Une grande ovation accueillit sa rentrée dans l'arène.

297

qu'en asardant sa carcasso, derrabo lou pan de si
pichot!

Esperounè, s'enanè emé li varlet, entre-courba sout
l'arcado basso, i ressaut de la carno qu'esparvinavo.

Un rounfle d'aclamacioun saludè, dins l'areno, sa
rintrado.

PIERRE Guilhem haussa les épaules. Tout cela, maintenant, ne le touchait guère. Des injures ? Il ne les comprenait même pas.

Epouvanté par la bagarre, le vieux cheval s'était enfui dans l'ombre, au fond du couloir. Il le ramenait lentement, lui parlait, tâtant lui-même de la semelle ce terrain inégal et noir où la bête bronchait presque à chaque pas.

— Ho ! là... doucement ! Ho ! là !

Il le maintenait du mors, la main haute, sifflotait pour le rassurer.

— Pas peur, le *Paon-Blanc*, pas peur, ils ne te rattraperont pas.

Dans l'arc ouvert au bourdonnement de l'arène, un morceau de gradins et de barrières, en plein soleil, se découpait, et la lumière du dehors, éclatant crûment sous le cintre, semblait rendre plus incertaine la pénombre de ce boyau. Guilhem s'arrêta, repartit, hésitant, fit quelques pas à la recherche d'un endroit mieux éclairé.

Pèire Guilhem aussè lis espalo. Aro, tout acò ié fasié gaire. De soutiso? Éu li coumprenié soulamen pas.

Enaura de la batèsto, lou vièi chivau s'èro emboursa dins lou sourne au founs dóu croutoun. L'adusié d'aise, lou resounavo, en tastejant, tambèn, emé la sabato, aquéu sòu raspihous e sour qu'i mounto-davalo, la bèstio ié brouncavo quàsi pas pèr pas.

— Hòu, la... plan! Hòu, la!

Lou mantenié pèr lou mors en aussant la man, siblejavo pèr l'asserena.

— Pas pòu, lou Pavoun, pas pòu, aquest cop t'agantaran pas.

Dins l'arc que badavo au brounsimen de l'areno, un tros di barro emai di plaço s'enfenestravò au plen dóu soulèu e la lus dóu deforo, en clarejant sout la vouto, semblavo rèndre que mai fousco la sournuro d'aquéu mejan. Guilhem s'arrestè, partiguè mai en

300

— Plante-toi là, si tu veux, tiens, le *Paon-Blanc !*
Le *Paon-Blanc !* Il le regardait. Ces ganaches et ce
front lourd, rongés d'une gale terreuse, ces yeux
larmoyants et morts, cette lèvre baveuse qu'une
espèce de tic sénile fait trembler... C'était pourtant
ça, le *Paon-Blanc*. C'était pourtant ça.
Il soupira longuement, hocha la tête, puis, tout
résolu, la secoua :
— Ça ne fait rien, sois tranquille, je te dis qu'ils
ne t'auront pas.
Du caparaçon fendu par la corne et qui retombait
sur le poitrail comme un grotesque tablier, ses
yeux glissèrent le long des membres, descendirent
sur les sabots.
— Ah ! foutre !
Attentif, soudain, courbé pour mieux voir, il
toucha vivement le poil humide. Il ne s'était pas
trompé. C'était bien du sang.
— Du sang ? Ils me l'auront fait crever !...
Il bondit d'un coup sur ses pieds, rejeta sa veste en
arrière. Toute sa colère de tantôt lui revenait.
Les lèvres serrées, il s'affairait autour du cheval,
s'acharnait aux courroies et aux sangles, crispait,
sur le métal des boucles, ses gros doigts qui trem-
blaient un peu.
Si c'était permis, pourtant, d'accoutrer ainsi une
bête !

chancello, faguè quàuqui pas, en cerco d'un rode mai clar.

— Cougno-te 'qui, se vos, tè, lou Pavoun!

Lou Pavoun! Éu l'arregardavo. Aquéli ganacho em' aquéu frountas, rousiga, póussous, de la rougno, aquélis iue mort e lagagnous, aquéli brego moustouso qu'un ti de vieiounge atremoulissié... L'èro, acò, pamens, lou Pavoun. L'èro, acò, pamens.

Bandiguè un long souspir, brandè la tèsto, pièi, decida que mai, cabassejè:

— Acò fai pas rèn, fugues tranquile, iéu te dise que t'auran pas.

Dóu caparassoun, estrifa pèr lou cop de bano e que retoumbavo sus lou pitre coume un faudalas, sis iue virèron long di cambo, davalèron sus li floutoun.

— Ai, foutre!

Atenciouna, subran, en se giblant pèr miés vèire, lèu-lèu, tastejè lou péu mouisse. Se troumpavo pas. Èro bèn de sang.

— De sang? Sai que me l'auran fa creba!...

Boumbiguè, dóu cop, sus si pèd, en bandissènt sa vèsto à-rèire. Lou mourbin, coume tout-escas, ié revenié. En sarrant li bouco, à l'entour dóu chivau s'afeciounavo, s'encagnavo sus li courrejo e li cenglo,

Bousculée d'un revers, la lourde selle roula dans
le fracas de sa ferraille, tomba sur le sol, étalée, les
quartiers en l'air.

Il tenta de forcer le caparaçon, d'introduire son
bras à travers la déchirure. Une répugnance
l'arrêta. La bête, pour sûr, était crevée. Il allait,
sur sa paume ouverte, sentir la coulée d'un boyau,
saisir, au hasard, entre ses doigts, quelque chaude
grappe de tripes. Saloperie! Il cracha.

Il restait là, debout, près du flanc de la bête, à demi
collé contre lui.

Quoi, alors? Sauter sur les gens comme un ivrogne,
peiner dans ce recoin d'arènes aussi durement
qu'au chantier, pour découvrir, sous son harnais,
le *Paon-Blanc* saigné comme un porc et perdant
son ventre? C'était impossible, à la fin, vite, il
fallait voir.

Dans une hâte rageuse, il geignait de nouveau,
s'échauffait les ongles, tirait sur le cuir avec les
dents. Quand le caparaçon fut tombé, d'un coup
de pied furieux, il l'écarta, jeta de côté toute la
pesante défroque.

Alors, impatient, il s'accroupit, se releva, s'accroupit encore. Rien.

Saisissant à poignée le crin, il découvrit les cuisses
maigres, palpa lentement les jarrets et le ventre
en rebroussant des doigts le poil épais.

crouchetavo i blouco de ferre si det grèu que ié boulissien.

S'èro permés, acò, pamens, d'engimbra ansin uno bèstio!

Cabussado em' un revès, la selasso roudè dins un tarabast de ferramento, piquè pèr sòu, estalouirado, emé si quartié en l'èr.

Assajè de fourça lou caparassoun, de manda la man dins l'estrassado. Uno retenènço lou clavè. La bèstio, de-segur qu'èro crebado. Anavo, entre para la man, sèntre visqueja la fruchaio, aganta à la devinoun quau-que lampias caud de tripage. Pudentarié! Escupiguè.

Restavo aqui, planta, ras dóu flanc de la bèstio, en se i'empegant, quasimen.

Alor, coume? Agarri lou mounde, tau qu'un ibrougno, dins un recantoun d'areno bagna camiso tant coume au chantié, pèr encapa, pièi, souto l'arnés, lou Pavoun sauna coume un porc e semenant sa ventresco? Èro pas poussible, en fin de comte, zóu, zóu, falié vèire acò.

Rabin, en se devourissènt, tourna-mai gençavo, s'escaufavo lis ounglo, fourçavo sus lou cuer emé si dènt. Quand lou caparassoun aguè toumba, em' un cop de pèd vióulènt lou virè, bandiguè pèr coustat tout aquéu frapas d'adoubage.

C'était incroyable. Le cheval, vraiment, n'avait rien.

La pointe de l'épaule, seule, était touchée. La corne, en glissant sous la cuirasse, avait tiré là une espèce de séton. Et un mince filet de sang courait dans le sillon des muscles, descendait le long de la jambe en petite gouttière brune, jusque dans le creux du tendon.

Pierre Guilhem retroussa ses manches.

Tout son courage lui revenait. Il partit en courant vers les corrals, reparut avec un grand seau, commença sur place à laver vivement la blessure, en projetant à petits coups, de la main, l'eau fraîche qui éclaboussait.

Le cheval remuait un peu.

— Allons, le *Paon-Blanc*, ça va bien, tu les reverras, les cabanes. Ah ! par exemple, les taureaux, tu ne les reconnaîtras peut-être pas.

Il se mit à rire.

Un appel de trompette l'interrompit, arriva, criard, de l'arène, dans le bourdonnement et les huées. C'était la sonnerie des banderilles.

A l'autre bout de la galerie, les chevaux survivants rentrèrent, tirés à la bride par des valets. Il vit, en se retournant, la jument maigre, sûrement crevée sous sa bâche, passer à contre-jour, les quatre pattes raides et le cou tendu.

Alor, en barbelant, s'agrouvè, s'aubourè, s'agrouvè mai. Rèn.

En agantant lou cren à pougnado, destapè li cueisso meigrinello, manejè plan-plan li jarret emai lou vèntre en escartant, 'mé li det, l'espés dóu péu.

Semblavo pas de crèire. De-bon, lou chivau n'avié pas rèn.

La pouncho de l'espaloun e pas mai, èro toucado. La bano, en esquihant sout la cuirasso, avié tira aqui un espèci de setoun. E un fiéu de sang minçourlet, courrié dins l'entre-dous di nèr, davalavo, long de la cambo, regoulavo, escur, dins la rego dóu tendoun.

Pèire Guilhem s'estroupè li mancho.

Touto sa voio ié revenié. Partiguè, en rasclant, vers lis estable, revenguè em' un grand ferrat, coumencè sus plaço à lava lèu-lèu la plago, en bandissènt à cop menut, emé la man, l'aigo fresco que respouscavo.

Lou chivau trepihavo un pau.

— Anen, lou Pavoun, acò vai, li veiras mai, li cabano. Hòu! pèr eisèmple, li biòu, li couneiras belèu pas.

Se boutè à rire.

Un cop de troumpeto lou coupè, i'arrivè, en rauquejant, de l'areno, dins lou brounsimen e lis ourlado. Èro lou rampèu di bandariho.

Mais la misère des autres ne le touchait pas.

En avait-il, encore, de la chance, tout de même, ce vieux *Paon-Blanc!*

Il lui décocha une tape qui sonna creux sur les côtes maigres.

Tout en piétinant le sol boueux, il pressait du doigt la blessure, tordait, dans le seau ruisselant, son grand mouchoir chargé d'eau rose. Le sang, d'ailleurs, ne coulait plus guère.

Il était content.

Une nouvelle ovation s'éleva, grandit, vint s'amortir sous la voûte comme un coup de vent.

Mais Guilhem, le pouce tendu, tourna rondement le dos à l'arène.

— Entends-les crier, tous ces sauvages !

De penser que ces gens, naguère, pouvaient applaudir, tandis que le taureau roulait le *Paon-Blanc* dans la poussière, il les détestait tous pareillement.

Il lissait le poil que la sueur, sur les flancs, troussait en petites mèches, tâchait d'effiler un peu la queue épaisse, en cardant, de ses doigts en crocs, les crins tassés comme de la bourre.

Il lava les yeux enflammés, épongea les naseaux velus, englués de terre et de morve.

— Allez, c'est ça, peigne-le bien. A force de travailler, peut-être, tu finiras par en faire un joli garçon.

De l'autre coustat dóu croutoun, li chivau de soubro rintrèron, rebala en dèstre pèr de varlet. Veguè, en se revirant, la cavalo maigro, clavado, segur, entre sa bourrenco, passa dins lou faus-jour, enregouïdo di quatre cambo, en tirant lou coui.

Mai dóu malan dis autre s'entrevavo pas.

N'avié, tambèn de chanço, encaro, aquéu vièi Pavoun!

E i'empeguè un tapin que ressounè sourd sus si costo seco.

Tout en trepejant dins lou fangas, esquichavo emé soun det l'escaragnado, retourdié à regòu, dins lou ferrat, soun grand moucadou trempe d'aigo rouginasso.

Se sentié countènt.

Uno aclamacioun mountè mai, s'espandiguè, venguè moula souto l'arc coume un cop de ventoulado.

Mai Guilhem, en aussant lou pouce, virè round l'esquino à l'areno.

— Auso-lèi brama, 'quéli sóuvage!

En se pensant qu'aquéu mounde, tout-escas, poudié pica di man, dóu tèms que lou biòu viéutavo lou Pavoun dins la póusso, lis ahissié tóuti parié.

Aliscavo lou péu que, de la susour, s'amechourlissié long di costo, jincavo d'afusta un pau la couvo

Trop affairé, il n'avait entendu venir personne.
En reconnaissant la voix de Ricard, il sentit un
flot de sang battre ses tempes, mais il ne se
retourna pas.

L'emprésario fit le tour, vint se planter devant lui
les bras croisés.

— Ecoute, Guilhem, il vaut mieux que je te le dise.
Ce que tu fais là, aujourd'hui, non, c'est vrai, je ne
l'aurais pas cru possible de la part d'un homme
comme toi. Laisse-moi parler. Nous sommes seuls,
n'est-ce pas ? Ce n'est pas la peine de se fâcher.
Mais qu'un gardian quitte son poste en pleine
course pour venir assommer un picador, se battre
comme un chien dans les corrals, tu trouves ça
propre, toi ? Tu trouves ça propre ! Et qu'est-ce
qu'il y pouvait, celui-là ? Le Duro ? Pourvu qu'il
pique à son moment et monte les chevaux qu'on
lui donne[3], personne n'a rien à lui dire. Il n'est payé
que pour ça, tu le sais bien. Qu'est-ce que tu lui
voulais, alors ? Quoi ? Quoi ? Et si l'on allait t'en
faire autant, à toi, quand tu tripotes ton bétail
sur le toril ?

— Pour ce qui est du Duro, avoua Guilhem, je sais,
Ricard, que je n'ai pas raison...

— Ni pour ça, ni pour le reste, trancha Ricard.
D'ici, on n'entend donc pas la trompette ? Tu peux
dire ce que tu voudras, mais tant que la course

espesso, en cardant, 'mé si det croucu, lou cren esquicha coume de bourro.

Lavè lis iue irrita, espounguè lou mourre pelous, councha de mourvèu 'mé de terro.

— Acò es acò, vai, penchino-lou bèn. A la forço de travaia, belèu, feniras pèr n'en faire un poulit garçoun.

De l'afecioun, avié res entendu veni. En couneissènt la voues de Ricard, sentiguè lou sang ié vounvouneja i tempe, mai se virè pas.

Ricard faguè lou tour, venguè se ié planta davans, 'mé li bras crousa sus soun pitre.

— Escouto, Guilhem, vau mai que te digue. Ço que fas aqui, es verai, nàni, me lou sariéu pas cresu poussible, en venènt d'un ome coume tu. Laisso-me parla. Sian que tóuti dous, parai? Vau pas la peno que se fachen. Mai qu'un gardian quihe soun travai au bèu mitan d'uno courso pèr veni ensuca un picador, s'empougna coume un chin dins lis estable, l'atroves galant, tu? L'atroves galant! E de-que n'en dependié, aquéu d'aqui? Lou Duro? Emai s'aligne quand vèn soun moumen e encambe li chivau que se ié presènto, res ié pòu rèn dire. Es paga que pèr acò, lou sabes proun. Alor, de-que ié vouliés? Coume? Coume?

n'est pas finie, ta place est à l'autre bout de l'arène, sur les cases, pour faire sortir les taureaux.

— Si c'est ça, protesta Guilhem la main haute, tu n'as pas besoin d'être inquiet. J'ai quitté mon poste, c'est vrai ; mais il y a là-bas le long Bagarre qui connaît les bêtes aussi bien que moi. Avant le signal, j'en suis sûr, le taureau sera déjà derrière la porte. C'est comme si j'y étais moi-même, sois tranquille, c'est pareil.

Ricard respira bruyamment. Le flegme de Guilhem l'exaspérait.

Il fit un pas, mit le pied dans la fange, essuya sa semelle avec dégoût.

Malgré l'ombre et les courants d'air, malgré la fraîcheur des pierres, dans ce couloir, maintenant, il avait chaud. Il s'arrêta, tamponnant à petits coups sa figure blafarde et moite, puis furieux, n'y tenant plus, détourna sa colère sur le *Paon-Blanc*.

— Au fond, je n'ai pas compris encore ce que tu peux foutre là. Et d'abord, qu'est-ce que c'est que cette rosse ?

Guilhem, indigné, se redressa :

— Cette rosse, Ricard, c'est le *Paon-Blanc*.

— Quoi, le *Paon-Blanc* ? riposta Ricard que la mine de l'autre n'arrêta pas. Est-ce que tu crois, par hasard, que je connais de vue tous les chevaux d'équarrissage ?

E se te fasien parié, à tu, quand manejes ti biòu sus li caso?

— Pèr lou Duro, declarè Guilhem, sabe proun, Ricard, qu'ai pas resoun...

— Pèr éu, nimai pèr lou rèsto, coupè Ricard. D'eici, s'entènd dounc pas la troumpeto? Digo-me tout ço que voudras, mai d'aqui que la courso ague feni, ta plaço es d'eila dis areno, sus li caso, pèr faire sourti li biòu.

— S'es pas mai, rebequè Guilhem 'mé sa man aussado, as pas besoun de te faire de marrit sang. Ai quita moun travai, segur; mai, alin, i'a lou long Bagarro que counèis li bèstio tant bèn coume iéu. Avans lou cop de troumpeto, lou sabe, lou biòu boufara deja darrié la porto. Es parié coume iéu se i'ère, fugues tranquile, es parié.

Ricard souspirè en s'esbroufant. Lou sang-fla de Guilhem l'enmaliciavo.

S'avancè d'un pas, s'enfanguè, se fretè lou pèd, descoura.

En despié dóu sourne e dóu courrènt d'èr, en despié dóu fres di muraio, dins aquelo mancho, aro, avié caud. S'aplantè pèr tapouneja sa caro palinouso e mouisso, pièi, furious, se tenènt plus, revirè soun ispre sus lou Pavoun.

Guilhem, devenu blême, s'était repris aussitôt.

— Tu me le demandes. Je te réponds : c'est le *Paon-Blanc*. Comme tu le disais tout à l'heure, nous n'allons peut-être pas nous fâcher pour ça ?

— Nous fâcher ? Pour ça ?

L'idée parut si drôle au gros homme, qu'il éclata tout à coup. Elle était bien bonne. Soudainement déridé, il allait et venait, se claquait la cuisse en pouffant. Après sa fureur de naguère, il se détendait.

Ce Guilhem, pourtant, quel homme ! Il allait peut-être, à présent, lui sauter dessus, l'assaillir à l'improviste comme un simple picador !

Il se planta devant lui sans cesser de rire.

— Ce n'était pas pour te faire de la peine, mais voyons, je ne pouvais pas dire que c'est un pur-sang.

— Tais-toi, Ricard, maintenant, tais-toi ! cria Guilhem, à son tour, ne se contenant plus. C'est une rosse, si tu veux... oui, c'est ça, c'est une rosse. Mais pour moi, c'est quand même le *Paon-Blanc*. Regarde cette tête pelée, ce gros ventre, ces cuisses minces comme du papier. Si tu l'avais vu à cinq ans, ce cheval, si tu l'avais vu ! Et je n'ai pas peur de le dire, ils n'étaient pas nombreux, à l'époque, les hommes capables de l'enjamber. Quand je gardais à Roustan [4], c'est moi qui l'avais pris à la corde, qui avais sanglé sa première selle. Quel cheval, mon

— *Dins lou founs, ai pas coumprés encaro de-que, diàussi, pos foutre aqui. E, proumié, de-qu'es aquelo carno?*

Guilhem, pretouca, se rebifè:

— *Aquelo carno, Ricard, es lou Pavoun.*

— *Coume, lou Pavoun? rebequè Ricard que la brego de l'autre faguè pas cala. Tu te creses, belèu, que counèisse de visto tóuti li chivau de la bedoulo?*

Guilhem, qu'èro vengu blanc, se reprenguè sus lou cop.

— *Me demandes. Te responde: es lou Pavoun. Tau coume disiés, tout-escas, s'anan belèu pas brouia pèr acò?*

— *Se brouia? Pèr acò?*

Tant, à l'oumenas, ié semblè risible, que s'espetè sus lou cop. Empegavo, aquelo! Subran risoulet, anavo e venié, se picavo, en cacalejant, sus la cueisso. Un cop la maliço esvalido, tourna-mai s'amansissié.

D'aquéu Guilhem, pamens, ai, quet ome! Anavo belèu, aro, ié sauta dessus, l'agarri à la subito coume s'èro qu'un picador!

Se ié plantè davans sèns quita de rire.

— *N'èro pas pèr te faire peno, mai, anen, poudiéu pas dire qu'es un pur-sang.*

homme ! On nous regardait, tu sais, quand il courait dans une ferrade, quand il passait sur la Lice[5] avec sa grande queue blanche qui venait battre ses boulets. Je ne l'aurais pas donné, tiens, pour une femelle !

— Pourtant, fit Ricard narquois, on dit que la Naï...

— Il n'y a pas de Naï ni de pourtant, je te dis la vérité. Quand je l'ai vu, tout à l'heure, soulevé et roulé par terre, quand j'ai cru qu'on allait le ramener encore au taureau, mon sang n'a fait qu'un tour dans mes veines et je suis parti comme un fou vers les corrals. Regarde un peu, cependant, quelle misère !

— C'est malheureux, je ne dis pas, accorda Ricard conciliant, mais que veux-tu, pour tous les chevaux, ici, c'est la même chose.

— Comment peux-tu dire ça, c'est impossible, voyons, s'exclama Guilhem. Les autres ? Et qu'est-ce que ça fait ? Est-ce qu'ils savent où ils vont seulement ? Une rosse, pourtant, il faut bien que ça finisse. Toi, Ricard, tu dis ça parce que tu n'as jamais été gardian, tu ne sais pas ce que c'est. Allons donc ! Un camargue, un cheval né sur le pâturage, qui connaît le danger comme un homme, qui, toute son existence, a couru le taureau sauvage, le pousser en public sous la corne, à coups

— *Taiso-te, Ricard, taiso-te, aro! cridè Guilhem qu'éu, tambèn, se countenié plus. Es qu'uno carno, se vos... O, acò es acò, es qu'uno carno. Mai, pèr iéu, coume que vague, es lou Pavoun. Espincho aquelo tèsto replumado, aquelo bóuso, aquéli cueisso linjo coume un papié. Se tu l'aviés vist à cinq an, aquéu chivau, se tu l'aviés vist! E, ai pas pòu de lou dire, èron pas forço, à l'epoco, lis ome capable de l'encamba. Quand gardave à Roustan, es iéu que l'aviéu aganta au seden, qu'aviéu cengla soun proumié selage. Que chivau, moun ome! Nous regardavon, sabes, quand coursejavo i ferrado, quand passavo sus la Liço emé sa couvasso blanco que ié picavo i floutoun. L'auriéu pas chabi, tè, pèr uno femello!*

— *Pamens, faguè Ricard, mourgant, dison que la Nai...*

— *I'a pas ges de Nai ni de pamens, te dise ço qu'es verai. En lou vesènt, tout-escas, auboura e viéuta pèr sòu, quand me siéu refigura que l'anavon mai vira au biòu, moun sang a fa qu'un tour e ai parti, desvaria, is estable. Arregardo un pau, pamens, quanto misèri!*

— *Es malurous, dise pas, faguè Ricard en pacifiant, mai, de-que vos, pèr tóuti li chivau, eici, es parié.*

316

de trique et l'œil bandé? C'est une abomination qui ne devrait pas être permise.

Il avala précipitamment sa salive, rouge de colère et suffoquant, puis, les poings aux poches, se tourna tout résolu vers Ricard.

— Tiens, parlons franc, je n'irai pas par quatre chemins. Si je fais une bêtise, c'est tant pis pour moi. Cède-moi le cheval, en ami, au prix qu'il te coûte, et, ce soir encore, je l'emmène à la manade.

Mais Ricard, placidement, se récria :

— Tout ça, vois-tu, ce sont des histoires que je ne comprends pas bien. Pour moi, une rosse est une rosse et quand un vieux cheval est à bout, qu'il finisse par la corne ou le couteau, ça ne fait pas une grosse différence. Mais pour ce qui est de le vendre, mon pauvre Guilhem, ça me serait bien difficile, pour la bonne raison qu'il ne m'appartient pas.

Au geste de Guilhem, il insista :

— Non, non, les chevaux, ici, ne sont pas à moi, quand je te le dis, tu peux me croire. A chaque course, c'est Bourguin qui les fournit. Mais, d'ailleurs, qu'est-ce que ça peut faire? Il ne doit pas être bien loin, je vais dire qu'on te l'appelle. Si tu veux t'entendre avec lui, tu verras, ce n'est pas un mauvais homme.

Presque aussitôt, Bourguin parut, chaussé d'espadrilles et armé d'une longue gaule.

— *Coume lou pos dire, es pas poussible, anen,* s'escridè Guilhem. *Lis autre ? E de-que pòu faire ? Sabon-ti soulamen mounte li menon ? Uno carno, pamens, fau bèn que fenigue. Tu, Ricard, lou dises, que jamai siés esta gardian, sabes pas de-qu'es. Anen ! Un camargue, un chivau nascu sus lou païs, que saup lou dangié parié coume un ome, que, touto la vido, a courseja de bouvino, lou cougna davans lou mounde, sus li bano, à cop de toucadouiro, emé l'iue cluga ? Es d'abouminacioun que se déurien pas leissa faire.*

Couchous, avalè soun escupagno, enrouita de la lagno en s'estoumagant, pièi, emé si poung dins si pòchi, se virè, bèn decida, vers Ricard.

— *Tè, parlen franc, i'anarai pas pèr quatre camin. Se m'engarce, es tant pis pèr iéu. Laisso-me lou chivau, en ami, pèr ço que te costo e, à-niue encaro, l'entourne sus la manado.*

Mai Ricard, plan-pausa, se rancurè :

— *Veses, tout acò es de conte que, iéu, li coumprene pas trop bèn. Pèr iéu, un carcan es un carcan e quand un rafard es à bout, que fenigue pèr la bano o pèr lou coutèu, fai pas grosso diferènci. Mai pèr quant à lou vèndre, moun paure Guilhem, acò me sarié proun mal-eisa, estènt, de-bon, qu'es pas miéu.*

318

Comme fournisseur des chevaux, il dirigeait le personnel subalterne, embauché lui-même avec ses quatre frères pour le service des corrals. Les jours de courses, tous les Bourguin filaient aux arènes, culottés de treillis crasseux et vêtus de casaques rouges. Bourdonnant dès l'entrée, sur la piste, à la suite des picadors, ils fouettaient, en criant, les montures, répandaient la sciure et le sable, dessellaient et couvraient de toile les cadavres des chevaux. Mais c'était toujours Jean Bourguin qui accrochait lui-même par les cornes le taureau mort à la barre du palonnier, tandis que les cadets, à toutes jambes, escortaient en courant le train de mules dans un tintamarre de grelots et de coups de fouet.

Il arrivait à grands pas, affairé, soufflant très fort. Il avait chaud. De minces coulées de sueur sale et de poussière ravinaient sa figure et son cou.

— C'est Ricard qui m'envoie ici pour le cheval...

L'essoufflement lui coupait la parole. Il répéta :

— Pour le cheval... Ecoute, Guilhem, le travail presse. Quel fourbi, mon homme ! Tout le temps, il faut être sur la piste, tout le temps courir à droite et à gauche. Enfin, quoi ? C'est le métier.

Il s'essuya le front d'un coup de manche, montra du doigt le *Paon-Blanc* qui, le museau bas, semblait s'assoupir sur ses pattes.

Guilhem en fasènt signe, éu contro-istè :
— *Noun, noun, li chivau, eici, soun pas miéu, dóu moumen que te lou dise, me pos crèire. Pèr chasco courso, es Bourguin que li fournis. Mai, pièi, de-que te pòu faire ? Dèu pas èstre forço liuen, vau dire que te lou sonon. Se te vos renja em' éu, veiras, es pas trop un marrit ome.*
Tant-lèu, quasimen, Bourguin pareiguè, ensabata d'espadriho e mancha 'm' uno toucadouiro.
En fournissènt la cavalino, beilejavo li lougadié, embaucha tambèn, 'mé si quatre fraire, pèr lou travai dis estable. Li jour de courso, tóuti li Bourguin s'emboursavon is areno, embraia de coutis póussous e vesti de casaco roujo. Mousquejant entre parti, darrié li picador, dins lou round, toucavon, en bramant, li mounturo, espóussavon lou resset e la sablo, desselavon e tapavon 'mé de bourrenco li carcasso di chivau creba. Mai èro toujour Jan Bourguin que crouchetavo éu-meme pèr li bano lou biòu mort au reinard dóu palounié, dóu tèms que li jouvènt, à touto courso, acoumpagnavon, abriva, lou trin di miolo, dins un chamatan de cascavèu e de cop de fouit.
S'avançavo à grand cambado, afeciouna, en boufe-jant. Avié caud. A rajeirolo, encro dóu póussun, la susour ié degoutavo sus li gauto e sus lou coui.

320

— Ecoute, parlons peu et parlons bien. On me dit
que tu veux emmener le cheval. Tu veux l'emmener? Ça va bien, emmène-le.

Il se mit à rire bruyamment.

— Avec moi, tu sais, les affaires ne traînent guère.
C'est comme ça. Ce n'est pas mon avantage, tu
penses, de revendre des chevaux de picador et si
ce n'était pour un ami...

Il cligna de l'œil :

— Tu ne fais peut-être pas, tout de même, un bien
mauvais compte. Le cheval est vieux, c'est certain.
Son âge, tu le sais mieux que moi. Mais pour un
petit service...

Il s'était approché, jetait sa gaule, fourrageait
dans la bouche du *Paon-Blanc*.

— Ces camargues, quelle carcasse ! Regarde ces
dents, tiens ! Et ces jambes. C'est une bête,
peut-être, pour te faire encore dix ans. Dommage
qu'aujourd'hui, de ces carcans, on n'en trouve
guère. Celui-là, sans sa robe, je ne l'aurais pas ici.
Mais les abattoirs, heureusement, refusent les
bêtes blanches.

Il haussa les épaules, écartant les doigts, comme
soudain pris d'une indicible fureur :

— Avec leurs saloperies d'automobiles, il semblait,
sacré tonnerre, que les chevaux allaient se donner.
Ah ! bien ! Je t'en fiche. Plus ça va et plus ils sont

— Es Ricard que me mando pèr lou chivau...
Lou courre ié coupavo l'alen. Diguè mai :

— Pèr lou chivau... Escouto, Guilhem, lou travai
buto. Que fourbi moun ome! De-longo te fau èstre
dins lou round, de-longo courre d'eici, d'eila. Enfin,
de-que vos? Es lou mestié.

Se fretè lou front em' un cop de mancho, faguè vèire
emé lou det lou Pavoun que, lou mourre en bas,
semblavo s'apenequi sus si cambo.

— Escouto, parlen gaire e parlen bèn. Me dison que
vos mena lou chivau. Lou vos mena? Vai bèn,
meno-lou.

Partiguè en cacalejant.

— Emé iéu, sabes, tiron pas de long, lis afaire.
Acò es ansin. Es pas moun plan, te pos crèire, de
revèndre de chivau de picador e s'èro pas qu'es pèr
un ami...

Ié guinchè de l'iue.

— Tambèn, fas belèu pas un marrit pache. Lou
chivau, de-segur, es vièi. Soun tèms, lou counèisses
miés que iéu. Mai pèr un pichot service...

S'èro avança, bandissié sa toucadouiro, fourgou-
gnavo dins la bouco dóu Pavoun.

— Aquéli camargue, quéti caisso! Miro aquelo
dentaduro, tè! E si cambo. Es uno bèstio, acò, belèu,

322

chers. Il n'y aura pas moyen, bientôt, de gagner sa vie. Et tout augmente, tout augmente...

Guilhem, soupçonneux, le regardait. Où voulait-il en venir, celui-là ? Il les connaissait de reste, toutes ces parades de maquignon.

— Ecoute, Bourguin...

Le gardian tendit l'oreille. Là-bas, dans l'arène, la trompette venait de sonner à la mort. Il pensait à la Naï, à sa place vide sur les cases, et maintenant, s'impatientait.

— Ecoute, tu as raison, le temps presse. Dis ton prix et, si c'est possible, finissons-en.

— Mon prix ? Je vais te le faire, mais je te préviens, inutile d'y rogner un sou. Voilà : le cheval vaut quinze pistoles ; à cent vingt-cinq francs, il est à toi.

D'un geste, il ferma la bouche à Guilhem :

— Il y a, seulement, une condition, c'est qu'il faut l'argent tout de suite. Oh ! entendons-nous ! Ce soir, après la course, quand tu voudras. J'ai confiance, va, j'ai confiance. Mais te faire l'avance, en ce moment, réellement, ça ne se peut pas. Les affaires sont trop dures. Encore, faut-il que ce soit pour un ami, parce qu'à ce prix-là, avec les faux frais, j'en suis de ma poche.

Au mur, il gratta une allumette, frappa du pied violemment.

*pèr te faire encaro dès an. Dóumage, vuei, que
d'aquéli carcan, se n'encape gaire. Aquest d'aqui,
s'èro pas soun péu, l'auriéu pas eici. Mai i tuadou,
pèr bonur, rebuton li bèstio blanco.*

*Brandè lis espalo, en escavartant si det, coume s'un
refoulèri l'empourtèsse :*

— *Emé si salouparié d'autoumoubile, semblavo,
sacre tron de Diéune, que li chivau s'anavon douna.
Ah, bèn! L'ase quihe. Dóu mai vai e dóu mai te
coston. I'aura lèu plus plan de gagna la vido. E
tout que mounto, tout que mounto...*

*Mesfisènt, Guilhem l'espinchavo. Aquest, mounte
n'en voulié veni? Lou couneissié que de rèsto tout
aquéu meissa de maquignoun.*

— *Escouto, Bourguin...*

*Lou gardian chaurihè. Alin, dins l'areno, venien de
troumpeteja pèr la mort. Pensavo à la Nai, à sa
plaço, à-d'aut, sus li caso e, aro, se languissié.*

— *Escouto, as resoun, lou tèms buto. Digo toun pres
e, s'es poussible, defeniguen.*

— *Moun pres? Te lou vau faire, mai te prevène,
assajesses pas de ié rougna un sòu. Vaqui : lou
chivau vau quinge pistolo; emé cènt vint-cinq franc,
sara tiéu.*

En fasènt signe à Guilhem, ié barrè li bouco.

— Certainement, oui, j'y perds. Que cette ciga-
rette, tiens, m'empoisonne, si je ne dis pas la
vérité.

Guilhem ne répondit pas. La tête basse, il paraissait réfléchir. Un vacarme soudain de musique et
de bravos, tous les cris, toutes les rumeurs de
l'arène, ne lui firent pas lever les yeux.

Plus près, une voix rude héla du côté des écuries :

— Ho ! Bourguin !

— Tu vois, fit celui-ci, on m'appelle. Que dire de
plus ? Ce sera comme tu voudras. Je vais au corral
donner des ordres. Tant qu'il y aura des bêtes
valides, on épargnera celui-là. Entre-temps, si tu
te décides...

Il se pencha, reprit sa trique, saisit la bride du
cheval, et Guilhem, sa veste au bras, s'éloignait,
le dos élargi dans la lumière, avec son ombre
décroissante qui se balançait derrière lui.

— I'a rèn qu'uno coundicioun, es que fau li sòu tout de suito. Ho, faguen pas de conte. A-niue, après la courso, quand voudras. Mai pèr te faire l'avanço d'aquest moumen, de-bon, se pòu pas. Soun trop tihous, lis afaire. Encaro, vai bèn qu'es pèr un ami, qu'à-n-aquéu pres d'aqui, 'mé li fres, n'en siéu de la pòchi.

A la paret, fretè uno alumeto, piquè, vióulènt, 'mé lou pèd.

— Segur, o, ié perde. Qu'aquelo cigareto m'empouisoune, se te dise pas tau coume es.

Guilhem respoundeguè rèn. Tèsto souto, avié l'èr de carcula. Un chafaret, subran, de musico e d'aplaudimen, tout lou bramadis, tout lou rounfle de l'areno, ié faguèron pas auboura lis iue.

Mai proche, uno voues rusto sounè de-vers lis estable.

— Ho, Bourguin!

— Veses, faguè l'autre, me sonon. De-que dirian mai? Sara coume voudras. Vau i cas pèr douna d'ordre. Tant que n'en soubrara de libre, lou chivau s'espargnara. Dóu tèms, pièi, se te decides...

Se courbè, acampè sa toucadouiro, agantè la brido dóu chivau e Guilhem, 'mé sa vèsto sus lou bras, en espalejant dins lou clarun s'enanavo, emé soun oumbrino retirado que ié brandoulavo de darrié.

326

D'UN pas lourd, il suivait le couloir des barricades. Le grand soleil, maintenant, l'éblouissait. Le taureau couché sur la piste, le galop effaré du train de mules, le frémissement, là-haut, des éventails et des ombrelles, tout cela, il semblait ne pas le voir.

A travers les gradins, l'ovation, furieuse, se prolongeait.

Mais il filait le front bas, courbé sous les bravos et les fanfares comme sous un coup de mistral.

— Putain de vie !

Il songeait seulement à la bête condamnée, au cheval misérable, attaché pour la mort dans l'ombre sinistre du corral.

Ah ! le tenir cinq minutes sous ses doigts, ce Bourguin, cette fripouille, lui faire rentrer dans le corps tous ses bavardages.

Et quand même ? A quoi bon ? C'était de l'argent, qu'il fallait. De l'argent, tout de suite ! Tout de suite !

327

*A*clapa, seguissié lou dedins di barricado. Aro, lou souleias l'enlourdissié.

Lou biòu alounga dins lou round, lou galop abriva dóu trin di miolo, lou fremin, amoundaut, di ventau e dis oumbrello, tout acò semblavo que lou vesié pas.

Entre li rèng, l'aclamacioun, dessenado, s'espandissié.

Mai éu landavo en beissant lou front, gibla pèr l'aplaudimen e la founfòni coume pèr un cop de mistrau.

— Putan de vido!

Pensavo rèn qu'à la bèstio coundanado, au chivau miserous, estaca pèr mouri dins l'escur menèbre dis estable.

Ai! pousquèsse cinq minuto lou teni dins si man, aquéu Bourguin de grand capounaio, pèr ié faire rintra i brego tóuti si meissage.

D'un coup d'épaule, sans rien voir, il frôla de près
la barricade, heurta rudement un homme qui, de
surprise, se mit à jurer. Mais il y eut, aussitôt, des
exclamations et de grands rires.

— Ah! bien, par exemple! Encore ce sacré
Guilhem!

C'était Ricard. Il piétinait sur place en battant
des mains, tirait son mouchoir pour l'agiter.
Enthousiasmé, il se découvrit tout à coup, lança
par-dessus les planches son chapeau de paille qui
vint s'abattre au bord de la piste en tourbillonnant.
A pleine gorge, il acclamait le matador. Comme en
extase, il regardait le torse éblouissant de l'homme,
sa nuque brune, et sous le nœud, sa mince tresse
de torero balancée à chaque salut, le rapide éclat
de la lumière sur les plaques d'or des épaules et
des deux bras ouverts qui se tendaient.

— Un fameux homme, tu sais!

Il sourit, se carra soudain dans sa large veste.

— Hé! Guilhem, devine un peu, celui-là, comment
je l'ai déniché?

Mais s'interrompant aussitôt, il frappa du poing la
barrière:

— Ah! nom d'un chien! Bête que je suis! J'avais
oublié. Je te le jure, j'avais complètement oublié.
Eh bien! alors, quoi? Ça n'a pas marché, là-bas,
que tu fais maintenant une lippe pareille?

E pièi? De-que servirié? Èro de sòu que falié. De sòu, tout d'un tèms! Tout d'un tèms!

Em' un cop d'espalo, en rèn vesènt, frestè ras l'en-aut di barro, s'embrounquè à-n-un ome que, de l'estounamen, se boutè à sacreja. Mai i'aguè tant-lèu d'esclamadis e de rire.

— Ha bèn, de la vido! Mai, aquéu sacre Guilhem!

Èro Ricard. Trepejavo sus plaço en picant di man, sourtié soun moucadou pèr lou boulega. Estrambourda, se descapelè tout-d'uno, bandiguè, pèr dessus li barro, soun capèu de paio que venguè pica sus l'orle en revoulunant. A plen de voues, aclamavo lou matador. En badant, regardavo lou pitre dardaiant de l'ome, soun coui mouret e, sout lou nous, sa linjo couveto de torero gancihado en chasque salut, lou cop viéu de la souleiado sus li pedas d'or dis espalo e di bras alarga que se durbien.

— Un ome di famous, acò, sabes!

Risoulet, s'espoumpiguè, subran, dins sa longo vèsto.

— Hòu, Guilhem, devino, aquéu, coume ai fa pèr l'embaucha?

Mai en se recoupant, tant-lèu, mandè un cop de poung sus li barro.

— Ai! Tron de milo! Bedigas que siéu! M'avié passa de la tèsto. Te proumete, m'avié passa en plen.

330

Guilhem secoua la tête.

Non, non, ça n'avait pas marché. Ah ! pour sûr, on pouvait le dire, il était de ceux que la chance ne poursuit pas. Et ce Bourguin, ce caraque de Bourguin, pour une pièce de cent francs, refuser crédit à un honnête homme qui, de sa vie, n'avait fait de tort à personne, lui, un gardian d'Arles que toute la Provence connaissait...

— Et pour ça, Guilhem, tu te fais du mauvais sang de la sorte ?

Il se rapprocha, lui saisit la manche.

— Ecoute. Dans ton intérêt, je ne devrais pas le faire. Mais, après tout, ça ne regarde que toi. Tu es un brave garçon, chacun son idée. Si ça doit t'être agréable, tiens, tu me le rendras quand tu pourras.

Il avait tiré son portefeuille, tripotait les billets serrés dans la poche de gros cuir.

— Tu n'as pas assez ? Si tu veux cinquante écus ?

Mais Guilhem, tout rouge, bredouillait, refusait avec la petite feuille qui tremblait au bout de ses doigts.

— Non, non, va, merci, j'ai assez comme ça, va Ricard. Merci bien, hé ? Au moins, ça ne te dérange pas ?

Les doigts ouverts, d'un geste large, Ricard enveloppa l'amphithéâtre.

331

*He bèn, alor, coume n'en vai ? A pas vira dóu biais,
alin, qu'aro fas ansin la bèbo ?*

Guilhem bouleguè la tèsto.

*Noun, noun, avié pas bèn vira. Ai! segur que se
poudié dire, èro pas d'aquéli que la chanço ié vèn
après. E aquéu Bourguin, aquéu caraco de Bourguin,
pèr uno pèço de cènt franc, refusa lou crèdi à-n-un
ounèste ome que, de la vido, avié pourta tort en res,
un gardian d'Arle que touto la Prouvènço lou
couneissié...*

*— E pèr acò, Guilhem, ansin te fas de marrit sang ?
Se sarrè, ié groupè la mancho.*

*— Escouto. Pèr toun interès, lou déuriéu pas faire.
Mai, en fin de comte, acò te regardo que tu. Se te
pòu faire plesi, tè, me lou rendras entre que poudras.*

*Avié sourti soun boursoun, manejavo li bihet recata
dins la poucheto en gros cuer de vaco.*

*— As pas proun ? Se vouliés cinquanto escut ?
Mai Guilhem, enrouita, bretounejavo, refusavo emé
lou papié qu'is ounço ié tremoulejavo.*

*— Noun, noun, vai, gramaci, n'ai proun ansin, vai,
Ricard. Gramaci, que ? Au mens, acò te desrenjo
pas ?*

*En escartant li det, 'm' un cop de bras, Ricard ié
faguè vèire li tiatre.*

— Ne crains rien. Il en tombe encore, ici, des pièces de quarante sous.

Guilhem, hésitant, tourna sur lui-même. Il aurait voulu se précipiter.

Il lui tardait d'être là-bas, de payer, de saisir, cette fois, en maître, la longe sordide du *Paon-Blanc*.

La foule avait cessé d'applaudir. Les cavaliers, la pique au bras, rentraient au pas dans l'arène, revenaient, le long de la barricade, prendre leur place de combat. Coiffés de leur pesant chapeau, emboîtés des reins dans la selle, ils passaient, alourdis encore sous une carapace de galons d'or et de pampilles qui étincelaient.

De grands cris accueillaient le retour des haridelles. Un bourdonnement, un murmure, coupé sec de quelques sifflets, couvrait le son de la musique, s'enflait à travers les gradins. Au bruit des bouchons qui sautaient, se répondait dans la rumeur l'appel des marchands de cacahuètes.

Sûrement, d'un instant à l'autre, la trompette allait sonner au taureau.

Guilhem prit son parti, fila vers les cases.

— C'est ça, cria Ricard, tu as le temps, dépêche-toi ! Et surtout, veille à la galette, que la Naï ne la mange pas.

Il ne répondit rien, tout en courant, se prit à rire.

— *De-qu'as pòu? Encaro n'en toumbo, eici, de pèço de quaranto sòu.*

Guilhem, en balançant, virè sus si cambo. Aurié vougu se lança.

Se languissié d'èstre alin, de paga, d'aganta aquest cop, pèr mèstre, la cordo póussouso dóu Pavoun.

Lou mounde s'èro arresta d'aplaudi. Li cavalié, 'mé l'aste au bras, rintravon au pas dins l'areno, revenien, long di barro, reprendre soun rèng pèr lou coumbat. Couifa de si grèu capelas, bouita d'esquino dins si sello, passavon embasta pèr un garnimen de pampaieto d'or e de clin-clan que beluguejavo.

Un bramadis, entre rintra, saludavo la cavalino.

Un vounvoun, un murmur, recoupa pèr de siblejado, douminavo la musico, ranfourçavo entre li rèng. I cop de tap que partien, se respoundié, dins la rumour, lou crid di marchand de pistacheto.

Segur que, d'un moumen à l'autre, s'anavo troumpeteja pèr lou biòu.

Guilhem se decidè, virè i caso.

— *Acò es acò, cridè Ricard, as lou tèms, despacho-te! E, lou mai, tèn d'à-ment la grano, que la Nai te la bèque pas.*

La Naï ? une femelle ? Peuh ! il n'avait pas peur de ça.

L'argent dans la poche, maintenant, il se sentait fort. D'un saut, il franchit la petite échelle, joyeusement, mit bas sa veste.

Mais Bagarre était déjà là.

Dans un bruit de verrous et de portes claquées, accroupi ou debout, il jurait, poussait son trident, circulait le long des madriers jetés en ponts volants par-dessus les cases. Une poussière échauffée de bois vermoulu, de vieilles pierres dans ce réduit, épaississait l'atmosphère plus suffocante que dans un four. Au-dessous, malgré la clarté de l'embrasure, à peine entrevoyait-on, par instants, des yeux enflammés dans l'ombre, un garrot mouvant, une échine, des pointes de cornes qui se tendaient.

Une sonnerie éclata, c'était le signal de la sortie.

Le taureau touché bondit sur ses pattes, ébranla d'un coup furieux la cloison de planches, se rua sur la piste ouverte en soufflant.

On entendit, au même instant, la foule qui applaudissait.

— Sacré tonnerre, fit Bagarre, on crève de chaud, ici. Je te laisse, à présent, à ton aise.

Il n'avait rien dit jusque-là. Il rasa le mur et, la main sur la targette, placide, se tourna vers Guilhem.

Respoundeguè rèn, tout en tabouscant, se boutè à rire.

La Nai ? Uno femello ? Hòu ! avié pas pòu d'acò.

Emé li sòu à la pòchi, aro, se sentié de vanc. Dins qu'un saut, encambè l'escalo e, galoi, escampè sa vèsto.

Mai Bagarro èro aqui, deja.

Em' un brut de ferrou, en bacelant li porto, d'asse-toun o de dre, sacrejavo, lardavo soun ferre, trafe-gavo long di platèu voulant, planta pèr dessus li caso. Un póussun recaud de bos artisouna, de peirasso vièio, dins aquéu recantoun, espessissié l'èr, mai tèbe que dins un four. En bas, mau-grat lou clarun dóu fenestrage, à peno se s'entre-vesié, à moumen, d'iue que flamejavon dins l'escur, de coutet mouvènt o d'esquino, de bano que pounchejavon.

Un cop de troumpeto partiguè, èro lou signau pèr la sourtido.

Lou biòu touca boumbiguè sus si cambo, estremen-tiguè 'm'un turtau lou refènd de plancho, se rounsè dins lou round dubert en boufant.

Au meme moumen, lou mounde s'ausiguè qu'aplau-dissié.

— Sacre tron de Diéune, faguè Bagarro, crèbes de la caud eici. Aro te laisse faire, à toun aise.

— C'est égal, une autre fois, en quittant la place, tâche au moins d'avertir quelqu'un. Allons, cette Naï, tout de même, elle t'en fait faire !

Cette Naï ? Cette Naï ? Imbécile !

Il regardait encore avec colère la porte que Bagarre venait de claquer. Le dos rond, les lèvres tendues, il demeurait immobile, laissant pendre ses longues jambes dans la case au-dessous de lui. L'allusion de Bagarre l'exaspérait.

De quoi se mêlait-il, celui-là ? Bagarre ? Bagarre la bête ! Aujourd'hui, surtout, le lourdaud tombait si bien.

D'un coup sec, il tira sa montre. Quatre heures. Bon sort ! Et la Naï qui n'arrivait pas. Il n'aurait jamais cru pareille chose. Elle qui, tous les jours de courses, impatiente, au contraire, se faufilait, venait, en cachette, gratter la porte du toril, si bien que le baile, une fois, en louchant vers elle, avait averti Guilhem rudement : « Où les hommes sont au travail, ce n'est pas la place des femelles. »

Le baile ? Peuh !

La foule siffla dans l'arène. Il leva la tête effaré :

— Nom de sort, le cheval !

Mais de ce côté, rien à craindre. Bourguin n'allait pas se dédire. Le marché pour lui, était bon. D'ailleurs, tout à l'heure...

Encaro avié pas muta. S'enfusè long de la paret e, en mandant la man à la cadaulo, plan-pausa, se virè de-vers Guilhem.

— Es egau, un autre cop, en partènt dóu rode, pren-te siuen, au mens, d'averti quaucun. Anen, aquelo Nai, tambèn, te n'en fai proun faire!

Aquelo Nai! Aquelo Nai! Ho, couiòti!

Espinchavo, irrita, la porto que Bagarro la venié de tabasa. En esquinejant, li brego estirado, restavo aqui sènso branda, en leissant pendoula de dessouto éu si lòngui cambasso dins la caso. La remarco de Bagarro lou carcagnavo.

De de-que s'entrevavo, aquéu? Bagarro, Bagarro la bèstio! Vuei, lou mai, aquéu patouias, tant coume picavo just.

'M' un cop viéu, sourtiguè sa mostro. Quatre ouro. Bon Disque! E la Nai qu'arrivavo pas. Jamai se sarié refigura causo pariero. Elo que, li jour de courso, en se languissènt, tout au contro, s'enfaufi-lavo, venié de rescoundoun, grata la porto di caso, talamen que lou baile, un cop, en guinchant de caire, avié, ragagnous, fa saupre à Guilhem : « Aqui mounte d'ome an soun travai, es pas un rode pèr li femello. »

Lou baile? Pòu!

338

De nouveau, il tirait sa montre, s'énervait. Un menu craquement, le bruit d'une corne, à côté, grattant les planches, le firent, coup sur coup, tressaillir. Il tendit l'oreille : personne. A la fin, il se révolta :

— Et puis, après tout, je suis bien bête !

Il y avait trois mois, à peine, que Guilhem connaissait la Naï. C'était une Cévenole. Descendue toute jeune, orpheline, de son village montagnard, depuis longtemps elle habitait Arles.

Un dimanche de courses, aux arènes, ils s'étaient rencontrés pour la première fois.

Chargé ce jour-là d'une ferrade [6], Guilhem ramenait son cheval par la bride dans le passage des corrals, quand la Naï l'avait abordé. Quelle femme ! Sa beauté chaude, un peu grossière, tout de suite, avait ébloui le gardian. A ses compliments il protestait, rouge de gêne, ahuri, un peu défiant : elle voulait rire, peut-être, il montait à cheval comme les autres, c'était son métier, pas plus. Mais elle s'approchait, gentille, se tortillait en montrant ses dents, laissant jusqu'à l'homme étourdi flotter les forts parfums de son corsage.

Ils s'étaient revus, depuis. Elle le tenait.

Quand le jour, son bâton à la main dans la plaine rase, tout seul, il poussait ses bêtes, ou le soir,

Lou mounde siblejè dins l'areno. Trevira, aubourè la tèsto :

— Noum de milo, lou chivau !

Mai, d'aquéu coustat, rèn riscavo. Bourguin s'anavo pas desdire. Lou pache, pèr éu, èro bon. E pièi, tout aro...

Tourna-mai, sourtié sa mostro, se despacientavo. Un cra-cra menut, lou brut d'uno bano, aqui ras, que gratejavo, cop sus cop, lou faguèron tressauta. Avancè l'auriho : pas res. A la fin, se rebifè :

— E pièi, à la perfin, siéu que trop bèsti !

Fasié tres mes, tout-à-peno, que Guilhem couneissié la Nai. Èro uno raiolo. En avènt davala jouineto, ourfanello, de soun païs mountagnòu, fasié long- tèms que restavo en Arle.

Un dimenche de courso, is areno, s'èron rescountra lou proumié cop.

Carga, aquéu jour d'aqui, d'uno ferrado, Guilhem entournavo soun chivau, à pèd, dins lou courredou dis estable, quand la Nai l'avié arresta. Quanto femo ! Sa bèuta calourènto, proun granado, sus lou cop, avié esbarluga lou gardian. A soun teta-dous, éu se rancuravo, rouge de la crento, un pau nè, emai se gardant : sai-que galejavo, mountavo à chivau coume lis autre, fasié soun mestié, pas mai. Mai elo,

devant les cabanes, en regardant monter la lune au ronflement des butors, il ne pensait plus qu'à la Naï.

Tout l'ennuyait.

Pour vivre avec elle, à présent, il eût accepté le travail, l'atelier, l'esclavage, enfin, de la ville, quitté son métier de gardian.

Mais, au premier mot, elle s'était récriée :

— Tu rêves debout, mon pauvre Guilhem. Et tu crois que je t'aimerais mécanicien ou manœuvre ? Ce que les hommes sont bêtes ! Ah ! bien...

Il n'avait pas insisté. Toutes les femmes sont un peu folles. Elle aimait les gens de taureaux, celle-là, c'était son idée.

Au fond, tout de même, il était content. Qui empêcherait la Naï, alors, de l'accompagner en Camargue ? Les taureaux, les juments sur la manade, la grande étendue sauvage, quelque temps la distrairaient. Elle soignerait le *Paon-Blanc*. Ce gueux-là, sur le pâturage, sûrement allait engraisser et, comme le disait Bourguin, pour un tout petit service...

Malgré le vacarme du dehors, malgré les cris et la musique, Guilhem, dans l'air chaud du toril, peu à peu s'assoupissait.

Une bordée de sifflets, une ovation plus bruyante, le faisaient parfois vaciller de droite et de gauche

341

*agradivo, se sarravo, se gancihavo e fasié lusi si
dènt en leissant lou mascle entesta nifla la fourtour
de soun jougne.*

S'èron mai parla, dempièi. Aro lou tenié.

*Quouro, lou jour, soun bastoun en man, dins lou
païs vaste, soulet, couchavo si bèstio o, de-vèspre,
davans li cabano, en regardant mounta la luno
quand rounflejon li bitor, pensavo plus qu'à la
Nai.*

Tout l'enmascavo.

*Pèr poudé viéure em' elo, aro, se sarié soumés au
travai, à l'ataié, à l'esclavitudo, enfin, de la vilo,
aurié quita soun trin de gardian.*

Mai elo, entre bada, s'èro escridado :

*— Sai-que sounjes de dre, moun paure Guilhem.
E te creiriés de m'agrada s'ères machinisto o mano-
bro ? Que soun sot, lis ome ! Tambèn...*

*Avié pas contro-ista. Li femo, tóuti, soun un pau
asclado. Amavo lis ome de biòu, aquelo, èro soun
idèio.*

*Dins lou founs, pamens, ié fasié plesi. Quau empa-
charié la Nai, alor, de parti em' éu en Camargo ?
Li biòu, li cavalo sus la manado, la grand sansouiro
sóuvajo, quauque tèms l'espaçarien. S'óucuparié dóu
Pavoun. Aquéu gandard, pèr païs, segur que*

342

en sursaut. Il rêvait presque. Des images flottaient à travers sa torpeur, se mêlaient, confuses dans sa tête : la cabane, là-bas et la Naï, le *Paon-Blanc*, le *Paon-Blanc*...

Cette fois, tonnerre, on avait frappé.

Il se trouva debout, hébété, derrière la porte, les yeux clignotants, tout gonflés encore, il apostropha la Naï qui venait d'entrer.

— Enfin ! ce n'est pas malheureux ! Et c'est maintenant que tu arrives ?

Elle ne répondit rien. Sur place, elle se balançait, n'osant pas, sans doute, franchir seule la passerelle, grattant du bout de son ombrelle le mur humide qui s'effritait. Boudeuse, les sourcils serrés sous ses boucles elle regardait Guilhem d'un air qu'il ne lui avait jamais vu.

Plus que d'habitude, ainsi, il la trouvait belle. Amoureux, il la regardait, tâchait de deviner le souple corps arrêté dans l'ombre, la gorge, les hanches, les bras frémissants sous sa robe claire.

Ils pouvaient crier là-bas, tous les autres, il ne les entendait pas.

Pour la dérider, lui-même se mit à rire :

— On dirait que tu n'es pas bien contente, eh ! la Naï ?

Contente ? Ce seul mot la fit éclater.

343

proufitarié e, coume disié Bourguin, pèr un bèn pichot service...

Mau-grat lou tarabast dóu deforo, mau-grat li bramado e la musico, Guilhem, dins la toufour di caso, d'à-cha-pau s'apenequissié.

Quauco raisso de sibleja, quauque cop mai vióulènt d'ourlado, lou fasien, de-fes, trantoula de drecho e de gaucho à ressaut. Quasimen ravassejavo. De vesioun vanegavon entre sa som, s'embouiavon, à bóudre, dins sa tèsto : la cabano, alin e la Nai, lou Pavoun, lou Pavoun...

Aquest cop, tron de milo, avien pica.

S'encapè aboura de dre, esbafia, de darrié la porto, en parpelejant, lis iue gounfle encaro, remouchinè la Nai que venié d'intra.

— Enfin, es pas malurous! E ansin, es aro, qu'arrives?

Respoundeguè rèn. Se bressavo sus plaço, qu'avié pòu, proubable, de passa sus la post souleto e rasclavo, 'mé la pouncho de l'oumbrello, la crousto mouisso de la paret. Mouqueto, en frounsissènt lis usso, espinchavo entre si frisoun Guilhem em' un biais qu'encaro éu i'avié jamai vist.

Mai qu'à l'acoustumado, ansin, ié semblavo bello. Amourousi, éu l'arregardavo, assajavo de destria

344

Contente, c'était difficile. Oh! elle ne se plaignait pas, c'était tant pis, tant pis. On n'avait pas idée, aussi, une femme comme elle, aller se toquer d'un gardian.

Elle s'interrompit pour ricaner.

Un gardian, c'était beaucoup dire. Un bohémien, plutôt, une espèce de caraque; n'allait-il pas faire commerce des vieux chevaux de picadors?

— Tu n'es pas fou? Toi! acheter des rosses? Sans doute, tu as trop d'argent?

Du geste seulement il protesta:

— A la fin, c'est ridicule. Quelle est cette histoire de *Paon-Blanc*? Te battre, t'endetter pour cette bête? Je venais ici, on m'appelle, on m'arrête pour me conter ça et tu veux que je sois contente? Tu oserais mener sur la manade une carne pareille, une charogne d'équarrissage tout au plus bonne à pourrir là-bas dans un trou?

— Sacré nom, fit Guilhem, les langues vont vite. J'avais des projets, oui, je ne dis pas. Mais avant de s'endetter, Naï, écoute, on y regarde à deux fois et si ça te fait tant de peine...

Il se dandina, l'air bonasse, et, câlin, se penchant sur elle, lui prit les poignets en riant:

— Après la course, petite...

345

lou cors souple aplanta au sourne, lou pitre, lis anco,
li bras bategant dins la raubo blanquinello.

Poudien brama, alin, tóuti, lis entendié pas.

Pèr l'ameisa, éu-meme se boutè à rire :

— Sèmblo que siés pas trop countènto, hòu, la
Nai ?

Countènto ? Rèn qu'aquéu mot la faguè parti.

Countènto, i' aurié de peno. Ho, segur, se poudié
pas plagne, èro tant pis, tant pis. Quau s'imaginavo,
tambèn, uno femo coume elo, de s'ana couifa d'un
gardian.

Se coupè pèr richouneja.

Un gardian, èro que trop dire. Un bóumian, pulèu,
un espèci de caraco ; anavo-ti pas faire coumerce di
vièi chivau di picador ?

— Siés pas simple ? Tu ! acheta de carno ? Prou-
bable que li sòu t'empachon ?

Rèn qu'en fasènt signe, éu proutestè :

— A la perfin, n'i'a pèr rire. De-qu'es aquéu conte
de Pavoun-Blanc ? T'empougna, t'endéuta pèr uno
bèstio ? Veniéu, me sonon, m'arrèston pèr me debana
acò e tu vos que fugue countènto ? Auriés lou front
de mena sus la manado uno carno ansin, uno
carougnado de bedoulo, tout bèu-just bono pèr se
pourri, alin dins un trau ?

Un grand coup sec secoua la porte, la voix de Bagarre appela :

— Hé ! tu te prépares, Guilhem ?

Sur les gradins, parmi les protestations et les murmures, des bravos épars éclatèrent, couverts aussitôt par des sifflets.

— Nom de nom !

En bas, les picadors étaient en selle. Dans un sillage de poussière, le train de mules remorquait le taureau tué.

Guilhem s'affaira. Et la Naï ? Elle était partie ? Bien, bien, elle reviendrait. Les femmes, il fallait les mener comme ça. « Pas assez fort, sois assez fin ». Bon proverbe. Il allait terminer l'affaire et la Naï n'en saurait rien. Ce n'était pas bien difficile. La Naï ? Il lui ferait croire, s'il le voulait, que les pigeons tètent.

La trompette sonna, les fers grincèrent. Penché sur la case, il piqua la bête à deux mains, la regarda foncer d'un coup vers la lumière, disparaître, tête basse, à travers le souterrain.

Impatient, il courut à l'embrasure. Cela pressait. Où était-il à présent, ce Bourguin ?

Le taureau couard refusait cette fois la pique, et les banderilleros, sous les huées, escortant le picador, acculaient lentement la bête et l'obligeaient à charger.

347

— *Sacre noum, faguè Guilhem, li lengo n'en chaplon. Aviéu d'idèio, dise pas. Mai davans que de s'endéuta, Nai, escouto, se ié regardo dous cop e s'acò te fai, pièi, tant peno...*

Se brandoulè sus si cambo, em' un biais bravas e, pèr l'aflata, en se courbant d'elo, i'agantè li dous pougnet en risènt :

— *Après la courso, pichoto...*

Un grand tuert estrementiguè la porto, la voues de Bagarro ressounè :

— *Hòu, t'alestisses, Guilhem ?*

Sus li rèng, au mitan di reclamacioun e di murmurage, d'aplaudimen, à-rode, gisclèron, doumina, tant-lèu, pèr li siblet.

— *Noum d'un goi !*

A-bas, li picador èron dins si sello. Entre un andaioun de póusso, lou trin di miolo rebalavo lou biòu couta. Guilhem s'entanchè. E la·Nai ? Avié parti ? Vai bèn tournarié. Li femo, èro coume acò que se menavon. « Pas proun fort, fugues proun fin. » Un brave dire. Anavo defeni l'afaire e la Nai n'en sauprié pas rèn. Èro pas la peno. La Nai ? Ié farié encrèire, se voulié, que li pijoun teton.

La troumpeto rampelè, crussiguèron li ferramento. Courba sus la caso, clavè la bèstio emé li dos man,

Guilhem, énervé, hocha la tête. Au-dessous s'étalaient devant lui la chemise bleue, le large dos du charpentier ; furieusement, l'homme sifflait, deux doigts enfoncés dans sa bouche.

— Tas de braillards !

Mais les cris, assourdis, au même instant, s'espacèrent. Le taureau, attaquant d'abord avec mollesse, s'allumait au contact du fer. Du mufle aux jarrets, bandé contre l'homme, il poussait, enragé par la pique qui mordait son cou. Le cheval, saisi sous les sangles, fut soulevé, secoué comme un corps sans vie, jeté sur le sable à la renverse.

— Hé ! Guilhem !

Malgré l'ovation, dans le bruit, étonné, il tourna la tête. C'était la Naï qui rentrait, posait cette fois, sans hésiter, le pied sur la passerelle.

— Ecoute...

Il remarqua la voix rauque, la bouche qui tremblait un peu.

— Tu vas me le donner, ton argent, tout de suite. Je sais, je sais...

Haletante, elle s'arrêta. Trop de colère l'étouffait. Son mouchoir en boule, elle frotta d'un coup ses lèvres livides, sous le rouge qui s'effaçait.

— Tu as de l'argent, allez, donne-le ! Quoi ? Ne mens pas, ce n'est pas la peine. Tu ne disais rien, parbleu, tu me roulais. Ah ! crapules d'hommes !

349

l'arregardè founsa, tout d'uno, vers lou jour, s'enca-
fourna dins lou croutoun, tèsto souto.

En barbelant, se lancè vers la fenèstro. Acò butavo.
Mounte èro, aro, aquéu Bourguin?

Lou biòu, flacas, rebutavo, aquest cop, la pico e li
banderillero, dins lis ourlado, en envirounant lou
picador, acantounavon d'à-cha-pau la bèstio pèr
la fourça de carga.

Guilhem, agassa, brandè la tèsto. Davans éu, en bas,
s'estalouiravon la camiso bluio, l'esquinasso dóu
fustié, à giscle, l'ome siblejavo, en cougnant dous det
dins sa bouco.

— Colo de bramaire!

Mai li crid, en s'amourtissènt, sus lou cop, de-
pertout, quasimen, manquèron. Lou biòu, qu'en
partènt, proun mouligas, atacavo, s'escaufavo en
tastant lou ferre. Dóu mourre i jarret, tanca contro
l'ome, fourçavo, encagna pèr la pico que ié clavavo
lou coui. Lou chivau, aganta i cenglo, fuguè auboura,
espóussa coume uno carnasso morto, desvira d'es-
quino sus la sablo.

— Hòu, Guilhem!

Mau-grat lis aclamacioun, dins lou chamatan, estou-
na, virè la tèsto. Èro la Nai que rintravo, plantavo,
aquest cop sènso balança, soun pèd sus la plancho.

350

Haussant le ton, hors d'elle, elle criait presque.

— Tu ne veux pas ? Tu ne veux pas ? Garde-le, tu es libre. Mais tu le paieras, tu sais ; c'est sûr, à la fin, il vaut mieux que tu choisisses. Comme ça, moi j'en ai assez.

Elle s'approchait, lui soufflait à la figure :

— J'en ai assez ! Achète ta rosse, mais après ne me parle plus, inutile, je ne te répondrais pas. Tu as beau me regarder, tu ne me connais pas encore. Tu ne sais pas qui je suis. Je te verrais crever sur ma route, je te piétinerais sans m'arrêter. Tu le sais maintenant, fais à ta tête ; je ne l'oublierai jamais.

Elle répéta, en battant la porte :

— Jamais.

Il resta tout seul, atterré, tournant le dos à l'arène. Jamais ? Jamais ? La garce ! C'est qu'elle ferait comme ça ! Quel air, vraiment, sur sa figure. Et ces poings serrés et ces yeux. Ces yeux. La voix chaude lui revenait, toute timbrée par la colère. Pour sûr, elle ne riait pas. Mais au fond, que prétendait-elle ? Le *Paon-Blanc* n'était qu'un prétexte. Elle voulait dominer l'homme, elle voulait avoir raison. Il les connaissait, les femelles ! Alors il faudrait se quitter...

Il bouscula son chapeau, soucieux, se gratta la tête. Trop d'idées à la fois brouillaient sa cervelle. Les bruits de l'arène l'importunaient.

351

— *Escouto...*

Arremarquè sa voues rauco, si bouco que i'anavon un pau.

— *Me li vas baia, ti sòu, tout-d'un-tèms. Sabe, sabe...*

Desalenado, calè. Lou trop de lagno l'estoumagavo. 'Mé soun moucadou amoulouna, se fretè dins qu'un cop li bouco, que, dóu rouge escafa, s'ableimissien.

— *As li sòu, zóu, baio! Coume? Me mentigues pas, vau pas la peno. Disiés rèn, pardiéu, pèr m'engarça. Ai! capounas d'ome!*

En se fourçant la voues, encagnado, quasimen bramavo.

— *Vos pas? Vos pas? Li pos bèn garda, siés libre. Mai, sabes, lou pagaras; de-bon, à la fin, vau mai que chausigues.*

Se sarravo, ié boufavo au nas.

— *N'ai proun! Pren ta carno, mai me vèngues, pièi, plus parla, es inutile, te respoundriéu pas. As bèu à me regarda, encaro noun me counèisses. Sabes pas quau siéu. Te veiriéu creba sus ma routo, te trepejariéu sèns me revira. Aro que lou sabes, fai à toun idèio, l'óublidarai jamai!*

Rediguè mai en fasènt peta la porto:

— *Jamai.*

Il faudrait se quitter pour ça ?

Dans l'odeur de cave et d'étable qui montait du fond du toril, il démêlait, comme un effluve le parfum flottant de la Naï. Avidement il respira. Il lui semblait la revoir toute. Sur la porte de la maison, à travers le sombre escalier, dans la chambre de la Roquette[7], c'était ce fort parfum, chaque fois, qui l'accueillait. C'était l'odeur des robes, de l'oreiller, des dentelles blanches. Un désir confus l'amollissait.

Il le savait parbleu, une femme pareille c'était trop beau pour lui, ça ne pouvait pas durer. Hé ! ce serait fini, voilà tout. Voilà tout.

Les poings aux oreilles, il se cala mieux pour réfléchir. Aussi bien, peut-être, allait-il trop vite. Et pourquoi s'affoler ? Si elle était indifférente, la Naï y mettrait moins d'ardeur ! C'était visible. Elle le brusquait de la sorte, parce qu'elle tenait à lui.

Il tendit le cou, battit des paupières.

Peut-être aussi dans cette affaire la Naï avait-elle raison. Ce *Paon-Blanc*, c'était dur de le voir périr dans l'arène. Et qu'y faire ?

L'acheter, même, ne pouvait servir de rien. Ils l'avaient bien dit, tous, c'était une rosse. L'animal était sur sa fin. Il allait traîner quelque temps, rouler ses vieux os sur la manade et puis, quoi,

Restè soul, aqui, ensuca, en virant l'esquino à l'areno.

Jamai? Jamai? La garço! Es qu'elo lou farié ansin. Quet èr, de-bon, sus soun carage e si poung sarra e sis iue. Sis iue. La voues calourènto ié revenié, brounsinanto de la coulèro. Avié pas lou rire, segur. Mai de-que voulié, dins lou founs? Lou Pavoun èro qu'uno escampo. Elo voulié mestreja l'ome, elo voulié avé resoun. Li couneissié proun, li femello! Alor, se faudrié quita...

Desvirè soun capèu, apensamenti, se gratè la tèsto. Trop d'idèio, au cop, i'embourbouiavon li cervello. Lou brut de l'areno lou subentavo.

Se faudrié quita pèr acò?

Dins l'óudour de croto e d'estable que sourtié dóu founs di refènd, destriavo, pèr alenado, lou flaire espandi de la Nai. Gloutamen, éu lou niflejè. Se cresié de la vèire touto. Sus lou pourtissòu de l'oustau, dins lou sourne de l'escalié, dins lou chambroun, eilalin, de la Rouqueto, èro aquelo fleirour, cop pèr cop, que ié venié. Èro l'óudour di raubo, dóu couissin, di dentello blanco. Unò envejo vaigo l'aflaquissié.

Lou sabié proun, pardiéu, de femo coume aquelo, èro trop bèu pèr éu, poudié pas forço dura. He bèn, aurié feni, 'm'acò tè. 'M'acò tè.

pourrir à la fin dans l'eau saumâtre et la fange, un beau jour, au bord d'un étang. Elle avait bien raison. Misère ? Il faudrait s'endetter pour ça ?

La huée du public, au-dehors couvrit le signal de la trompette : « Hou hou hou... » De toutes parts, à grands cris on réclamait :

— Pas les banderilles ! Pique, pique ! Des chevaux, des chevaux !

Les tempes en feu, Guilhem secoua la tête.

— Tout de même, mon pauvre *Paon-Blanc*...

Mais, redressé d'un brusque élan, il bondit en arrière, une main dans sa poche, avec rage, froissant le billet de Ricard.

— Alors moi, pour une femelle, je laisserai faire ça ?

Il se reprenait. La Naï ? Ah ! tant pis pour elle.

Il n'hésitait plus. Il allait payer, emmener la bête, en finir une fois pour toutes. Après, certes, on serait content.

Rapide, enjambant le rebord, il posa son pied sur l'échelle.

— Ah ! foutu sort !

Il restait immobile, des yeux à travers l'arène, fixant la porte des chevaux. Il était trop tard. Le *Paon-Blanc* sortait des corrals, trottinant sous la haute selle, aux coups d'éperons du Duro qui le montait. Un valet, d'une main tirant sur le mors,

*Li poung sus lis auriho, se cougnè miés à soun aise
pèr s'apensati. Autambèn, belèu qu'anavo trop vite.
Pèr de-que se desmemouria? Se, de-bon, se n'en
bacelavo, la Nai s'afougarié pas ansin. Se vesié de
rèsto. Lou targuejavo, que ié tenié.*

Alounguè lou coui, parpelejè.

*Autant bèn, dins aquel afaire, belèu que la Nai avié
resoun. Aquéu Pavoun, èro marrit de lou vèire peri
dins l'areno. Mai de-que se ié poudié faire?*

*Emai l'achetèsse, servirié de rèn. L'avien proun di
tóuti, èro qu'uno carno. La bèstio venié sus sa fin.
S'anavo rebala quauque tèms, tirassa si vièis os sus la
manado e pièi, de-que, se pourri dins l'aigo salabrouso
e la papolo un bèu jour, au bord dis estang. Avié
proun resoun. Ai! misèri. S'endéutarié pèr acò?*

*L'ourlado dóu publi douminè lou rampèu de la
troumpeto: « Houhouhou...» De pertout, rèn que
d'uno voues, se reclamavo:*

*— Pas li bandariho! Pico, pico! De chivau, de
chivau!*

Un fió i tempe, Guilhem boureguè la tèsto.

— Pamens, moun paure Pavoun...

*Mai en s'aubourant tout d'un vanc, boumbiguè à-
rèire, uno man à la pòchi, rabin, en manejant li sòu
de Ricard*

de l'autre avec son bâton touchait la croupe en arrière. Le cheval tremblait. Au-dessus de sa jambe en sang, sa blessure s'était rouverte. L'oreille droite et l'œil bandé, il s'en allait, raide de peur, en boitant, le long des barrières.

— *He! toro!*

A l'appel de l'homme, le taureau s'était retourné. Il grattait le sable, en arrêt, alourdi déjà par les piques, regardait croître et s'avancer, sur l'informe caparaçon, cette masse d'or et de rouge, dont l'odeur seule l'exaspérait. Lorsqu'elle fut tout près de lui, il pointa brusquement les cornes et se ramassa pour charger.

La foule, un instant, s'était tue.

On entendit, dans le silence, le claquement sec d'une trique, la voix enrouée du Duro qui défiait le taureau :

— *He! toro!*

Alors, pour ne plus rien voir, Pierre Guilhem baissa la tête et, les deux mains devant ses yeux, sous son chapeau, fit semblant d'allumer sa pipe.

357

— *Alor, iéu, pèr uno femello, ié leissariéu faire acò?*
Se reprenié. La Nai? Hòu! tant pis pèr elo.
Balançavo plus. Anavo paga, mena la bèstio, n'en
feni un bon cop pèr tóuti. Segur, pièi, que sarié
countènt.
En encambant lou releisset, lèu-lèu, avancè soun
pèd sus l'escaleto:
— *Bastard de sort!*
Restavo planta, 'mé lis iue d'eila de l'areno, en
fissant la porto di chivau. Èro que trop tard. Lou
Pavoun sourtié dis estable, en troutejant emé sa
selasso, i cop d'esperoun dóu Duro que i' èro dessus.
Un varlet, 'm' uno man, en lou tirant pèr lou mors,
de l'autro, emé soun bastoun, ié toucavo la groupo
à-rèire. Refernissié lou chivau. En dessus de sa
cambo en sang, la plago s'èro mai duberto. L'auriho
redo e l'iue tapa, viravo, jala de la pòu, en panar-
dejant, long di barro.
— *Hè, toro!*
A la voues de l'ome, lou biòu s'èro revira. Tiravo
braso en se quihant, arrena deja pèr li pico, regardavo
crèisse e veni, sus l'escur dóu caparassoun, aquéu
mouloun d'or e de rouge que rèn que soun óudour
l'afoulissié. Entre que se ié veguè ras, ié virè, tout-
d'uno, li bano e s'amoulounè pèr carga.

358

Lou crid dóu mounde, un moumen, avié cala.
S'ausiguè, dins l'entre-silènci, lou cop se d'uno
toucadouiro, la voues ragagnouso dóu Duro qu'ansin
aquissavo lou biòu.
— Hè, toro!
Alor, pèr ié pas vèire mai, Guilhem, un brisoun,
clinè la tèsto e, 'mé li dos man sus sis iue, souto l'alo
de soun capèu, faguè ensemblant d'atuba sa pipo.

359

Lou Vacarès. Le Vaccarès. Le plus grand étang de Camargue, ainsi nommé à cause des vaches sauvages qui paissent en manades sur ses bords. Racine : *vaca*. Bas latin : *Vacaresium*. La transcription Valcarès, souvent employée, est incorrecte.

[1] *Manado*. Manade. Troupeau libre de taureaux ou de chevaux sauvages. La manade est dirigée par un *baile* ou chef, qui a sous ses ordres des *gardians* ou compagnons.

[2] *Lou Grand-Rose*. Le Grand-Rhône. Le Rhône, à Arles, se divise en deux branches, pour former le delta camarguais : le Grand-Rhône, qui se jette dans la mer à Port-Saint-Louis et le Petit-Rhône, dont l'embouchure est située au Grau d'Orgon, tout près des Saintes-Maries-de-la-Mer.

[3] *La Camargo*. La Camargue. Le delta actuel présente une superficie de 75 000 hectares. Mais le nom de Camargue s'applique en réalité, à l'ensemble des terres salées formant le delta ancien et comprenant encore la Petite-Camargue à l'ouest, dans la direction d'Aigues-Mortes, et, à l'est, le grand et le petit Plan-du-Bourg, dans la direction de Fos. La superficie totale de cette plaine alluvionnaire est de 130 000 hectares.

[4] *Roubino*. Roubine. Canal, grand fossé d'écoulement.

[5] *Estanié*. Dressoir provençal, construit spécialement pour y ranger la vaisselle et les ustensiles d'étain.

⁶ *Tamarisso*. Tamaris. Arbre de la famille des tamariscinées, commun en Camargue et sur tout le littoral méditerranéen.

⁷ *Catigot*. Sorte de bouillabaisse au vin qui forme un des plats les plus caractéristiques de la cuisine camarguaise.

⁸ *Bouvino*. Bouvine. Nom collectif désignant les animaux d'espèce bovine et, en particulier, l'ensemble des taureaux sauvages en Camargue.

⁹ *Nosto-Damo-de-la-Mar*. Notre-Dame-de-la-Mer. Le village actuel des Saintes-Maries-de-la-Mer, en Camargue, célèbre par sa basilique fortifiée, autour de laquelle le pèlerinage annuel des 24 et 25 mai attire les nomades gitans, s'appelait autrefois la *Villa-de-la-Mar* ou *Nostra-Dona-de-la-Mar* et, en bas latin, *Sancta Maria de Mari*, *Sancta Maria de Ratis*. Selon la tradition d'Arles, c'est là que les trois Maries et plusieurs disciples vinrent aborder après la mort du Christ.

¹⁰ *Lou Riege*. Le Riège. Bois formé par une succession d'îlots, au sud de l'étang du Vaccarès. On dit aussi : le bois d'Eriège, de Reiriège, Riruge, ou Reiruge.

¹¹ *Roussatino*. Rossatine. Nom collectif désignant l'ensemble des bêtes chevalines de race camargue, ou *rosso*, rosses. Noter que le mot, dans cette acception provençale, ne présente aucunement le sens péjoratif du mot français et reste très voisin de la racine germanique : *ross*, cheval. Le cheval camargue, dont le type est très arrêté, est considéré comme un représentant très peu évolué de la race préhistorique de Solutré.

¹² *La Séuvo*. La Sylve. Région de Camargue, jadis très boisée, et constituée par un ancien cordon littoral. Sylve-Réal (*Sylva Regalis*), se trouve sur le Petit-Rhône ; la Sylve godesque (*Sylva Gothica*), dans les environs d'Aigues-Mortes. On a découvert, dans la Sylve godesque, un autel

votif, dédié au dieu Sylvain, en faveur d'un troupeau de gros bétail :

SILVANO

VOTVM. PRO

ARMENTO

13 *Saumòdi.* Psalmodi. Ancienne abbaye de l'Ordre de saint Benoît, dans les environs d'Aigues-Mortes.

14 *Ficheiroun.* Ficheron. Trident, arme du gardian de taureaux. Le trident est constitué par un fer à trois pointes en forme de demi-lune, emmanché sur une hampe de châtaignier, longue de deux mètres environ. Les gens de métier la nomment plus couramment entre eux : *lou ferre*, le fer.

15 *Draio.* Draille. Chemin rural où les troupeaux ont droit de passage.

16 *Restencle.* Lentisque. Arbuste, sorte de pistachier.

17 *Óulivastre, daladèu* ou *dalader.* Alaterne. Arbrisseau vert, commun au bois de Riège.

18 *Mourven.* Genévrier de Phénicie.

19 *Tiragasso.* Tiragasse. Salsepareille d'Europe, appelée aussi *ariège, ariuege, saliège.* C'est à cette liane épineuse que le bois de Riège doit évidemment son nom : *Bos d'Ariège, dis Ariège* ou *d'Ariuege.*

20 *La Vièio danso.* La Vieille danse. Ainsi les Camarguais ont-ils coutume de désigner le mirage. Les mirages sont fréquents en Camargue, surtout dans la région du Vaccarès. Ils débutent par une vibration de l'air, un tremblement continu à ras du sol qui semble faire danser les images et s'étale au loin en grandes nappes où se réfléchissent des touffes sombres. Comment ne pas voir dans cette mystérieuse *Vièio*, dansant au soleil dans le désert, un souvenir populaire de la déesse insaisissable et farouche, force antique, génie de la solitude, divinisé autrefois et qui demeure l'âme de ce grand pays sauvage ?

21 *Primaio.* Primaille. Oiseaux de *primo*, dont le passage a lieu à la *primo*, c'est-à-dire au printemps.

22 *Baisso.* Baisse. Dépression de terrain souvent assez étendue, où l'eau douce séjournant au temps des pluies donne naissance à une végétation palustre qui attire le gibier.

23 *Gaso.* Gase. Gué, passage sûr au milieu des boues mouvantes ou des étangs.

24 *Sansouiro.* Sansouire. Etendue alluvionnaire inculte. Plus spécialement, surface de terre stérile et nue, couverte d'efflorescences de sel pendant les époques de sécheresse.

25 *Rasclet.* Petit râle, oiseau de marais.

26 *Vibre.* Bièvre. Castor du Rhône. Bas latin : *veber* ; latin : *fiber.*

27 *Bon-Pache.* Bon pacte, bon marché. Surnom de gardian.

28 *Seden.* Corde de crin tressé, servant, en Camargue, de lasso et de licol. Le seden fait partie du harnachement du « cheval de taureau » ; replié en deux, noué à l'encolure par une extrémité, il est, de l'autre, roulé à l'arçon de la selle. Ce sont les gardians eux-mêmes qui le fabriquent avec du crin de couleurs diverses, dont les combinaisons permettent de varier les dispositions décoratives.

29 *Quatren.* Poulain de quatre ans. A un an, le poulain se nomme *court* ; à deux ans, *doublen* ; à trois ans, *ternen.*

30 *Dèstre.* Dextre, côté droit. Mener un cheval en *dèstre,* c'est-à-dire en main.

31 *Largado.* Largade. *Vènt-larg,* vent d'ouest. Les gardians ont coutume de s'orienter sur le vent, et par le nom du vent, de désigner souvent leur point de direction.

[32] *Cabassoun*. Caveçon. Sorte de muserolle de métal à pointes, articulée, dans lequel on serre le nez d'un cheval pour le dresser. Le caveçon s'emploie, en Camargue, au moyen de rênes de crin tressé qui se croisent et retombent de chaque côté de l'encolure. Le cheval est monté d'abord avec un caveçon à rênes et un mors de bride. Le dressage terminé, le caveçon est supprimé et l'animal n'est gouverné, par la suite, qu'au moyen des rênes de bride.

[33] *Lunèu*. Lunel en Languedoc.

[34] *Calèu*. Petite lampe à huile de forme antique, généralement triangulaire, en métal. Une tige munie d'un crochet permet de la suspendre dans l'âtre ou à l'angle de la cheminée.

[35] *Se desbrandant*. Se défendant. Le *desbrandage* est une série de défenses violentes, rapides et répétées, spéciales au cheval camargue.

[36] *Muge*. Muge ou mulet, poisson de mer. Latin : *mugil*.

[37] *Nègo-Bióu*. Noie-Taureaux. Nom d'une *gase* ou passage du Riège.

[38] *Mourraioun*. Mouraillon. Muserolle à rênes formée au moyen du seden ou corde de crin, pour remplacer la bride, lorsqu'on monte un cheval à cru.

[39] *Béu-l'òli*. Buveur-d'huile. Effraie, oiseau nocturne. *Strix flammea (Lin.)*, ainsi nommé en Provence, parce qu'on croit qu'il s'introduit la nuit dans les églises pour boire l'huile des lampes.

[40-41] *Eimargue, lou Queilar, Galargue, Vau-verd*. Noms de localités languedociennes.

[42] *Brouqueto*. Bûchette, fragment de tige de chanvre enduite à l'une de ses extrémités de soufre ou de suif et destinée à s'enflammer par contact avec les charbons du foyer.

---

[1] Se pencha pour voir sortir le taureau. *(Se courbè pèr vèire sourti soun biòu).* Les *aficionados* trouveront peut-être, à travers les incidents de cette *novillada*, quelques détails faits pour les surprendre, mais qui ne s'en rapportent pas moins à des réalités observées, au temps déjà lointain où s'organisèrent, à Arles et ailleurs, des courses à l'espagnole, avec du bétail croisé, du pays.

[2] Toutes ces courses espagnoles. *(Aquéli courso espagnolo).* Les propagandistes antiméridionaux de la S.P.D.A. doivent renoncer à trouver ici des arguments contre les courses de taureaux en général, et, spécialement, contre la *suerte* de piques. Le cas du *Paon-Blanc,* «cheval de taureau» et l'opinion professionnelle du gardian Pierre Guilhem n'ont rien à voir avec les campagnes de pénétration anglo-saxonne.

[3] Pourvu qu'il monte les chevaux qu'on lui donne. *(Emai encambe li chivau que se ié presènto).* Soulignons encore cette exception apparente au règlement officiel des corridas intégrales.

[4] Roustan. Nom d'un « tes », ou îlot du Rhône.

[5] La Lice *(La Liço).* Boulevard, lieu de promenade d'Arles.

[6] Chargé, ce jour-là, d'une ferrade. *(Carga, aquéu jour d'aqui, d'uno ferrado).* La ferrade est, comme on sait, l'opération

qui consiste à poursuivre à cheval en plein champ, puis à renverser, soit en selle, au trident, soit à pied, en le saisissant par les cornes, le jeune taureau à qui l'on veut imposer la marque du propriétaire. Les gardians exécutent souvent cette poursuite et cette lutte devant le public des arènes, à titre de démonstration, ou, comme disent les sportifs, d'exhibition.

La ferrade camarguaise est analogue aux jeux de plein champ et à la « lutte à la corne » pratiquée par les cavaliers thessaliens.

La Roquette. *(La Rouqueto)*. Quartier d'Arles.

TABLE DES MATIÈRES

Préface de Charles Maurras   1
Préface de Louis Bayle.   7
Note sur la langue de d'Arbaud   31
La prière du gardeur de bêtes   37
Avertissement   41
La Bête du Vaccarès.   51
Le Regret de Pierre Guilhem   279
Notes sur «La Bête du Vaccarès».   361
Notes sur «Le Regret de Pierre Guilhem» .   367

Dans la collection
Les Cahiers Rouges

Joseph d'Arbaud	*La Bête du Vaccarès*
Marcel Aymé	*Clérambard*
Erskine Caldwell	*Une lampe, le soir...*
Blaise Cendrars	*Moravagine*
Jacques Chardonne	*Claire*
Jacques Chardonne	*Vivre à Madère*
Jacques Chardonne	*Lettres à Roger Nimier*
Jean Cocteau	*Journal d'un inconnu*
Jean Cocteau	*Portraits-Souvenir*
Léon Daudet	*Les Morticoles*
Joseph Delteil	*Choléra*
Joseph Delteil	*Sur le fleuve Amour*
André Dhôtel	*Le Ciel du faubourg*
Maurice Genevoix	*La Boîte à pêche*
Jean Giono	*Mort d'un personnage*
Louis Guilloux	*La Maison du peuple*
Kléber Haedens	*Adios*
Louis Hémon	*Battling Malone pugiliste*
Panaït Istrati	*Les Chardons du Baragan*
Franz Kafka	*Tentation au village*
Pierre Mac Orlan	*Marguerite de la nuit*
Jacques Laurent	*Le Petit Canard*
Norman Mailer	*Un rêve américain*
André Malraux	*La Tentation de l'Occident*
Heinrich Mann	*Professeur Unrat (l'Ange bleu)*
Thomas Mann	*Altesse royale*
Thomas Mann	*Sang réservé*
François Mauriac	*Les Anges noirs*
François Mauriac	*La Pharisienne*
Paul Morand	*Lewis et Irène*
Vladimir Nabokov	*Chambre obscure*
François Nourissier	*Un petit bourgeois*
René de Obaldia	*Le Centenaire*
André Pieyre de Mandiargues	*Feu de braise*
Joseph Peyré	*L'Escadron blanc*
André de Richaud	*La Barette rouge*
André de Richaud	*L'Étrange Visiteur*
Rainer-Maria Rilke	*Lettres à un jeune poète*
Ignazio Silone	*Une poignée de mûres*
Stefan Zweig	*Le Chandelier enterré*
Stefan Zweig	*La Pitié dangereuse*
Stefan Zweig	*La Peur*

*Cet ouvrage a été reproduit
par procédé photomécanique
et réalisé sur
Système Cameron
par la SOCIÉTÉ NOUVELLE FIRMIN-DIDOT
Mesnil-sur-l'Estrée
pour le compte des éditions Grasset
le 22 mars 1985*

Imprimé en France
Dépôt légal : mars 1985
N° d'édition : 6630 – N° d'impression : 2165
ISBN 2-246-17683-2
ISSN 0756-7170